Rosa Koppelmann

Wenn alles eins ist, ist alles easy

Eine Einladung in das unendliche Spiel des Lebens

Rosa Koppelmann

Wenn alles eins ist, ist alles easy

Eine Einladung in das unendliche Spiel des Lebens

Bibliografische Information der Deutschen Nationalbibliothek: Die Deutsche Nationalbibliothek verzeichnet diese Publikation in der Deutschen Nationalbibliografie; detaillierte bibliografische Daten sind im Internet über http://dnb.dnb.de abrufbar.

Lektorat: Stefanie Lodes, Buchseelen Lektorat

Verlag: BoD · Books on Demand GmbH, Überseering 33, 22297 Hamburg, bod@bod.de

Druck: Libri Plureos GmbH, Friedensallee 273, 22763 Hamburg

ISBN: 978-3-8423-9283-0

Für Johann

Inhaltsverzeichnis

VORWORT DER LEKTORIN

Ich bin Lektorin. Das bedeutet: Ich lese Bücher, damit sie besser werden. Ich korrigiere, ich hinterfrage, ich forme. Mit Herzblut, aber auch mit einem gewissen professionellen Abstand. Normalerweise bleibe ich hinter den Kulissen.

Dieses Mal war es anders.

Ich bin ohne einen einzigen Funken Vorkenntnis in dieses Lektorat gegangen. Die Themen, die Rosa in diesem Buch behandelt, waren mir vollkommen fremd. Ich hätte mich selbst als jemanden beschrieben, der mit solchen Dingen schlicht nichts anfangen kann, festgefahren, pragmatisch, bodenständig. Spirituelle Konzepte, Neurobiologie, das Gefühl, dass alles irgendwie eins ist? Das war eine Welt, die nicht meine war.

Ich habe mich ordentlich getäuscht.

Denn dieses Manuskript hat mich nicht losgelassen. Ich musste es immer wieder weglegen und das hatte nichts damit zu tun, dass es schwer zu lesen war. Rosa schreibt mit einer Klarheit und einem Wortgefühl, das ich in dieser Form noch nie erlebt habe. Sie weiß genau, wo und wie sie etwas beschreiben muss, damit es ankommt. Damit es sitzt. Einem absoluten Laien Zusammenhänge so zu vermitteln, dass er sie nicht nur versteht, sondern spürt, das ist keine handwerkliche Leistung. Das ist eine Kunst.

Ich musste das Manuskript weglegen, weil es etwas in mir bewegt hat, das ich vorher nicht kannte. Ich habe angefangen, Dinge zu beobachten, Parallelen zu ziehen, mich in Passagen wiederzuerkennen, die ich vor ein paar Wochen noch nicht mal eingeordnet hätte.

Ich habe zwei kleine Kinder. Ich arbeite, ich kümmere mich, ich funktioniere, oder ich versuche es zumindest. Seit Monaten hatte ich das Gefühl, nicht atmen zu können. Alles war zu viel, immer. Mein Mann, die Kinder, der Job, der Nebenberuf, die Carearbeit und mittendrin die Nachricht, dass wir unser Büro aufgeben müssen und ich gleichzeitig mit unserem dritten Kind schwanger bin. Ich habe mich gefühlt wie die schlechteste Version von mir selbst. Als Mutter, als Partnerin, als Mensch. Die Schlafstörungen kamen, die Erschöpfung, das Gefühl, irgendwie neben sich zu stehen.

Und dann, eines Morgens mitten im laufenden Lektorat, bin ich aus einem zehnstündigen Tiefschlaf aufgewacht. Und alles war anders.

Ich kann es kaum anders beschreiben: Es war leicht. Alles. Plötzlich und vollständig. Situationen, die mich vorher innerhalb von Minuten in den Wahnsinn getrieben haben, waren einfach kein Ding mehr. Ich habe mich wieder gespürt. Wer ich wirklich bin, wenn der ganze Druck mal kurz aufhört zu drücken. Ich war dankbarer. Ruhiger. Mehr ich selbst.

Und ja, das war wegen dieses Buches.

Später, in einem der schwierigsten Momente dieses Lektorats, als wirklich alles in meinem Kopf durcheinandergewirbelt war, stand ich vor einer Apotheke und konnte kaum atmen. Meine typischen Muster brachen auf. Die Schleife lief:

„Was ist, wenn ich nicht gut genug bin? Was ist, wenn ich es nicht wert bin?"

Ich kannte diesen Zustand. Ich wusste, wie er normalerweise endet. In Lähmung, in Tagen, die ich danach mühsam wieder zusammensetzen muss.

Aber dann dachte ich an die RKM. Ich habe durchgeatmet. Meine Gefühle beobachtet, wirklich beobachtet, zum ersten Mal einfach im Hier und Jetzt. Ohne Geschichten. Und ich habe sie einfach da sein lassen. Immer wieder kam etwas Neues hoch und ich habe leise zu ihnen gesagt: "Ich sehe dich."

Das hat mich in Ruhe durch diesen Tag gebracht. Und ich sage das als jemand, der vorher an so etwas halb zerbrochen wäre.

Dieses Buch verändert Menschen. Leise, tief, auf eine Art, die bleibt. Es hat mich verändert, jemanden, der dachte, er wäre für genau das nicht empfänglich.

Ein Monat gemeinsame Arbeit. Seite für Seite. Und am Ende hatte ich nicht nur ein Manuskript lektoriert, sondern etwas geschenkt bekommen, das kein Lektorat der Welt mir hätte geben können.

Rosa, danke, auch wenn dieses Wort nicht ansatzweise aus-
reicht.

EINLEITUNG: ZEIT UND RAUM UND ICH

Wenn alles eins ist, ist alles easy. Diesen Satz schrieb ich 2023 in meine Notizen auf dem Handy. Ich vergaß ihn zwischen der Anstrengung, mein Business aufzubauen und mein viertes Kind auszutragen. Ich dachte ihn erneut und war überzeugt, dass ich ihn zum ersten Mal denke. Ich vergaß ihn wieder. Bis ich eines nachts aufwachte, mein Handy nahm und in meine Notizen schrieb: Mein neues Buch heißt „Wenn alles eins ist, ist alles easy". Ich klopfte mir innerlich auf die Schulter, weil das so eine geniale Idee von *mir* war und schlief wieder ein. Natürlich hatte ich längst vergessen, dass dieser Satz schon seit Monaten in meinen Notizen wartete - bereit, mit Leben gefüllt zu werden.

Ich vergaß sogar wieder die Idee zu diesem Buch. Drei Monate später hatte ich sie erneut „zum ersten Mal" und freute mich darüber, als hätte ich einen Schatz gefunden. Erst viel später fand ich die alten Notizen wieder und erkannte, dass keine einzige dieser Ideen wirklich *neu* war.

Und genau diese kleine Geschichte bringt uns direkt zum Kern: Wenn alles eins ist, existiert weder Zeit noch Raum. Alles *ist*. Jetzt. In absoluter Bedingungslosigkeit.

Es spielt also keine Rolle, ob ich diesen Satz einmal als „neue Idee" hatte oder viermal. Er ist. So wie alles ist. Wahrscheinlich hatten gleichzeitig hundert andere Menschen auf der Welt die gleiche Eingebung. Einige haben sie gehört, andere haben sie so schnell verworfen, dass die Idee es nicht mal bis ins Bewusstsein geschafft hat. Denn so ist das mit Energie; sie ist da. Die ganze Zeit und immer. Wir müssen nichts tun, damit sie da ist. Alle Ideen, alle Lösungen, alle Antworten, alles ist immer und in jedem Moment vorhanden.

Denn alles in diesem Universum besteht aus Energie - es gibt nichts, was nicht Energie ist.

Und genau *deshalb* ist es so leicht.

Das klingt jetzt gerade vielleicht schon völlig klar für dich - oder völlig absurd. So oder so: Steigen wir tiefer ein:

Wenn wir erkennen, dass alles Energie ist, kommen wir schnell an den Punkt, an dem wir feststellen, dass die Energie nicht anfängt oder aufhört. Sie ist überall. Immer. Und damit sind wir bei dem quantenphysikalischen Fakt, dass alles Eins ist. Das klingt im ersten Moment vielleicht wie ein schöner spiritueller Satz, den wir uns auf eine Postkarte drucken könnten und in besonders romantisch-verbundenen Momenten unserem Liebsten schicken würden, um ihm oder ihr mitzuteilen, dass wir uns danach sehnen, miteinander zu verschmelzen. „Wir sind eins" als Ausdruck von Nähe, Intimität und Verbundenheit.

Und so wunderschön das auch klingt, muss ich leider direkt an dieser Stelle ein Wolkenschloss platzen lassen: Du bist nicht nur eins mit deinem Liebsten, sondern auch mit mir. Und mit dem Drogendealer am Kottbusser Damm. Und mit Donald Trump. Und mit deiner Klobürste. All das - und alles andere auch - besteht aus den gleichen Quanten. Winzige Teilchen, aus denen das ganze Universum besteht.

Jetzt kippt die Romantik bei dir? Das kenne ich gut - und ich weiß auch, wie unbequem sich das im ersten Moment anfühlt, gleichzeitig muss ich hier und jetzt direkt deutlich machen: Sorry not sorry, aber tatsächlich ist „alles ist eins" die präziseste Beschreibung der Realität, die uns Wissenschaft und Mystik gemeinsam liefern: Denn Trennung existiert nur in deiner wundervollen, subjektiven Wahrnehmung. Nicht in der Struktur des Universums. Wenn du ganz tief hineinzoomst, also wirklich tief - weiter als jedes Mikroskop schauen kann -, dann gibt es da keine festen Grenzen mehr. Keine klaren Linien zwischen „du" und „ich", zwischen Trump und Putin, zwischen Tisch und Luft, zwischen Klobürste und Edelstein, zwischen gestern und morgen. Alles ist einfach Schwingung in unterschiedlicher Intensität. Alles ist in Bewegung. Alles ist Welle.

Und diese Wellen - also das, was wir physikalisch „Energie" nennen - sind untrennbar miteinander verbunden. Sie durchdringen sich gegenseitig, tauschen Informationen aus und reagieren in Echtzeit. Nicht in Millisekunden, sondern wirklich: *jetzt*. Jetzt. Jetzt. Jetzt.

Und so gerne ich dir jetzt sagen würde, dass das nur eine esoterische Idee aus einem schmierig-weltfremden Licht-und-Liebe-Hirn ist, so muss ich dir sagen: es ist Quantenphysik in ihrer Reinform. It's boring science! Yes! Dieses ganze unfassbar geniale Leben mit all den Wundern (ja auch den ganz „großen", unglaublichen Wundern) ist alles einfach Schwingung in Aktion und weiter nichts.

Lass uns kurz den Skeptiker in dir mitnehmen und ihm ein bisschen was zum darauf herumkauen mitgeben, damit du die Lektüre dieses Buches weiter genießen kannst, ohne, dass der Skeptiker in dir ständig dazwischen quatscht. Also, lieber Skeptiker, hier sind nur ein paar Beispiele der Nobelpreise der letzten Jahre:

2025 wurde er an drei Physiker verliehen, die bewiesen haben, dass Quantenphänomene in einem ganz gewöhnlichen elektrischen Schaltkreis stattfinden. Elektronen sprangen dort durch Barrieren hindurch, die laut klassischer Physik völlig undurchdringbar waren. Und sie taten es in klar definierten Quantensprüngen - plötzlich und ohne Zwischenschritte. Diese Forschung macht etwas sehr deutlich: Das Universum funktioniert nicht linear. Es bewegt sich nicht brav von A nach B. Veränderung geschieht sprunghaft - ein

Zustand endet, ein neuer ist sofort da. Physiker nennen das *makroskopische Quantentunnelung*. Im Alltag könnte man sagen: Realität schaltet um.

Und das war kein Einzelfall. Die letzten Jahre lesen sich wie eine Parade der physikalischen Bestätigungen für das, was spirituelle Weisheit seit Jahrtausenden weiß: Alles ist eins.

- **2022**: Aspect, Clauser und Zeilinger erhielten den Nobelpreis für ihre Experimente mit verschränkten Photonen - Ihre Experimente zeigten, dass Teilchen miteinander verbunden bleiben, selbst wenn sie sehr weit voneinander entfernt sind. Es gibt kein echtes „Hier" und „Dort". Nur Verbindung.

- **2023**: Agostini, Krausz und L'Huillier zeigten mit Attosekunden-Lichtblitzen, wie Elektronen sich in Echtzeit bewegen. Bis hierher hatte man geglaubt, Elektronen bewegen sich fließend (so wie Wasser aus dem Wasserhahn). 2023 fand man heraus, dass Elektronen nicht „fließen", sondern von Zustand zu Zustand springen.

- **2024**: Hopfield und Hinton wurden für ihre Forschung ausgezeichnet, die zeigt, wie das Denken funktioniert. Es verläuft nämlich nicht Schritt für Schritt. Gedanken entstehen aus vielen Informationen, die gleichzeitig miteinander verbunden sind.

- **2025** schließlich: John Clarke, Michel Devoret und John Martinis bewiesen, dass Quantenphysik nicht nur für winzige Teilchen gilt. Dass diese Prinzipien nicht nur für das Allerkleinste gelten, auch große, messbare Systeme folgen denselben Regeln. Das Große ist nicht anders als das Kleine. Es gibt keine Trennung und keine Hierarchie - nur ein durchgängiges Prinzip.

Alles, was in diesen Jahren ausgezeichnet wurde, sagt im Kern dasselbe: Die Realität besteht nicht aus getrennten Teilen. Sie ist ein zusammenhängendes, vibrierendes Ganzes.

Die Quantenphysik hat neben all den Nobelpreis- Wows vor allem einige ganz grundlegende Sachen herausgefunden, die für uns hier in diesem Buch und in deinem Verständnis von „Realität" besonders wichtig sind. Stell dir als erstes einmal vor, dass, wenn zwei Teilchen einmal miteinander verbunden waren, sie es auch bleiben - egal, wie weit sie voneinander entfernt sind. Immer. Veränderst du das eine, reagiert das andere sofort. Nicht mit Verzögerung. Sofort. Aus diesen Teilchen ist das ganze Universum gebaut. Yes, immer noch alles. Du pupst hier und die Schwingung hat Auswirkung auf alles, was ist. Und zwar sofort. Du denkst einen schönen Gedanken und auch diese Schwingung hat sofort und unwiderruflich Auswirkungen auf alles, was ist.

Das nennt man Quantenverschränkung und ist tatsächlich schon seit Ewigkeiten bekannt. Schon 1982 zeigte Alain Aspect in Paris, dass zwei verschränkte Teilchen augenblicklich aufeinander reagieren, egal, ob sie einen Millimeter oder einen Kilometer voneinander entfernt sind. Später bestätigten Forscher in Delft und Wien diese Ergebnisse mit noch präziseren Messungen. Albert Einstein nannte es damals spöttisch „spukhafte Fernwirkung".
Heute wissen wir: spooky, ja - aber real.

Diese Teilchen tauschen also ständig Informationen aus, als wäre Entfernung gar kein Thema. Und genau das ist der Punkt: Entfernung ist kein Thema. Raum ist kein fester Container, sondern ein Feld. Ein Meer aus Möglichkeiten, das sich selbst ständig beobachtet und formt. Du liest dieses Buch vielleicht gerade in Dubai am Pool oder in Deutschland mit Blick über den Thüringer Wald. Und wenn ich jetzt an dich denke, dann kannst du diesen Gedanken wahrnehmen (sofern du dich ein bisschen konzentrierst). Du kannst den

Gedanken in deinem Körper spüren; egal ob ich gerade an der Bar fünf Meter weiter bin und dir einen alkoholfreien Cocktail mit Schirmchen hole, durch den Thüringer Wald spaziere oder auf den Lofoten sitze und dieses Buch schreibe. In anderen Worten: Raum existiert nicht. Der Energie ist es völlig egal, wo du gerade bist. Wenn ich an dich denke und meine ganze Energie in diesen Gedanken bringe, fühlst du ihn unmittelbar. Sofort.

Mit diesem „Sofort" kommen wir direkt zum nächsten Thema: Zeit ist das gleiche Spiel, nur in Bewegung gedacht. Unser Gehirn konstruiert sie, um Veränderung messbar zu machen. Damit wir in dieser menschlichen Erfahrung so tun können, als gäbe es „vorher" und „nachher". Aber in Wirklichkeit passiert alles gleichzeitig. Alles. Jetzt. Vergangenheit, Gegenwart, Zukunft - das sind keine Orte auf einer Linie, sondern Wellen im selben Meer. Was passiert, wenn du jetzt an deine verstorbene Oma denkst? Fühl mal rein in deinen Körper? Du nimmst sie wahr, richtig? Weil sie da ist! Unmittelbar jetzt und hier. Und wenn du dich an etwas erinnerst (zum Beispiel deine Oma), ist das nichts anderes als dein Gehirn, das gerade eine bestimmte Frequenz abruft - eine Schwingung, die schon immer da war. So wie ich damals den Satz „Wenn alles eins ist, ist alles easy" mehrfach „neu" gedacht habe. Er war nie weg. Ich war nur kurz woanders mit meiner Wahrnehmung.

Und das gilt für alles. Alles existiert gleichzeitig - nur wird nicht alles gleichzeitig von dir wahrgenommen.

Das Witzige ist, dass du bereits jetzt von allen Konzepten loslassen kannst, die in der Vergangenheit aufräumen wollen. Vielleicht hast du dich mit Innerer-Kind-Heilung, Ahnenarbeit, Generationen-Analyse und Co beschäftigt (vielleicht auch nicht). Nun kommt einer dieser Momente im Buch, in denen ich dir sage: mach weiter, wenn es dir Spaß macht, aber es gibt diese Vergangenheit, die du da aufräumst, nicht tatsächlich. Es gibt nur das Jetzt. Du hast also die volle Erlaubnis, einmal tief durchzuatmen und dir bewusst zu machen: du musst weder deine gesamte Familiengeschichte aufarbeiten, noch dein inneres Kind kennen- und lieben lernen, noch musst du durch alle Inkarnationen reisen oder sonst wie in der Vergangenheit wühlen. Du kannst das alles machen, wenn es dir Spaß macht - nur sind die meisten Menschen von diesem ewigen „in der Vergangenheit wühlen" im letzten Jahrzehnt in ein gewaltiges „Entwicklungs-Burnout" geschlittert und so sehr damit beschäftigt gewesen, ihre Vergangenheit aufzuarbeiten, dass sie einfach reihenweise vergessen haben, das JETZT zu leben. Obwohl dieses JETZT alles ist, was ist. „Spirituelles Burnout" ist mittlerweile etwas, was fast jeder kennt, der einmal in der Persönlichkeits-Entwicklungs-Bubble unterwegs war. So viel Vergangenheitsanalyse und kritische Selbstbeobachtung ist einfach unfassbar aufreibend für das Nervensystem. Daher mache ich da jetzt mal Schluss, denn erstens tut es der Menschheit nicht gut, wenn sie sich ständig in ihren eigenen, erfundenen Problemen wälzt und zweitens macht es wohl oder übel wissenschaftlich null Sinn. Es gibt nur das JETZT, also bleiben wir mal eine Runde im Jetzt!

Wenn du im JETZT tiefer in die Erkenntnis deiner Selbst willst, habe ich später im Buch etwas für dich. Die Rosa Koppelmann Methode basiert darauf, dass du dich im Hier und Jetzt an deine Ganzheit erinnerst, anstatt deine „Fehler" zu finden und zu analysieren. Aber bevor wir dahin kommen, atme einmal tief durch und lasse das kurz wirken: Es gibt keine Vergangenheit, die du heilen musst! Es gibt tatsächlich nicht mal etwas zu heilen, denn Energie kann nicht krank sein! Dazu kommen wir später aber nochmal. Für den Moment, verdaue erstmal kurz die Tatsache, dass Zeit nicht existiert und wenn du das einmal durch jede Körperzelle hast fließen lassen, dann machen wir weiter.

Bist du jetzt bereit, all deine romantischen Vorstellungen von Spiritualität, Esoterik und Wundern in einen Kontext zu bringen, der dir zeigt: Oh holy shit! ICH bin das alles! Ich bin die Zeit, der Raum, das Wunder, ich bin die Klobürste, die Spiritualität, die Esoterik und die Wissenschaft und ich bin auch alles andere! Und hooooooly moly, das bedeutet: ich kann immer und in jedem Moment absolut alles sein! Und zwar easy!

Bist du bereit dafür?

Es wird zwischendurch unbequem für dich; denn Nondualität verstehen bedeutet ein Level an Selbstverantwortung, das weit über deinen Vorgarten hinausgeht. Es wird zwischenzeitlich auch etwas angsteinflößend, denn wir reden über die Wahrheit von Geistern. Und es wird auch extrem ermächtigend, so ermächtigend, dass du das Buch zwischendurch weglegen und drei Tage nicht mehr anfassen wirst: weil du insgeheim so eine Angst vor dieser Macht hast, die jeder von uns hat. Es wird aber am Ende, wenn du alles integriert und aufgesogen hast, eine Leichtigkeit und einen inneren Frieden mit sich bringen, den du bis hierher noch nicht kennengelernt hast.

Meine Kunden sagen gerne: Es ist ein Gefühl, als würde ich das erste Mal im Leben nach Hause kommen.

Und ja, so habe ich es auch erfahren. Zu Hause in mir. In der eigenen Grenzenlosigkeit. Der absoluten Freiheit. Der bedingungslosen Liebe.

Bist du bereit, in diesem Spiel des Lebens anzukommen? Wirklich, wirklich anzukommen? Dann lass uns loslegen! Aber so richtig! Denn Rosa Koppelmann macht bekanntlich keine halben Sachen!

TEIL EINS: DAS FUNDAMENT - DIE NATUR DER REALITÄT

Kapitel Eins: Das Spiel der Wahrnehmung

Um zu verstehen, wie das funktioniert - dieses „Alles ist eins" und „Zeit ist eine Illusion" - müssen wir einmal einen ehrlichen Blick darauf werfen, wie Wahrnehmung überhaupt entsteht. Denn das, was du „Welt" nennst, existiert in dieser Form nur in deinem ganz persönlichen, einzigartigen Nervensystem.

Ich weiß, das klingt erstmal wild - aber bleib bei mir.

1.   Wahrnehmung als Ursprung aller Realität

Alles, was du erlebst, ist das direkte Ergebnis von Informationsverarbeitung: Deine Sinnesorgane nehmen Schwingungen auf - also Schallwellen, Lichtwellen, Moleküle - und dein Gehirn übersetzt diese Frequenzen in ein Bild, das du Realität nennst. Wenn du zum Beispiel eine Tasse siehst, nimmst du kein „Ding" wahr, sondern reflektiertes Licht, das deine Netzhaut in elektrische Signale umwandelt. Diese Signale wandern über den Sehnerv in dein Gehirn, wo sie mit gespeicherten Informationen abgeglichen werden: „Ah, das kenne ich. Das ist eine Tasse." Die Tasse selbst - als feste, eigenständige Realität - existiert also nur als Interpretation deiner neuronalen Aktivität.

Die moderne Neurowissenschaft nennt das Predictive Coding oder konstruierte Wahrnehmung. Dein Gehirn erschafft nicht nur das, was du siehst - es projiziert. Es berechnet ständig Wahrscheinlichkeiten und ergänzt Lücken, um aus unzähligen Schwingungen ein stabiles, zusammenhängendes Bild zu machen. Dazu gibt es einen witzigen Versuch: Wenn du dir das Bild einer Cola-Dose anschaust, die aus lauter kleinen schwarzen und weißen Pixeln besteht, siehst du plötzlich Rot. Knallrot. Obwohl auf diesem Bild überhaupt kein Rot existiert. Dein Gehirn hat es einfach hinzugerechnet, weil es weiß, dass Cola-Dosen rot sind. Dein Gehirn sieht also nicht die Welt, wie sie ist - es sieht, was es erwartet. Es erschafft die Illusion von Farbe, Form, Tiefe und Bedeutung, um sich selbst Stabilität zu geben. Das ist ziemlich smart und auch ziemlich nett. Es will gerne, dass alles für uns Menschen Sinn ergibt. Also malt es den Sinn einfach in alles hinein.

Ich finde das sehr nett; dann brauche ich nicht so viel nachdenken und vor allem wird alles direkt rausgefiltert, was nicht mit meiner Realität zu tun hat. Ich sehe also all die Sachen gar nicht, die nicht zu meinem programmierten Gehirn passen. Das ist sehr praktisch; vielleicht ahnst du es gerade bereits WIE unfassbar praktisch. Aber erstmal müssen wir noch ein paar Grundlagen vertiefen.

Also, stell dir jetzt einmal vor, das ganze Universum ist ein riesiges Meer aus Energie - reine, vibrierende Information, ohne Anfang, ohne Ende. Und dein Nervensystem ist wie ein Adapter: cleveres Teil, aber auch ziemlich beschränkt - so ein Adapter hat schließlich nur eine Aufgabe: Er filtert aus diesem Meer nur einen winzigen Ausschnitt heraus, den du als „Welt" erfährst. Genauso wie ein Adapter ein HDMI-Kabel in ein Mini-USB-Kabel verwandeln kann, würde ich auch hier sagen: SUPER praktisch, dass das möglich ist! Richtig toll! Und gleichzeitig gibt es einfach noch viel mehr in diesem Universum als nur HDMI und Mini-USB. Aber das sehen wir nicht; weil wir eben diesen prima Adapter haben, der dafür sorgt, dass wir nicht überfordert werden und nur einen minikleinen Ausschnitt von diesem „Allem, was ist" sehen.

Das ist übrigens kein spirituelles Konzept - das ist wieder einfach nur schnöde Wissenschaft. Voll langweilig: Kein Glitzer. Keine Edelsteine. Kein Ritual. Keine Räucherstäbchen. Nicht

mal Orakelkarten!
Nur das Wissen darüber, dass Studien gezeigt haben, dass
dein Gehirn pro Sekunde etwa elf Millionen Bits an Sinnesinformationen empfängt und davon grandiose vierzig bewusst
verarbeitet. Genau genommen sind das Schätzungen aus der
Informationspsychologie und sie sprechen davon, dass unsere Sinne pro Sekunde ~elf Millionen Bits an Rohinformation
liefern, während unser bewusster Fokus nur ~vierzig bis fünf-
zig Bits explizit verarbeitet - der Rest wird unbewusst vor-
strukturiert. Da die Neurowissenschaft nicht genau sagen
kann, wie viele es tatsächlich sind, ist es also durchaus möglich, dass gar nicht vierzig Millionen, sondern nur zehn Millionen verarbeitet werden. Aber das Ding ist: selbst wenn es nur
sieben Millionen wären, wäre es immer noch unfassbar!

Ich schreibe das nochmal aus: Dein Gehirn empfängt gerade
circa elf Millionen Bits an Informationen und du nimmst davon ungefähr vierzig bewusst wahr. Vierzig! Elf Millionen!
Vierzig von elf Millionen!

Jetzt ist der Moment, in dem du kurz den Blick heben solltest,
einmal tief durchatmen - und das nochmal durch dein eigenes Gehirn laufen lassen: Da sind gerade elf Millionen Bits an
Sinnesinformationen, die um dich herum aktiv sind.
Sie sind alle da. Jetzt. Elf. Millionen. Und du nimmst gerade
vierzig davon wahr. Vierzig!

Ich hoffe, du hast gerade mindestens einen Gänsehaut-
Schauer. Nicht? Dann machen wir's noch bildlicher:

Stell dir vor, du stehst mitten in einem gigantischen Konzerts-
aal. Elf Millionen Instrumente spielen gleichzeitig - Geigen,
Trompeten, Elektrogitarren, Meeresrauschen, Herzschläge,
Lichtblitze, Gedanken, Frequenzen, Erinnerungen, Möglich-
keiten. Alles schwingt, alles vibriert.
Und dein Bewusstsein hört davon gerade mal ein einzelnes,

zartes Triangel Ping. Das ist deine bewusste Wahrnehmung. Die Triangel ist das, was du „mein Leben" nennst. Ping.

Gänsehaut?

Immer noch nicht? Okay … ich versuche es nochmal!

Stell dir vor, du stehst in einem riesigen Atelier. Um dich herum Millionen Farbtöpfe - jede Nuance, jede Frequenz, jede mögliche Realität. Und du malst gerade mit einem einzigen Pinselstrich in Beige auf einer winzigen Leinwand und denkst: WOW, das ist stark! Das ist das Leben!

Oder du bist wie ein Taucher im unendlichen Ozean. Über, unter, um dich herum: Millionen Strömungen, Lichtreflexe, Geräusche, Leben. Und dein Bewusstsein sitzt mit einer winzigen Taschenlampe auf dem Meeresboden und nennt den beleuchteten Fleck „mein Leben". Nur dieser eine Lichtkegel. Der Rest? Ist trotzdem du - nur eben gerade nicht Teil von dem, was dein Gehirn dir von den elf Millionen Sinneseindrücken heraus sortiert hat. Aber da draußen tobt ein orchestrales Universum aus Information und Energie. Farbströme, Geräuschwellen, Mikroschwingungen, elektrische Impulse, Emotionen, Gravitationsfelder, Erinnerungsfrequenzen - alles ist in jedem Moment gleichzeitig aktiv, alles ist permanent in Bewegung, alles interagiert ununterbrochen. Und du bist mittendrin: Du bist der Raum, durch den diese elf Millionen Bits strömen - jede Sekunde, jede Millisekunde, ohne Pause.

Ich verrate dir mal was: diese feine, kleine wissenschaftliche Tatsache, die lasse ich mir fast täglich in ruhigen Momenten auf der Zunge zergehen. Am liebsten sitze ich dafür mit einem Matcha Latte irgendwo, wo ich eine schöne Aussicht habe und blicke einfach in die Ferne. Und dann denke ich an diese elf Millionen Bits an Informationen um mich herum, von denen ich ca. vierzig wahrnehme. Und ich werde einfach nicht müde davon, so begeistert von diesem Leben zu sein.

Auch heute noch, nachdem ich dieses Wissen bereits über drei Jahre in mir habe, freue ich mich jedes Mal auf's Neue, wenn mein Blick in die Ferne schweift und ich an diese elf Millionen vs. vierzig denke, mir vorstelle, was ich alles gerade NICHT wahrnehme - und gleichzeitig: was ich gerade wahrnehme. Es macht mich demütig. Glücklich. Dankbar. Und unfassbar verliebt ins Leben.

Was für Informationen wir wahrnehmen, hängt übrigens von unserem Nervensystem ab. Dein Nervensystem ist wie ein hübsches Radio im edlen Design - holzverkleidet und mit Goldknöpfen, also echt vom Feinsten: aber trotzdem einfach nur auf einen ganz simplen Sender eingestellt, der sein Programm abspielt, während um dich herum das gesamte Frequenzspektrum in voller Lautstärke läuft.

Die ganzen anderen Millionen an Bits? Das ist das Leben selbst. Das unsichtbare Konzert, das ständig läuft, auch wenn du gerade nicht hinhörst. Da ist das elektromagnetische Feld deines Herzens - ja, dein Herz sendet tatsächlich messbare Wellen aus. Da ist die Resonanz deines Körpers mit der Erde - jeder Schritt schwingt mit der Frequenz des Planeten mit. Da ist das Licht, das durch deine Zellen tanzt, jede Sekunde und dich im wahrsten Sinne des Wortes am Leben hält. Da sind die Gedanken anderer Menschen, die dich berühren, auch wenn du sie gar nicht kennst (spür mal: ich denke gerade an dich!). Da ist die Schwingung eines Liedes auf Spotify, das du eben gar nicht gehört hast und das dich jetzt plötzlich aus einem Tief holt. Da ist die Energie des Baumes vor dem Fenster, der dich plötzlich ruhig macht, obwohl du ihn nur ansiehst. Und naja, dann noch die elf Millionen anderen Dinge, von denen ich auch keine Ahnung habe. Weil, wenn ich mir das mal so vorstelle, dann ... weiß ich echt gar nichts! Ich meine: wo sind die elf Millionen? Was ist das alles? Was versteckt sich da noch alles? Ach, spürst du, wie genial es ist, sich das vorzustellen? Wir kleinen Menschlein mit ihren vierzig winzigen, bewussten Sinneseindrücken pro Sekunde, die denken, sie hätten eine Ahnung von irgendwas? Also wenn ich mir die Fakten hier mal kurz auf den Tisch lege, muss ich sagen: Sorry Leute, aber wir haben keine Ahnung. Nicht die Geringste! Aber das sollte uns nicht davon abhalten, unsere vierzig Bits zu genießen; im Gegenteil! Ganz im Gegenteil!

Dein Gehirn filtert diese unendliche Sinfonie herunter, damit du überhaupt „Menschsein" erleben, Kaffee schmecken, Körper fühlen, Liebe erfahren kannst. Und wie NETT ist das bitte? Wie außerordentlich freundlich ist es, dass ich jetzt gerade in diesem Moment die Möglichkeit habe, elf Millionen Bits auszublenden, um eine kurze Tipp-Pause zu machen und den Geschmack von meinem Matcha Latte mit einer Prise Vanille und der guten Barista Hafermilch voll genießen zu können? Wie genial ist es, dass ich gerade NICHT wahrnehme, welche Energien in diesem kleinen Zimmer hier auf den Lofoten sonst so aktiv sind, welche Feen im Moos vor dem Fenster tanzen, oder wer gerade alles an mich denkt. Wie genial ist es, dass ich gerade NICHT weiß, welche meiner Kunden in diesem Moment eine Meditation von mir hören oder eine Aufzeichnung eines meiner Programme anschauen? Wie genial ist es, dass ich gerade nicht wahrnehmen kann, ob meine Mutter sich jetzt Gedanken um die Weihnachtsgeschenke für ihre Enkelkinder macht? Mein geniales Gehirn filtert das einfach alles für mich heraus, damit ich meinen Matcha hier und jetzt voll und ganz genießen kann. Oh man. Ich bin verliebt in dieses vollends limitierte Menschsein. Wir sind so herrlich beschränkt, damit wir so herrlich genießen können!

Und gleichzeitig: brauche ich nur mein Bewusstsein von meinem Matcha abziehen und ich KANN all das wahrnehmen. Ich kann jetzt und hier wahrnehmen, wer gerade an mich denkt, meine Meditationen macht oder welche Feen vor dem

Fenster tanzen. Denn dafür haben wir unser Bewusstsein. Aber diesem Spielfeld des Lebens widmen wir uns später in diesem Buch. Erstmal bleiben wir beim Genuss des Beschränkt-Seins. Denn den dürfen wir erstmal vollends durchdringen. Sobald wir das „beschränkte Menschsein" ganz genießen können, sind wir der Erleuchtung nämlich tatsächlich so nah, wie wir überhaupt nur können. Das ist das Verrückte: Vielen „Spiris" und „Yogis" und Co passiert es, dass sie raus wollen aus dem Menschsein. Sie wollen die Einheit außerhalb des Alltags spüren. Weil sie denken, dass es viel mehr gute Laune macht, mit unserem Bewusstsein woanders zu sein, als im eigenen Körper. Lieber noch eine Stunde in tiefer Meditation, lieber noch eine Zeremonie, noch eine Runde „Plant Medicine" rauchen. Lieber noch einmal in Trance sein - um rauszukommen aus dem Menschsein und uns außerhalb unseres Körpers wahrzunehmen. Weil da die Erleuchtung wartet (also angeblich). Und ja, diese Zustände sind ja auch schön und nett. Ich kenne sie gut und ich weiß sehr genau, wie es ist, wenn man aus einer Meditation am liebsten nie mehr zurückkommen will, weil es dort so schön ist. Nur dann hängen wir in diesem nervigen Zustand fest, in dem das Menschsein nicht mehr richtig Spaß macht. Ganz einfach, weil es sich so gut anfühlt, wenn wir den Körper verlassen. Stundenlang in Meditation, mit Rapé in der Nase im Dauer-Schwebe-Zustand oder bei einem weiteren „Ritual" mal eben mit dem Göttlichen flirten. Während das Göttliche dich beim Zähneputzen genauso gerne anflirtet! Ein Entweder-oder aus „Leben" und „Erleuchtung", was aber im Kern immer Trennung bleibt. Und Trennung ist nie Erfüllung. Denn Erfüllung fühlen wir dann, wenn wir uns ganz fühlen. Vollständig. Und das geht im Entweder-Oder nicht.

Und hier möchte ich einmal in Rosas Klartext etwas sehr deutlich machen:

Meine Liebe, mein Lieber: dafür bist du auch ganz einfach nicht angetreten! Du bist nicht angetreten, hier als Mensch auf der Erde zu inkarnieren, nur um dann ständig zu versuchen, dem Menschsein zu entfliehen! Die weniger spirituellen versuchen es mit Alkohol oder Drogen, aber es bleibt letztlich ein und dasselbe: Wir versuchen aus dem anstrengenden Leben raus zu kommen und unser Bewusstsein dahin auszudehnen, wo sich alles leichter und freier anfühlt. Aber es bleibt, wie es ist: Du bist für das Menschsein angetreten! Und als Mensch darfst du erstmal lernen, das Menschsein so richtig zu genießen. Denn ich verspreche dir: das ganze Spiel mit dem Bewusstsein und der Energie, das ganze Spiel, dir jeden Pups zu manifestieren, den du haben willst, über Gedanken zu kommunizieren, Wolken zu verschieben oder Dinge zu bewegen, ohne sie zu berühren, all das macht VIEL mehr Spaß, wenn du das Menschsein voll umarmen kannst. Ohne Entweder-oder. Ohne innere Trennung zwischen „Alltag" und „Erleuchtung".

Und da will ich gerne mit dir hin! Da will ich gerne mit der ganzen Welt hin. Denn stell dir das mal einen Moment vor: acht Milliarden Menschen, die in ihr Menschsein verliebt sind und nicht mehr versuchen, ihm zu entfliehen!

Hat was, oder?

Lass uns also tiefer darin eintauchen, wie wir das Menschsein als Solches vollends lieben können, um das, was wir bisher in Meditation, Trance und Co erfahren haben, in unserem ganz normalen Alltag zu fühlen. Und wie wir diese Erfahrung „Leben" so richtig genießen können.

Also, nochmal zurück und zusammengefasst - jetzt, wo du diese Zeilen liest - sind elf Millionen Bits um dich herum und in dir am Arbeiten. Das bedeutet also, du erfährst in jedem Moment nur das (vierzig Bits), was dein Nervensystem zulässt. Und das wiederum bedeutet: Die „Realität", die du siehst, ist eine energetisch-neuronale Auswahl aus dem Alles-was-ist.

Und weißt du, was das auch bedeutet?

Es bedeutet: du hast immer recht. Immer. Mit allem, was du sagst und tust. Denn deine Wahrheit ist immer deine Wahrheit. Sie ist immer das, was dein Gehirn dir aus den elf Millionen Bits an Wahrheit vorgaukelt und du wirst damit - für dich - immer recht haben. Genauso habe ich immer recht. Alles, was ich hier schreibe, was ich lehre, lebe und weitergebe, ist die Auswahl, die mein Gehirn getroffen hat und in jedem Moment trifft. Somit habe ich aus meiner selektiven Wahrnehmung heraus immer recht und du hast aus deiner selektiven Wahrnehmung heraus immer recht. Ein bisschen, wie wenn ich mit meinem Sechsjährigen den Regenbogen anschaue: er ist rot-grün blind und sieht daher den Regenbogen nur gelb und blau. Und er hat aus seiner Perspektive vollkommen recht damit, dass der Regenbogen nur gelb und blau ist. Aus meiner Perspektive habe ich vollkommen recht damit, dass der Regenbogen auch noch Lila, Grün, Rot und Rosa enthält. Aber er hat nicht weniger recht - und ich auch nicht.
Damit zerfällt jetzt übrigens auch direkt mit einem Paukenschlag die Idee einer allgemein gültigen Wahrheit. Die gibt es nämlich nicht. Es gibt immer nur deine eigene, ziemlich beschränkte Realität und die von acht Milliarden anderen Menschen. Jeder hat für sich immer recht. Jeder lebt seine ganz eigene Wahrheit.

All righty right? Prima, dann haben wir das auch geklärt und ich kann dir noch einige andere Konzepte dieses faszinierenden Menschseins erklären.

2.   Zeit - ein Produkt der Wahrnehmung

Zeit ist ja so das Lieblings-Hass-Thema von so ziemlich jedem. Also lass uns da direkt einmal tief eintauchen und dein Gehirn noch ein bisschen weiter stretchen.

Damit du dich in dieser eben erklärten, selbstgebauten Realität orientieren kannst, braucht dein Gehirn ganz einfach eine Struktur. Und diese Struktur nennen wir Zeit!

Dein Gehirn konstruiert also Zeit - und zwar so: Es speichert Wahrnehmungen in Sequenzen, also in kleinen, aufeinanderfolgenden Ausschnitten der Realität. Du kannst dir das wie einzelne Bilder in einem Film vorstellen. Jedes Bild steht für einen Moment, den dein Nervensystem registriert hat: ein Ton, eine Bewegung, ein Gedanke, ein Gefühl. Diese einzelnen „Bilder" werden in deinem Gehirn aneinandergereiht; in zeitlicher Ordnung. Dadurch entsteht Bewegung. Veränderung wird messbar. Und du nimmst eine fortlaufende Geschichte wahr: etwas war vorher, etwas passiert jetzt und etwas kommt gleich. So entsteht der Eindruck von Vergangenheit, Gegenwart und Zukunft, während du in Wahrheit gar keinen fließenden Film siehst - sondern viele einzelne Standbilder, die dein Gehirn in Echtzeit zusammensetzt.

Ich möchte dir an dieser Stelle eine meiner eigenen Erfahrungen erzählen, eine, in der sich das, was ich hier erkläre, nicht mehr wie Wissen anfühlte, sondern wie das pure Erleben der Wahrheit selbst. Der Moment, in dem ich mein Verständnis von Zeit neu erfahren habe.

Im Sommer 2024 hat meine Intuition mich nach Japan gerufen. Ich wusste nicht warum. Ich hatte keine Verbindung zu diesem Land, kein besonderes Interesse, keine Geschichte dort. Aber die innere Stimme war eindeutig. Also bin ich gefolgt. Ich flog mit meiner Familie nach Japan. Ohne konkreten

Plan, einfach im Vertrauen, dass etwas auf mich wartet, was ich noch nicht kenne. Kaum angekommen, wurde klar, dass es mich zu einem bestimmten Friedhof zog - einem uralten Ort, an dem Menschen seit Tausenden von Jahren ihre Toten bestatten. Der Friedhof war wunderschön: riesige Bäume, Mönche in orangen Gewändern, die über die Wege schlurften, überall grün, Sonne und Tausende von Grabsteinen in allen Formen und aus allen Zeiten. Ich sagte zu meiner Familie, dass ich für zwanzig Minuten allein sein wollte und ging los. Kaum hatte ich mich entfernt, hörte ich in meinem Inneren eine Stimme. Sie war ruhig, klar und bestimmt. Sie sagte mir, welchen Weg ich gehen solle. Ich folgte ihr. Nach ein paar Minuten wies sie mich an, nach rechts zu laufen und eine Treppe hinaufzusteigen. Oben angekommen, sah ich ein Plateau mit modernen Gräbern. Ich war irritiert. In meinem Kopf sagte ich: „Warum hier? Das ist doch nichts Besonderes." Die Stimme antwortete: „Geh weiter. Schau nach rechts. Fühl." Ich ging weiter, schaute nach rechts und sah, halb verborgen im Gebüsch, drei umgestürzte, uralte Grabsteine. In dem Moment, in dem ich sie sah, sagte die Stimme: „Die, die dort liegt, bist du.". Und dann begann mein ganzer Körper zu vibrieren. Ich stand dort, starrte auf diese verwitterten Steine und wusste ohne Zweifel, dass das stimmte. Ich war diese Frau, die dort begraben lag, ich war die Knochen, unter der Erde. Ich war gleichzeitig dort und hier. Ich war die, die einst in Japan lebte und die, die jetzt hier stand. Ich sah Bilder vor meinem inneren Auge aufblitzen; Szenen aus einem anderen Leben, Kinder, ein Zuhause, ein Alltag, den mein jetziges Ich nie erlebt hatte und trotzdem erinnerte. In diesem Moment löste sich Zeit vollständig auf. Ich spürte, dass alles gleichzeitig passierte. Dass Geburt, Leben, Tod, Wiedergeburt, alles, was wir „vorher" und „nachher" nennen, nur verschiedene Blickwinkel auf dasselbe Jetzt sind. Mein Gehirn war in einem hochfrequenten Zustand, die Neurowissenschaft nennt das Gamma; jener Moment, in dem Erkenntnis und Erfahrung verschmelzen, in dem Bewusstsein sich selbst erkennt. Ich fragte die Stimme in mir, halb lachend, halb ehrfürchtig: „Bin ich wirklich bis nach Japan geflogen, nur um das zu erleben?" Und sie antwortete: „Ja. Für genau das bist du gekommen. Und es ist alles wert." Ich setzte mich dorthin, einfach auf den Boden dieses uralten Friedhofs. Mücken flogen um mich herum. Ich sagte zu der Stimme, dass ich mich gern noch fünf Minuten unterhalten würde, aber das nicht könne, wenn sie mich stechen. Keine Sekunde später waren die Mücken verschwunden. Es war still, friedlich und zeitlos. In dieser Stille sprach ich noch eine Weile mit dieser inneren Präsenz, die weder Stimme noch Gedanke war; eher wie das Bewusstsein selbst, das sich über mich mit sich selbst unterhielt. Und als ich wieder zu meiner Familie zurückging, war nichts an der Welt anders und gleichzeitig alles. Ich habe verstanden, was es bedeutet, dass Zeit nicht vergeht. Dass sie nicht linear fließt, sondern wie ein Meer ist, in dem alle Wellen gleichzeitig existieren. Dass wir nicht von der Vergangenheit in die Zukunft reisen, sondern durch unterschiedliche Frequenzen desselben Jetzt. Vorher hatte ich das alles im Kopf gewusst. Doch nun war es meine gelebte Wahrheit. Ich habe es erfahren. Und vielleicht kennst du diese Momente auch von dir und weißt: das verändert einfach alles.

Was dort in mir geschah, lässt sich übrigens mal wieder neurobiologisch ganz klar beschreiben. Ich dachte ja erst, das wäre etwas Besonderes. So eine Art „spiritueller Erleuchtungsmoment", aber tatsächlich ist auch diese Erfahrung wieder wissenschaftlich sehr easy erklärbar und gar nicht so „magisch", sondern eher einfach ein genauso normaler Zustand, wie alle anderen auch: In Momenten, in denen Bewusstsein sich selbst so unmittelbar erkennt, schaltet das Gehirn in einen Zustand, den die Forschung „Gamma-Synchronisation" nennt. Das ist jener Zustand, in dem verschiedene Hirnareale - Wahrnehmung, Erinnerung, Emotion, Körpergefühl - gleichzeitig aktiv sind und vollkommen kohärent miteinander schwingen. Dadurch beginnen sich die Grenzen zwischen Subjekt und Objekt, zwischen Vergangenheit, Gegenwart und Zukunft, aufzulösen. Weil das Gehirn im Gamma-Zustand nicht mehr linear verarbeitet, sondern simultan. Man könnte sagen: Das System erlebt sich als Einheit. In spiritueller Sprache nennt man das „Erleuchtung". In meiner Sprache nenne ich es heute einfach: Realität ohne Zeit. Denn „Erleuchtung" ist auch nichts weiter als Neurobiologie und lässt sich ziemlich easy herstellen. Wenn du aufmerksam weiterliest, hast du am Ende dieses Buches auch das Gefühl der Erleuchtung; nur weißt du dann, dass es kein esoterischer Hokuspokus ist, sondern einfach ein tiefes Verständnis des Menschseins.

Aber zurück zur Zeit: Denn diese Erfahrung zeigt so deutlich, wie fragil und faszinierend dieses Konzept von Zeit eigentlich ist. Das, was du als „Zeitfluss" erlebst, ist in Wahrheit kein Strom, der dich trägt, sondern eine neuronale Konstruktion. Neurobiologisch betrachtet läuft dieser Prozess in winzigen Wahrnehmungsfenstern von wenigen Sekunden ab. Alles, was du als „Vergangenheit", „Gegenwart" oder „Zukunft" wahrnimmst, entsteht im selben Moment, hier, in deinem Nervensystem. Dein Gehirn erschafft diesen inneren Film, Bild für Bild, Szene für Szene. Aber dieser Film läuft nicht wirklich, er entsteht in jedem Moment neu. Wenn du dich an etwas erinnerst, aktivierst du dieselben neuronalen Netzwerke, die „damals" aktiv waren, als du das Erinnerte zum ersten Mal erlebt hast. Du „reist" also nicht in die Vergangenheit, du reproduzierst sie einfach. Das Gehirn spielt kein altes Band ab, es komponiert die Melodie jedes Mal neu, sobald du sie abrufst. Und genau deshalb konnte ich auf diesem japanischen Friedhof mich selbst als die Frau sehen, die dort einst gelebt hatte. Nicht, weil ich in die Vergangenheit „zurückgereist" bin, sondern weil mein Bewusstsein durch den Gamma-Zustand in meinem Gehirn für einen Moment die lineare Zeitwahrnehmung aufgelöst hat. Ich habe nochmal denselben Frequenzraum betreten - und dieser Frequenzraum war einfach da. Genau wie er immer da war und immer da sein wird (in den elf Mio Bits, remember?). Er ist. So wie alles was ist, einfach ist.

Das Gefühl, dass Zeit vergeht, entsteht durch die Art, wie dein Gehirn Erinnerungen organisiert. Aber diese Erinnerungen sind keine festen Päckchen, die irgendwo im Kopf aufbewahrt werden; sie sind elektrische Aktivitätsmuster in neuronalen Netzwerken. Wenn du dich „erinnerst", wird also kein vergangenes Ereignis abgespielt, sondern dein Gehirn aktiviert genau jene Muster neu, hier, jetzt, im Moment. Das bedeutet: Erinnerung ist kein Rückblick in die Vergangenheit, sondern eine gegenwärtige neuronale Rekonstruktion eines Erlebens. Dadurch entsteht der Eindruck, dass es eine Vergangenheit gibt, obwohl du in Wahrheit immer nur das Jetzt erlebst.

Du erlebst also nicht Vergangenes, sondern das Jetzt mit Erinnerungsinhalt.

Erinnerst du dich an meine Worte in der Einleitung? Dass es keinen Sinn macht, alte Geschichten aufzuarbeiten und immer wieder zu analysieren? Denn was passiert, wenn du das tust? Du gibst deinem Gehirn ganz einfach den Hinweis, dass all das, was du dir da anschaust, JETZT gerade passiert! Immer wieder. Desto öfter du eine Geschichte immer wieder und immer wieder erzählst, besprichst und analysierst, desto stärker denkt dein Gehirn, dass all das JETZT wäre. Mit allen Konsequenzen: Die Gefühle, die damit einhergehen, die Angst, die Sorge, all das. Du programmierst dich selbst auf Wiederholung dessen, was du erlebt hast. Du kennst das ganz sicher: Du erzählst eine Geschichte von früher und plötzlich bist du mittendrin. Dein Brustkorb wird eng, dein Bauch zieht sich zusammen, deine Stimmung verändert sich. Das ist dein Nervensystem, das glaubt, es erlebt die Situation erneut.

Verstehst du jetzt, warum sich in der Menschheit immer wieder alles wiederholt? Menschen quatschen den ganzen Tag über das, was sie Vergangenheit nennen und rekonstruieren sie so immer wieder. Immer und immer wieder. Sie analysieren es gemeinsam, sie identifizieren sich damit. Und während sie glauben, etwas aufzuarbeiten,
bauen sie es immer wieder neu zusammen. Für uns alle auf diesem Planeten. Du steckst in nervigen Mustern fest? Yes, jetzt weißt du warum. Du willst ungeliebte Verhaltensweisen ablegen? Jetzt weißt du, warum du sie immer noch hast. Du gibst deinem Gehirn einfach den Befehl, sie am Leben zu halten. Du fütterst dein eigenes Betriebssystem mit altem Code. Und dein Gehirn ist brav; es macht einfach, was du ihm sagst. Es unterscheidet nicht zwischen Erinnerung, Vorstellung und tatsächlicher Erfahrung. Wenn du dich also jeden Tag mit deiner „alten Geschichte" beschäftigst; deinem Schmerz, deiner Angst, deinem Scheitern, deiner Kindheit, deinem Ex, deinem Mangel, dann sagt dein Gehirn nur: Ah, alles klar, das ist unser Jetzt. Und schwupps - erschaffst du wieder dieselbe Frequenz.

Und jetzt kommt das Schöne: Du kannst das sofort beenden. Und zwar eben nicht, indem du deine Vergangenheit „heilst", sondern indem du erkennst, dass sie gar nicht existiert. Was du „Vergangenheit" nennst, ist nichts weiter als eine neuronale Spur in deinem Gehirn; eine energetische Welle, die du jederzeit umlenken kannst.
Du musst sie nicht löschen. Du musst sie nur nicht weiter aktivieren. Denn jedes Mal, wenn du eine Geschichte nicht neu erzählst, wird sie in deinem Gehirn ein bisschen blasser. Sie verliert Energie, verliert Dichte, verliert Realität.
Und irgendwann bleibt nur das, was wirklich ist: das Jetzt.
Ein völlig neutraler Raum, in dem du wählen kannst, welche Frequenz du jetzt leben willst.

Heißt das, ich soll jetzt alles „verdrängen"? Nein, meine Liebe, mein Lieber, natürlich nicht!

Du sollst nur aufhören so „nen Drama" zu machen. Die Gefühle, die mit deinen Geschichten einhergehen, die gilt es dennoch wahrzunehmen. Und zwar radikal. Tatsächlich sogar viel radikaler als bisher. Denn mal ehrlich: Die meisten Geschichten, die du dir erzählst, dienen dir nur dazu, die Gefühle zu ignorieren, die unter ihnen liegen. Du redest und redest über all das, was passiert ist, damit du nicht darüber reden musst, wie sich das angefühlt hat. Wie stark der Schmerz war. Wie tief die Wut. Wie umfangreich die Enttäuschung.

Ich gebe dir ein klassisches Beispiel von mir: Ich habe immer und immer wieder darüber geredet, dass mein Vater sich nicht merken kann, was ich studiere. Ich habe das immer wieder erzählt: „Mein Vater weiß nicht mal, was ich studiere! Ich habe es ihm bestimmt 10x erklärt, aber er merkt es sich einfach nicht. Ist doch nen Ding, oder? Dass er sich nicht einprägen kann, dass ich Kommunikations- und Kulturwissenschaft studiere? So schwer kann es doch eigentlich gar nicht sein, sich das zu merken!"

Was ich NICHT gesagt habe: „Wenn ich daran denke, dass mein Vater sich nicht merken kann, was ich studiere, fühle ich einen Stich im Herzen. Ich fühle mich nicht geliebt, nicht gesehen. Ich fühle mich unwichtig. Diese Gefühle tun mir im Brustkorb weh. Sie drücken und sie piksen und sie treiben mir Tränen in die Augen. Wenn ich diesen Gefühlen meine volle Aufmerksamkeit geben würde, hätte ich Angst davor, dass ich keine Luft mehr bekomme, weil sie so stark sind. Ich weiß überhaupt nicht, wie ich mit ihnen umgehen soll. Ich will sie wegdrücken, weil ich sonst einfach nur überfordert damit wäre."

Bemerkst du bereits, was hier passiert?

In der ersten Version war ich in der Vergangenheit (was er alles gemacht hat). In der zweiten Version wäre ich im JETZT geblieben. Bei dem, was jetzt gerade ist. Wenn du im JETZT bleibst, verblasst die Geschichte und stattdessen entsteht Raum für die Gefühle, die eben JETZT da sind und jetzt gesehen werden möchten. Genau auf diesem Fundament basiert die Rosa Koppelmann Methode, die ich dir später noch ganz genau erklären werde. Zusammengefasst ist es aber wirklich denkbar simpel: geh raus aus den Geschichten und nehme das JETZT voll und ganz wahr.

Und jetzt nochmal für dich auf den Punkt gebracht: Erinnerst du dich an das Radiobild? Also, du bist diejenige, die den Sender im Radio einstellt. Und dein Gehirn ist das wunderschöne, goldknöpfige Designer-Radio, das einfach abspielt, was du wählst. Wenn du also immer wieder dieselben Geschichten laufen lässt, läuft eben derselbe Song. Aber du kannst jederzeit den Knopf drehen. Du kannst jetzt auf eine andere Frequenz umschalten. Und es beginnt immer mit einer bewussten Entscheidung. Das ist Bewusstsein. Es ist letztlich einfach ein permanentes „bewusste Entscheidungen treffen“; ein bisschen wenig dramatisch, mit weniger Ritualen und Räucherstäbchen, als du es vielleicht sonst so kennst und auch mit weniger Kult und Blablabla; aber dafür wunderbar effizient und pragmatisch. Denn Fakt ist eben einfach: du musst dich nicht weiter durch alte Dramen graben, um sie zu lösen. Du darfst einfach aufhören, sie dir permanent in feinster Papagei-Manier zu erzählen.

Und remember: das heißt nicht, dass du Gefühle wegdrücken sollst. Wir reden gerade über Geschichten, sprich Gedanken und gesprochene Worte, in denen du deine Vergangenheit rekonstruierst. Zu den Gefühlen kommen wir noch in aller Tiefe. Erstmal darfst du diese Nondualität in Aktion einatmen: Alles, was du denkst, erschaffst du. Alles, was du nicht mehr denkst, hört auf, zu existieren. Und das ist das einfachste, tiefste, wissenschaftlich fundierteste Wunder des Lebens.

Zeit für einen Kaffee? Oder bist du bereit für mehr?

3.   Raum - die Bühne der Illusion

Es wird dich jetzt nicht mehr wundern, wenn ich dir sage: Wenn es die Zeit nicht gibt, gibt es auch keinen Raum. Raum ist kein fester Behälter, in dem Dinge liegen, sondern eine dreidimensionale Interpretation deines Gehirns.

Deine Augen sehen eigentlich keine Tiefe - sie registrieren Lichtunterschiede. Erst dein visueller Kortex interpretiert diese Unterschiede als Entfernung. Und dein Gleichgewichtssinn (vestibuläres System) ergänzt den Rest, damit du weißt, wo „oben" und „unten" ist. Das heißt: Auch Raum ist nur ein mentales Konstrukt, das du brauchst, um dich in der Energiebewegung zu verorten. Damit du spielen kannst. Damit du dich als Mensch erfahren und diese Erde als das wahrnehmen kannst, was sie für dich ist: Ein Ort, wo du von A nach B reist, Sonnenuntergänge und Sonnenaufgänge anschaust und dich abends glücklich ins Bett fallen lässt. Um dir zu zeigen, wie sehr dein Gehirn diesen „Raum" nur konstruiert, lass uns nochmal ein bisschen in die Wissenschaft eintauchen:

Forscher: innen haben in unzähligen Experimenten gezeigt, dass dein Gehirn leicht austrickbar ist, wenn es um das Erzeugen räumlicher Realität geht. Eines der berühmtesten Beispiele ist das sogenannte Gummihand-Experiment (Botvinick & Cohen, Nature (1998)). Es funktioniert so: Du sitzt an einem Tisch. Vor dir liegt eine deiner echten Hände und eine Gummihand; realistisch, hautfarben, leicht creepy. Deine andere, echte Hand, liegt versteckt daneben hinter einer Trennwand. Jetzt streicht der Versuchsleiter gleichzeitig mit zwei Pinseln: einen über deine echte Hand und einen über

die Gummihand. Nach wenigen Sekunden passiert etwas
völlig Verrücktes: Dein Gehirn adoptiert die Gummihand. Du
fühlst, wie sie zu dir gehört. Es kitzelt dich auf ihr. Wenn der
Versuchsleiter dann mit einem Hammer auf sie schlägt,
zuckst du zusammen; obwohl du logisch weißt, dass das gar
nicht deine ist. Dieses kleine Experiment zeigt (neben vielen
weiteren), dass dein Gehirn „Körper" und „Raum" nicht aufgrund von Fakten erschafft, sondern aufgrund von Synchronisation von Sinnesinformationen. Wenn Sehen und Fühlen zu-
sammenpassen, sagt dein Gehirn: „Okay, das bin ich. Das
gehört zu mir. Das ist hier. Diese Gummihand ist jetzt Teil von
mir."

Dasselbe Prinzip gilt für alles, was du als Raum erlebst. Dein
Gehirn bastelt sich aus Sinneseindrücken und inneren Erwartungen ein dreidimensionales Modell der Welt - wie ein sehr
überzeugendes Hologramm, das du dann für solide Realität
hältst. Und weil dein Nervensystem zuverlässige Ordnung
liebt, verankert es dich in diesem Modell. Du glaubst, du sitzt
„hier", der Stuhl steht „da", die Wand ist „hinten" und die Zukunft „vorne". In Wahrheit sind das nur Orientierungsmarken
in einem vibrierenden Feld. Wenn du jetzt lächelst und
denkst, „Okay, wow, das ist mind-blowing", dann kannst du
dir vorstellen, wie sich Physiker: innen gefühlt haben, als sie
herausfanden, dass selbst das, was wir „leeren Raum" nennen, nicht leer ist. Zwischen den kleinsten Teilchen herrscht
kein Nichts. Ja, selbst zwischen den allerkleinsten Teilchen
vibriert das sogenannte Quantenfeld; eine unendliche Suppe
aus Energie, die alles mit allem verbindet. Das bedeutet: Der
Raum zwischen dir und der Wand existiert gar nicht als
Leere, sondern als Pulsation, Information, Bewegung. Der
Raum zwischen dir und der Wand ist keine Leere, die über-
brückt werden muss. Er ist ein Tanz aus Möglichkeiten, den
dein Gehirn in Millisekunden in feste Objekte übersetzt. Also
ja, streng genommen sitzt du nicht im Raum. Der Raum entsteht überhaupt erst, weil du ihn gerade wahrnimmst. Er ist

nicht der Ort, an dem du bist. Er ist das Ergebnis deines Seins.

Und falls du jetzt denkst: „Okay, das ist alles hochspannend, aber wie fühlt sich das denn im echten Leben an?", dann lass mich dir eine meiner frühesten Erfahrungen erzählen, die mich damals völlig überrumpelt hat. Ich war achtzehn und stand ganz normal im Supermarkt, irgendwo zwischen Nudelregal und Keksabteilung, als ich plötzlich einen Geruch wahrnahm, der mich mitten ins Herz traf. Es war der Duft meines damaligen Freundes; so deutlich, so real, als würde er direkt hinter mir stehen. Ich drehte mich sogar um. Natürlich war da niemand. Und natürlich war er nicht mal in Deutschland. Er war zu diesem Zeitpunkt in Frankreich, hunderte Kilometer entfernt. Später stellte sich heraus: Genau in dem Moment hatte er intensiv an mich gedacht. Damals konnte ich mir das nicht erklären. Heute weiß ich: Das war kein „Geruch" im klassischen Sinn. Das war Information im Feld. Eine Resonanz. Eine Art energetische Duftspur, die mein Gehirn - gewohnt, alles in sensorische Kategorien zu packen - als Geruch interpretiert hat. Und das Spannende ist: Diese Art Wahrnehmung passierte mir später ständig: Ich sitze in einem Zoom-Call, bei mir ist alles ruhig, kein Duft, nichts und plötzlich rieche ich ganz deutlich Räucherstäbchen. Sekunden später sehe ich, wie sich eine Kundin im Bildschirm bewegt ... mit einem brennenden Räucherstäbchen neben sich. Oder ich trete in einen Zoom-Raum, sehe eine Kundin und spüre plötzlich diesen warmen, erdigen Kaffeeduft in der Nase. Dabei habe ich selbst gar keinen da. Dann lacht sie, hebt ihre Tasse und sagt: „Ich habe mir gerade einen frischen Kaffee gemacht." 3.000 Kilometer entfernt. Es hat lange gedauert, um zu kapieren, dass ich in Wahrheit gar nicht „rieche". Nicht im biologischen Sinn. Sondern, dass mein System Informationen aus dem Feld wahrnimmt; Geruch ist nur die Form, in die mein Gehirn es übersetzt.

Diese Momente sind die allerschönsten Beweise dafür, dass Raum nicht trennt. Dass Nähe nicht durch Meter entsteht und dass Wahrnehmung nicht durch Luftlinien begrenzt ist. Und dass unser Gehirn einen „Raum" erschafft, der uns Orientierung gibt - aber niemals die ganze Wahrheit abbildet.

Wenn du jetzt gerade denkst: Oooookay, Zeit für einen zweiten Kaffee, bevor ich hier weiterlese, dann kommt die Ernährungsberaterin (ja, bin ich tatsächlich auch! Staatlich zertifiziert sogar. Aber das war damals 2018 ...) in mir durch und rät dir: halte lieber kurz den Kopf aus dem Fenster und atme tief durch. Frische Luft bringt deinem Gehirn mehr Sauerstoff als Kaffee.

Danach machen wir weiter.

4.   Das Nervensystem - die unsichtbare Regisseurin

Du erinnerst dich: Alles, was du wahrnimmst, sind vierzig Bits aus elf Millionen. Und es wäre doch irgendwie naheliegend, sich zu fragen: Wer zum Teufel entscheidet eigentlich, welche vierzig das sind? Warum sehe ich genau diese Welt und nicht eine andere? Warum nehme ich gerade die Dinge wahr, die mich belasten oder berühren oder langweilen - und nicht all die unzähligen anderen Möglichkeiten, die gleichzeitig existieren?

Die Antwort ist: Dein Nervensystem.

Dein Nervensystem ist das wohl ausgefeilteste Sicherheitsprogramm, das die Evolution je hervorgebracht hat. Es ist weder ein Wahrheitsfinder, noch ein neutraler Beobachter, noch ein objektives Messinstrument. Es ist stattdessen ein 1A Filter, ein Wächter, ein Türsteher. Sein einziger Job ist, die Realität so zu konstruieren, dass du dich sicher genug fühlst, um genau jetzt weiterzuleben. Punkt. Denn ja, das ist schließlich das, wofür du angetreten bist: zu leben. Und

wenn du erkennen würdest, dass du grenzenlose Energie
bist, dann würdest du dich viel zu schnell von Hochhäusern
stürzen, über Wasser laufen und dich ins brennende Feuer
setzen. Weil dir dann bewusst wäre, dass all das nichts aus-
macht, weil du ja eh die gleiche Energie bist, wie die Luft, das
Wasser und das Feuer. Nur ... wir haben uns ja weiter vorne
darauf geeinigt, dass du dich erstmal mit dem Menschsein
anfreunden darfst, bevor du mit dem ganz wilden Zeug anfängst. Und dafür ist dein Nervensystem da. Es erinnert dich
in jedem Moment, dass du dieser wundervolle, aber eben
ziemlich beschränkte Mensch bist und dass du überleben
willst.

In jeder Sekunde empfängt dein Körper Millionen von Sinnes-
reizen: Photonen treffen auf deine Netzhaut, Schallwellen
bringen dein Trommelfell zum Schwingen, Moleküle docken
an Rezeptoren in deiner Nase an, Druckwellen streichen über
deine Haut, elektrische Impulse rauschen durch deine Ner-
venbahnen. Und während dieses gigantische Orchester
spielt, sitzt dein Nervensystem in der Mitte des Saals und
entscheidet: Was davon ist für mein Überleben heute relevant? Nur das darf durch. Nur das wird zur „Wirklichkeit".
Der Rest bleibt ungehört, ungesehen, unfühlbar. Ganz einfach, weil er dich heute überfordern würde. Dein System hat
eine ganz klare Priorität und die heißt Sicherheit. Nicht Wahrheit, nicht Freiheit, nicht Selbstverwirklichung, nicht grenzenlose Energie sein, nicht Träume manifestieren. Nein, einfach langweilige, schnöde Sicherheit. Alles, was dein Körper
und dein Gehirn tun, tun sie, um dich in einem Zustand zu
halten, der dein Überleben garantiert. Und Überleben bedeutet: das Bekannte bevorzugen. Wiederholung statt Risiko.
Vorhersagbarkeit statt Unbekanntheit. Deshalb erschafft
dein Nervensystem die Illusion der linearen Zeit; weil es
sonst gar nicht wüsste, was gleich passiert. Und es erschafft
die Illusion eines stabilen Raums; weil du sonst nicht wüss-
test, wo oben und unten ist. Diese Illusionen sind also keine

Fehler, sie sind Features. Sie sind der Code, der dich im Spiel des Lebens hält.

Wenn dein Gehirn aus den elf Millionen Bits die vierzig auswählt, dann tut es das nach einem einfachen Prinzip: Es lässt nur das durch, was zu deinem inneren Sicherheitsmodell passt. Dieses Modell ist das Resultat deiner gesamten Lerngeschichte; (epi)genetisch, biografisch, kulturell. Alles, was du je erlebt, gefühlt und abgespeichert hast, formt den inneren Kompass, der darüber entscheidet, was „wichtig" ist. Dein Gehirn arbeitet dabei ähnlich wie der Algorithmus auf Facebook oder Instagram, der ständig Vorhersagen aus deinem bisherigen Verhalten trifft. Die Neurowissenschaft nennt das „Predictive Coding" - ich nenne es: dein innerer Wahrscheinlichkeitsrechner. Bevor du etwas überhaupt bewusst wahrnimmst, hat dein Gehirn längst entschieden, was du sehen wirst. Es vergleicht eingehende Reize mit gespeicherten Mustern und füllt alle Lücken mit bekannten Informationen auf. Es konstruiert dir ein Bild, das vor allem eins tut: dich nicht zu sehr zu erschrecken. Denn stell dir mal vor, du blickst jetzt vom Buch auf und siehst auf einmal den Geist deines Opas vor dir. Oder die Aura des Baumes vor dem Fenster. Oder verstehst glasklar, was das Eichhörnchen im Park dir sagt. Oder hörst deinen Hund reden. Oder hebst deine Hand, um eine Wolke zu verschieben. Oder fängst an, die Gedanken deines Gegenübers zu lesen. Oder kannst genau jetzt plötzlich über Wasser laufen. Oder oder oder. Nun, all das KANNST du. Nur jetzt gerade nicht, weil dein Nervensystem noch davon überzeugt ist, dass dich das zu sehr erschrecken würde.

Das ist auch ein weiterer Grund, warum du immer wieder dieselben Situationen, Menschen oder Emotionen in deinem Leben erlebst. Es hat nichts mit Karma zu tun, nichts mit Pech, nicht mal mit „falschem Denken". Es ist einfach nur dein Nervensystem, das sich an Bekanntes klammert, weil

Bekanntes gleichbedeutend ist mit „sicher". Selbst Schmerz, wenn er vertraut ist, fühlt sich für dein System sicherer an als Frieden, den es nicht kennt. Wenn du also das Gefühl hast, in Mustern festzustecken, dann ist das kein persönliches Versagen; es ist reine Neurobiologie. Dein Körper liebt Muster, weil Muster Vorhersagbarkeit bedeuten. Und Vorhersagbarkeit bedeutet: kein Alarm im System. (Erinnerst du dich an das Geschichtenwiederholen von weiter oben? Hier hast du die neurobiologische Erklärung dafür, warum wir immer und immer wieder die gleichen Geschichten erzählen).

Dein Nervensystem hat mehrere Schichten, die dabei mitspielen. Ganz tief unten, im sogenannten autonomen Nervensystem, wird entschieden, ob du gerade kämpfen, fliehen oder ruhen darfst. Das ist kein bewusster Prozess; dein System scannt jede Millisekunde deine Umgebung, deine Körpersignale, die Gesichtsausdrücke anderer, den Tonfall von Stimmen, den Luftdruck, das Licht, alles. Und dann fällt es eine Bewertung: Bin ich sicher oder in Gefahr?
Diese Bewertung ist die Grundlage deiner Wahrnehmung: Wenn dein Nervensystem Gefahr wittert, wird die Welt enger. Die Farben werden blasser, die Geräusche lauter, dein Fokus verengt sich, du siehst weniger Optionen, weniger Licht, weniger Zukunft. Wenn dein Nervensystem Sicherheit fühlt, wird die Welt weiter. Du siehst Zusammenhänge, Möglichkeiten, Schönheit, Sinn.

Wie du also bereits weißt: du nimmst nicht die Welt wahr, wie sie ist, sondern wie sicher du dich in ihr fühlst. Das ist der klassische Fight-or-Flight-Modus und sein entspannter Gegenpol, der Rest-and-Digest-Modus. Zwei uralte biologische Programme, die jeden deiner Gedanken, jede deiner Entscheidungen und jedes deiner Erlebnisse prägen - ob du willst oder nicht. Der Fight-or-Flight-Modus ist das evolutionäre Notfallprogramm, das deinen Körper darauf vorbereitet, zu überleben. Wenn dein System Gefahr wahrnimmt, egal ob

real oder nur interpretiert, dann zieht es blitzschnell alle Energie aus den langfristigen Prozessen wie Verdauung, Regeneration oder Kreativität ab und leitet sie in Muskeln, Herz und Sinne. Dein Herz schlägt schneller, die Pupillen weiten sich, das Blut zieht sich aus der Haut in den Körperkern zurück, die Atmung wird flacher, der Fokus eng - dein gesamtes System stellt um auf: Überleben jetzt! Nachdenken später.
Das war zu Höhlenzeiten überlebenswichtig. Wenn da draußen ein Säbelzahntiger lauerte, war es keine gute Idee, erstmal zu überlegen, warum er dich vielleicht anstarrt. Laufen oder kämpfen; das war der Deal. Nur, dass heute eben keine Tiger mehr auf der Lauer liegen, sondern Mails, To-do-Listen, Push-Nachrichten, deine vierjährige Tochter, Rechnungen, Beziehungsgespräche, dein großer Bruder, Erwartungsdruck und allem voran, die eigene innere Kritikerin. Und obwohl das alles keine echten Raubtiere sind, reagiert dein Nervensystem auf sie genauso. Es unterscheidet nicht zwischen psychologischer und physischer Bedrohung. Für dein System ist „Mein Kind ist enttäuscht von mir" genauso gefährlich wie „Da kommt ein Tiger". Es ist dieselbe biochemische Reaktion: Adrenalin, Cortisol, Anspannung.
Das bedeutet, dass viele Menschen heute in einem chronischen, unterschwelligen Alarmzustand leben, der nie richtig abschaltet. Der Körper bleibt auf der Lauer, das Herz schlägt schneller, der Atem bleibt oben, der Geist rennt in Schleifen. Das nennt man dann „Alltagsstress", aber in Wahrheit ist es nichts anderes als permanenter Fight-or-Flight, eine Dauerillusion von Bedrohung, gespeist aus alten Mustern und neuen Gewohnheiten. Und die sorgt dafür, dass Kreativität, Flow, Leichtigkeit; all das, was das Leben so unglaublich lebenswert macht, immer auf einem absoluten Minimum fahren.

Im Gegensatz dazu steht der Rest-and-Digest-Modus; der Teil des autonomen Nervensystems, der alles ermöglicht, was mit Kreativität, Erkenntnis, Wachstum und Verbindung zu tun hat. Hier übernimmt der Parasympathikus, der große

Ruhe-Nerv, gesteuert über den Vagus und erlaubt deinem System, sich wieder zu öffnen. Herzschlag und Atmung verlangsamen und Muskeln entspannen sich, die Verdauung läuft, dein Blick wird weit und dein Gehirn beginnt, wieder in größeren Zusammenhängen zu denken. Hier passiert Verbindung: Hier fühlst du dich kreativ, empfänglich, inspiriert, intuitiv. Hier kannst du Liebe spüren. Hier kannst du deine tiefere Wahrheit wahrnehmen, etwas, was jenseits deiner Gedanken und Gefühle liegt.

Und das ist die eigentliche Magie: Du denkst du siehst „die Realität", obwohl du in Wahrheit einfach den Zustand deines Nervensystems siehst. Wenn dein System im Überlebensmodus ist, nimmst du die Welt durch ein Schlüsselloch wahr; alles ist eng, begrenzt, dramatisch, fordernd. Wenn dein System in Sicherheit schwingt, öffnet sich die Tür; plötzlich ist Raum da, Weite, Perspektive, Sinn.

Hast du mal erlebt, dass du frisch verliebt irgendwo in der Natur warst und so richtig, richtig tief gefühlt hast, dass dir alles vollkommen gleichgültig ist, weil es nur diesen einen Moment gibt? Sonnenuntergang am Strand im Arm deines Liebsten? Der Blick über das Tal und ihr beide gemeinsam eng aneinander gekuschelt auf der Bank sitzend? Das ist pure Präsenz. Das ist das Gefühl, welches du am Ende dieses Buches immer haben kannst. Das kann dein Grundzustand sein. Denn das, was du da gespürt hast, als du frisch verliebt auf der Picknickdecke im Park gelegen und so deutlich wahrgenommen hast, dass JETZT gerade alles möglich ist, das ist dein Nervensystem im vollkommenen Einklang mit der Realität. Kein Alarm, keine alten Muster, keine Bewertung, keine Angst. Nur pure Gegenwärtigkeit. Dein Körper ist dann nicht im „Überleben", sondern im „Erleben". Dein Herz schlägt weit, dein Atem fließt tief, deine Sinne sind offen, die Zeit löst sich auf, weil dein System in Sicherheit schwingt. Es scannt die Welt und findet: Alles okay. Kein Grund zu rennen, kein Grund zu verstecken, kein Grund, irgendetwas zu reparieren.

In diesem Zustand passiert etwas Wundervolles: dein Gehirn schaltet von Überwachung auf Empfang. Es hört auf, vergangene Gefahren zu simulieren und beginnt, die elf Millionen Bits in einer neuen Reihenfolge zu ordnen. Plötzlich kommen Farben durch, die vorher unsichtbar waren. Geräusche klingen weicher. Menschen wirken freundlicher. Möglichkeiten tauchen auf. Die Welt fühlt sich durchlässiger an. Alles wird leicht. Oder, im Sinne dieses Buches: easy!

Dieses Gefühl, dieses völlige Aufgehen im Jetzt, in dem Vergangenheit und Zukunft einfach verschwimmen, ist kein chemischer Zufall, auch wenn der ein oder andere dir das vielleicht erzählen würden. Denn ja, es gibt zwar Hormone, Dopamin, Oxytocin, Serotonin, aber die sind nicht die Ursache. Sie sind das Echo; sie sind einfach die Signatur deines Körpers in dem Frequenzzustand Sicherheit. Denn dein System kann Liebe nur empfinden, wenn es nicht in Alarm ist. Es kann Schönheit nur erkennen, wenn es nicht scannt, ob Gefahr droht. Es kann Präsenz nur fühlen, wenn es nicht plant, wie es überlebt.

Jetzt möchte ich dir etwas sehr Wichtiges sagen: Das, was du da auf der Picknickdecke beziehungsweise Strand beziehungsweise Parkbank gefühlt hast - dieses „Alles ist gut, genau jetzt" - das ist kein verrückter Ausnahmezustand, den du nur drei Mal im Leben erfahren wirst. Nein. Es ist tatsächlich dein natürlicher Normalzustand. Nur hast du vergessen, wie er sich anfühlt, weil dein Nervensystem seit Jahren, oder eher Jahrzehnten, zu viel gescannt und zu wenig vertraut hat. Aber du kannst dich wieder erinnern! Und genau dafür bist du hier. Jetzt gerade in diesem Buch und ganz allgemein in diesem Leben. Du bist hier, um dich daran zu erinnern, dass das Leben in Wahrheit gar kein Kampf ist. Dein Körper weiß das. Deine Zellen erinnern sich an dieses Gefühl, noch bevor du es in Worte fassen konntest. Sie kennen den Zustand von „sicher in mir". Sie kennen ihn aus den ersten Momenten deines Lebens, als du einfach nur geatmet hast und alles war, wie es eben gerade war. Und wenn du beginnst, das wieder zuzulassen, dann passiert genau das, was du damals verliebt auf der Wiese/Strand/Berg gespürt hast: das Leben dehnt sich aus, dein Nervensystem hört auf zu selektieren, wer oder was du sein darfst. Es öffnet die Tore weit und lässt das Leben selbst durchfließen. Kein Fight, kein Flight, kein „Wie mach ich das jetzt richtig?". Nur Präsenz.

Und das, meine Liebe, mein Lieber, das ist keine romantische Verklärung, das ist Neurophysiologie in ihrer reinsten Form. Sicherheit ist der Boden, auf dem Bewusstsein blüht (verstehst du jetzt, warum es im Kloster so viel leichter ist, Momente der Erleuchtung zu erleben? Das Gefühl von Sicherheit macht es!). Was du als Liebe gefühlt hast, war dein Nervensystem in seiner ursprünglichsten Wahrheit: verbunden, weit, grenzenlos, ungetrennt vom Rest der Welt.

Das bist DU! Du in deiner Reinform. Du ohne die Schichten an Geschichten und Drama und Rhababerblabla! Und mein tiefer Wunsch ist es, dich wieder genau dorthin zu führen. Nicht zu einer Idee von Frieden, sondern zu dem Körperzustand in dir, der ihn möglich macht. Für uns alle!

Denn wenn du das fühlen kannst, wirst du wirklich und wahrhaftig verstehen, warum alles easy ist, wenn alles eins ist!

Bekommst du eine Idee davon, was ich meine?

Wir fassen hier nochmal die letzten Seiten zusammen: Dein autonomes Nervensystem regelt den Grad deiner Bewusstheit. In Anspannung zieht es dich ins Überleben. In Ruhe hebt es dich ins Bewusstsein.

Und hier wird es dann wieder spannend, denn Sicherheit ist nicht das, was du denkst, sondern das, was dein Körper

fühlt. Du kannst dir also tausendmal einreden: „Ich bin sicher", während dein Herz rast, dein Atem flach ist und dein Körper innerlich schreit: Bin ich ganz sicher nicht!
Dann gewinnt immer dein Körper. Immer. Deswegen bringen dir auch die positiven Affirmationen nichts. Und auch nicht das Aufschreiben von neuen Glaubenssätzen. Dein Nervensystem ist immer schneller als jeder Gedanke. Es entscheidet Millisekunden, bevor dein Bewusstsein überhaupt mitbekommt, was los ist. Es ist wie ein geheimer Dirigent, der die Symphonie deines Lebens spielt, während du denkst, du seist der Komponist. Wenn du beginnst, dieses System zu verstehen, ändert sich alles: Du erkennst, dass deine Gefühle, deine Gedanken, deine Beziehungen, sogar dein Glaube an „Zeit" und „Raum" von der einen entscheidenden Frage abhängen: Fühle ich mich sicher oder nicht?
Denn wenn dein System Sicherheit spürt, dehnt sich dein Bewusstsein aus. Es lässt mehr Information durch (mehr von den elf Millionen Bits). Es erlaubt dir, mehr von der unendlichen Fülle des JETZT wahrzunehmen.

Sicherheit macht die Welt weit. Unsicherheit macht sie klein.

Darum ist es so entscheidend, das Nervensystem in seiner Tiefe zu verstehen, bevor du versuchst, irgendetwas in deinem Leben zu „manifestieren" oder „verändern".

Ich erzähle dir dazu noch eine kleine Geschichte. Ich hatte einmal eine ganz wundervolle Assistenz. Sie wollte gerne nach einer Trennung in eine eigene Wohnung ziehen und sich ein neues Leben mit einer Selbstständigkeit und Unabhängigkeit von ihrem Ex-Partner aufbauen. Sie arbeitete als Freelancerin für mich und versuchte gleichzeitig, ihre eigenen Projekte voranzubringen. Aber sie kam nicht richtig weiter. Sie fand keine neue Wohnung. Sie musste weiter mit ihrem Ex zusammenwohnen und war in permanenter Anspannung. War zunehmend frustriert. Nichts lief mehr so richtig. Irgendwann sagte ich ihr: „Meine Liebe, es ist an der Zeit, dass du dein Nervensystem in Ruhe und Sicherheit bringst. Hör auf für mich zu arbeiten. Suche dir einen Job, der dir ein stabiles Einkommen gibt. Dann findest du leichter eine Wohnung. Sobald dein Konto voll ist und du in deinen eigenen vier Wänden lebst, wird dein Nervensystem sich entspannen. Dann kannst du weiter an deiner Selbstständigkeit arbeiten." Wenig später hatte sie einen neuen Job, ein volles Konto und eine eigene Wohnung, die ihre schönsten Vorstellungen übertraf.

Diese Geschichte ist eine von Millionen Geschichten, die zeigen: Solange dein Körper im Überlebensmodus ist, kann dein Geist keine Weite halten. Solange dein System auf Gefahr eingestellt ist, kannst du die elf Millionen Bits des Lebens nicht empfangen (okay, ich bin ehrlich: ich habe keine Ahnung, ob du die überhaupt JEMALS empfangen kannst ... aber zumindest mal fünfundvierzig statt vierzig ... oder achtundvierzig ... you know what I mean). Aber sobald du beginnst, dich selbst zu verstehen, beginnt sich die Frequenz zu ändern; du entwickelst Akzeptanz mit dir selbst. Mit deinen Gefühlen. Mit deinen Gedanken. Du beginnst, so zu handeln, wie du es gerade brauchst. Nicht so, wie du denkst, dass es „cool" oder stark oder richtig oder erfolgreich oder was auch immer wäre. So wie meine Assistenz beginnen durfte, sich selbst zu verstehen und dadurch erkennen konnte: Ich muss mir nicht beweisen, dass ich alles gleichzeitig schaffen kann (Selbstständigkeit aufbauen, Wohnung finden, Umziehen, Trennung verarbeiten ...). Ich darf erstmal dafür sorgen, dass ich mich wieder sicher fühle. Und dann darf alles folgen.

Wenn wir anfangen aus dieser Akzeptanz mit uns selbst zu leben, dann wächst diese Akzeptanz in bedingungslose Annahme deines ganzen Seins und diese bedingungslose Annahme wächst zu einem so tiefen, liebevollen Verständnis über dich in deinem Menschsein, dass du dir selbst innerlich in einem fort zulächelst. Und naja - bei jemandem, der sich selbst permanent innerlich zulächelt, weil er sich in diesem Menschsein so ulkig, süß und faszinierend zugleich findet, da lächelt das Nervensystem einfach mit.

Wir fangen an, so weich, so mitfühlend, so liebevoll mit uns selbst zu sein, dass unser Nervensystem sich komplett verändert. Es fühlt sich gesehen. Und dadurch wird es ebenfalls weicher. Leichter. Friedvoller.

Das wünsche ich mir für dich. Denn so lebe ich und kann aus tiefstem Herzen sagen: es ist schön! Wirklich richtig doll schön! Und dann öffnet sich auch der Raum zwischen Fight und Flight; der Raum, in dem du erkennst, dass du nie wirklich in Gefahr warst. Denn wenn du dich verstehst, als die Illusion, die du bist, dann verstehst du auch, dass es keinen Anfang und kein Ende gibt, keine Angst vor dem Tod oder vor dem Leben, dass alles einfach nur Energie in Bewegung ist und das, meine Liebe, mein Lieber, ist der Moment, in dem du beginnst, wahrhaftig zu sehen.

Ich möchte mit dir noch ein bisschen tiefer tauchen, damit du diesen Teil wirklich verstehst, bevor wir all dieses theoretische Wissen dann später in die Praxis überführen. Bleib also noch einen Moment bei mir und lass uns all das bisher Besprochene nochmal fortführen:

Dein Gehirn bezieht für seinen ständigen Realitäts-Check seine Daten von drei Hauptkanälen: Es lauscht nach außen - über Augen, Ohren, Haut. Es spürt nach innen - über Herzschlag, Atmung, Temperatur, Darm, Muskeln. Und es vergleicht beides mit der Erinnerung an frühere Situationen, um herauszufinden, ob das, was jetzt passiert, gefährlich sein könnte. Wenn es Übereinstimmung findet („Ah, das kenne ich!"), entspannt es sich. Wenn nicht, spannt es an. Man könnte also sagen: Du siehst das, was dein Körper kennt. Du hörst das, was dein Körper erwartet. Du fühlst das, was dein Körper gelernt hat, zu fühlen. Und das alles, weil dein System dich am Leben halten, nicht, weil es dich ärgern will. In alle drei Hauptkanäle kannst du eingreifen und bewusst Einfluss nehmen.

Wenn du das verstanden hast, dann verändert sich dein Blick auf so ziemlich alles. Du beginnst zu begreifen, dass deine Realität kein starres Außen ist, sondern ein dynamisches Zusammenspiel zwischen deiner inneren Sicherheit und dem, was du als „Welt" bezeichnest.
Ein Tag, an dem du ausgeschlafen bist, dich verbunden fühlst, gegessen hast, Sonne siehst und geliebt wirst, erzeugt einen völlig anderen Realitätsfilm als ein Tag, an dem du müde bist, zu wenig gegessen hast und dein Nervensystem auf Sparflamme läuft. Die Welt ist dieselbe; aber der Film, den du siehst, ist ein anderer. Wenn dein System ruhig ist, werden andere Bits durchgelassen. Wenn dein System im Alarm ist, werden andere Bits durchgelassen. Und das bedeutet, dass du - ohne äußere Veränderung - jederzeit in einer anderen Welt leben kannst. Nicht, weil sich die Welt verändert, sondern weil dein Filter sich verändert. Das bedeutet auch: du bist NIE ausgeliefert. Keinem System. Keinem Politiker. Keiner Matrix. Keinem Nachbarn. Keiner Mutter. Niemandem. Alles und alle dürfen genauso sein, wie sie jetzt gerade sind. Und gleichzeitig kannst du deine komplette Realität verändern. Schön, oder? Du musst nie wieder im Außen kämpfen oder dich stressen; stattdessen kannst du einfach deine innere Realität verändern und dein Außen verändert sich automatisch mit. Immer und ausnahmslos; selbst dann, wenn es sich gar nicht verändert! Ich finde das persönlich so dermaßen herrlich! Ich habe nämlich viele Jahre meines Lebens damit verbracht, im Außen zu kämpfen und es hat mich so sehr angestrengt. Und seit ich all das hier verstanden habe, kämpfe ich gar nicht mehr; und bewege gleichzeitig mehr in der Welt als jemals zuvor.

So, also dein Nervensystem ist die Übersetzerin zwischen dieser unendlichen Welle der Energie und der kleinen menschlichen Form, die du gerade spielst. Es ist der Adapter, der dich mit der Erfahrung von „Ich" versorgt. Und das Geniale ist eben: Du kannst diesen Adapter bewusst mitgestalten. Durch Präsenz. Jedes Mal, wenn du atmest, spürst, fühlst, entschleunigst, öffnest du dein System und damit deinen Wahrnehmungsraum. Dann darf die Welt wieder weit werden. Dann darf dein Gehirn mehr Bits reinlassen. Dann darf Sicherheit neu geschrieben werden. Und vielleicht merkst du, worauf das schon wieder hinausläuft: Du musst dein Leben nicht „heilen", nicht aufarbeiten, nicht analysieren, nicht therapieren. Du darfst einfach dich in diesem Menschsein verstehen. Denn so erkennst du in jedem Moment immer leichter und schneller welche Frequenz du gerade spielst. Es ist dein inneres Radio; fein abgestimmt auf die Schwingung deiner Sicherheit. Wenn du beginnst, seine Sprache zu verstehen, öffnet sich ein neuer Raum. Ein Raum, in dem du erkennst: Alles, was du je gesucht hast, ist nicht „da draußen". Es ist schon längst hier, aber dein System hat es bisher rausgefiltert, um dich zu schützen.

Wenn du jetzt lachst, weil du dir denkst: „Na super, also hat mich mein Nervensystem all die Jahre veräppelt", dann ja, genau das hat es. Aber das hat es aus Liebe getan. Und ab hier beginnt die Kunst, mit dieser Liebe zu arbeiten. Denn das ist das, was die Rosa Koppelmann Methode möglich macht: das Nervensystem zu lehren, dass Sicherheit auch in Weite, in deiner Macht, in deiner wahren Grenzenlosigkeit liegt. Dass du dich sicher fühlen darfst, während du dich veränderst. Sicher, wenn du starke Gefühle fühlst. Sicher, während du loslässt. Sicher, während du immer tiefer erinnerst, dass du alles bist, was ist. Unendliche Energie in Bewegung. Denn erst dann - und nur dann - kann dein Bewusstsein anfangen, neue Bits zu wählen.

Und genau das ist der Moment, in dem die Illusion durchlässig wird und das Spiel beginnt! Und der Satz „Wenn alles eins ist, ist alles Easy" nicht mehr wie Hohn klingt, sondern wie Wahrheit!

## 5.	Das Gehirn - der Frequenzübersetzer

Damit das Spiel so richtig beginnen kann, solltest du noch dein Gehirn verstehen; deinen persönlichen Übersetzer. Ein vibrierendes Organ aus etwa sechsundachtzig Milliarden Neuronen, das in jedem Moment elektrische Wellen produziert; Frequenzen, die wie Musik spielen, auch wenn du sie nicht hörst. Und genau diese Musik ist es, die deine Realität stimmt. Man könnte sagen: Dein Gehirn ist ein DJ, dein Nervensystem der Dancefloor und dein Bewusstsein das Licht, das die ganze Szenerie sichtbar macht. Jeder Gedanke, jedes Gefühl, jede Idee, jede Handlung ist begleitet von einer bestimmten Frequenz. Sie ist messbar, als elektrische Aktivität, die sich in rhythmischen Mustern zeigt. Diese Rhythmen nennen wir Gehirnwellen und sie sind nichts anderes als Ausdruck deines momentanen Bewusstseinszustands.

Wenn du in Eile bist, wenn dein Kopf alles abscannt, kontrolliert, analysiert und die Welt laut erscheint, dann dominiert die Beta-Frequenz; schnelle, enge Wellen zwischen dreizehn und dreißig Hertz. Beta ist das Reich des Denkens, des Analysierens, des Planens, des Kontrollierens. Es ist die Welle des Überlebens, die den Fight-or-Flight-Modus deines Nervensystems begleitet. Nützlich, klar, aber dauerhaft darin zu leben, ist wie jeden Tag in einem Stroboskoplicht zu stehen: grell, hektisch und anstrengend. Ein Modus, den dein Körper zwar überlebt, aber niemals wirklich lieben lernt.

Sobald du innehältst, dich erinnerst zu atmen und deinen Körper wieder spürst, verändert sich die Frequenz. Die Wellen werden weiter, ruhiger: Willkommen in Alpha, dem Zustand entspannter Wachheit, irgendwo zwischen Denken und Fühlen. Hier beginnst du, die Welt anders wahrzunehmen. Farben wirken weicher, Zeit verliert ihren Druck, dein Körper wird leichter. Alpha ist das Tor zur Intuition, der Moment, in dem dein Gehirn vom linearen Rechnen ins Empfangen umschaltet.

Und dann, wenn du noch tiefer sinkst, vielleicht in der Meditation, vielleicht im Halbschlaf, vielleicht einfach nur beim Spazierengehen ohne Ziel, kommst du in Theta. Langsame, fließende Wellen, wie Wasser, das sanft über Steine gleitet. In Theta öffnet sich das Unbewusste. Erinnerungen, Bilder, Eingebungen steigen auf. Du bist wach und träumst gleichzeitig. Künstler nennen das Inspiration, Kinder nennen es spielen.

Unter Theta liegt Delta, das Reich des tiefen Schlafs, der Regeneration, der Neu-Sortierung. Hier löst sich das Ich auf. Der Körper sortiert sich, dein Menschsein macht kurz Pause. In Delta verschwindet die Grenze zwischen innen und außen. Es ist die Frequenz des „Alles ist eins" im körperlichen Ausdruck; der Moment, in dem das Bewusstsein sich selbst vergisst, um sich dann (am nächsten Morgen) wieder zu erinnern, dass wir immer noch im Menschsein-Spiel sind.

Und dann gibt es noch eine fünfte Welle, die Wissenschaft nennt sie Gamma, ich nenne sie die Welle der Klarheit. Extrem schnell, über vierzig Hertz, aber sie erscheint nicht als Stress, sondern als kohärente Hochfrequenz. Sie taucht in Momenten tiefer Präsenz auf, wenn das Herz offen ist, der Verstand ruhig und du plötzlich alles gleichzeitig wahrnimmst. Vielleicht erinnerst du dich an den Moment in Japan weiter oben? Das war ein Gamma-Moment. Viele nennen es auch „Erleuchtungsmoment". In Gamma synchronisieren sich sämtliche Hirnareale. Es ist, als würde dein ganzes Gehirn auf einmal einatmen. Der Zustand ist wie eine kurze, aber sehr aktive Pause, die Zeit steht still, alles ist klar, alle Puzzleteile fallen perfekt an ihren Platz und du denkst kurz danach: Huch! Was war das denn? Vielleicht hast du das schonmal als „Geistesblitz" erlebt. So einen Moment, wo es dir wie Schuppen von den Augen fiel und du kurz danach nicht mehr sagen konntest, woher eigentlich diese Erkenntnis kam. Sie war einfach da. Du warst kurz in Gamma; und das Leben danach ist ein anderes.

Dein Gehirn schwingt also in diesen unterschiedlichen Zuständen und diese Zustände bestimmen, welche Realität du erfährst. In Beta erlebst du das Gefühl, vom Rest der Welt getrennt zu sein. In Alpha fühlst du Verbindung. In Theta beginnst du bewusst, die Realität aus deiner eigenen Tiefe zu erschaffen. In Gamma erinnerst du dich, dass du das Ganze bist. Die Wellen wechseln ständig, sie fließen ineinander, reagieren auf Atem, Licht, Gedanken, Musik, Berührung. Und sie sind nicht isoliert, sie sind direkt mit deinem Nervensystem verbunden; die Übersetzung deines Nervensystems. Wenn du dich sicher fühlst, gleitet dein Gehirn in langsamere, kohärente Wellen. Wenn du Angst hast, beschleunigt es. So einfach. Dein Bewusstseinszustand ist also kein Mysterium, sondern messbare Schwingung: jedes Mal, wenn du dich zentrierst, wenn du atmest, wenn du still wirst, passiert keinerlei Zauber, sondern dein Gehirn stimmt sich einfach um. Aus Beta wird Alpha. Aus Chaos wird Kohärenz. Und diese Kohärenz ist der Boden, auf dem Erkenntnis wächst.

Vielleicht erinnerst du dich an die frisch verliebte Picknickdecken-Situation von vorhin: In diesem Moment warst du in perfekter Alpha-Theta-Gamma-Symphonie. Dein Herz weit, dein Geist ruhig, dein Körper offen, alle Systeme synchron. Pure Kohärenz. Wenn du also beginnst, dich nicht mehr mit den Inhalten deiner Gedanken zu identifizieren, sondern mit der Frequenz, in der sie entstehen, dann beginnst du eine völlig neue Realität wahrzunehmen. Diese Frequenz steuerst du, wie du bereits weißt, nicht über Gedanken, sondern über deinen Körper. Genauer gesagt: über dein Nervensystem und

über das, was es in jedem Moment verarbeitet. Und das sind
nicht Ideen, Konzepte oder spirituelle Einsichten, sondern
Gefühle. Gefühle sind die Schnittstelle. Sie sind die Sprache,
in der dein Nervensystem mit deinem Bewusstsein spricht.
Deshalb kannst du noch so sehr „verstanden" haben, dass
alles eins ist; wenn dein Körper sich unsicher fühlt, bleibt
dein Gehirn im Beta-Betrieb. Und wenn dein Gehirn im Beta
bleibt, fühlt sich Trennung weiterhin real an.

Um also aus der Identifikation mit Gedanken, Geschichten
und inneren Filmen wirklich auszusteigen, reicht Erkenntnis
allein nicht. Wenn wir verstehen wollen, warum du in bestimmten Zuständen stecken bleibst und wie du sie mühelos
wechseln kannst, dann müssen wir uns etwas anschauen,
das noch ein wenig tiefer greift.

Kommen wir zum letzten Punkt dieses Kapitels: Deine Gefühle.

6.   Von der Illusion zur Wahrnehmung

Wenn du bis hierhin gelesen hast, dann hast du bereits verstanden, dass deine gesamte Realität nicht einfach „da draußen" existiert, sondern, dass sie sich in dir konstruiert.
Zeit, Raum, Körper, Gedanken; all das sind keine fixen Größen, sondern bewegte Frequenzen.
Dein Nervensystem filtert, was du als „Welt" erlebst, und
dein Gehirn übersetzt diese gefilterte Energie in Bilder, Geräusche, Geschichten.
Das bedeutet: Deine Realität ist kein Objekt, sie ist ein Prozess. Sie entsteht in jedem Moment neu; abhängig davon,
wie sicher dein System sich gerade fühlt und auf welcher Frequenz dein Gehirn spielt. Du hast gelernt, dass dein Nervensystem wie ein hochsensibler Türsteher arbeitet; es lässt nur
das in dein Bewusstsein, was zu deinem aktuellen Sicher-
heitsstatus passt. Wenn du dich sicher fühlst, öffnet sich
dein inneres Tor und du nimmst mehr Weite, mehr Farbe,

mehr Leben wahr. Wenn du dich unsicher fühlst, zieht es sich zusammen, filtert stärker und erschafft die Illusion einer kleineren, dich schützenden Welt. Und während dein Nervensystem also permanent deine Frequenz scannt, übersetzt dein Gehirn diese Informationen in elektrische Wellen; Beta, Alpha, Theta, Delta, Gamma. Ein fein abgestimmtes Orchester von Schwingung, das deine Realität komponiert.

Und jetzt, wo du die Mechanik verstanden hast, das Wie deiner Wahrnehmung, die neurobiologische Grammatik deines Seins, können wir das Ganze in seine natürlichste, einfachste Sprache übersetzen:
Gefühl.

Denn, bevor dein Gehirn Wellen erzeugt und bevor dein Nervensystem scannt, fühlt dein Körper. Gefühl ist das Erste, was sich meldet, wenn Energie sich bewegt. Es ist der Moment, in dem Bewusstsein Form wird; das Flirren in deiner Brust, das Ziehen im Bauch, die Wärme in deinen Händen, der Druck im Hals. Das, was du fühlst, ist keine Nebensache, es ist der Ursprung deiner Realität.

Also machen wir jetzt genau da weiter: Wir tauchen tiefer in die Sprache deines Körpers ein. Wir sehen uns an, was Gefühl wirklich ist, neurobiologisch, energetisch und bewusstseinsmäßig.

Los geht's!

7.   Gefühl - die Sprache des Lebens

Gefühl ist Biologie in Bewegung. Ich weiß, das klingt erstmal unromantisch. Wir sind ja alle ein bisschen verliebt in die Idee, dass Gefühle tief, mystisch oder unberechenbar sind, dass sie uns einfach „überkommen". Aber wenn du wirklich begreifst, was in dir passiert, wenn du fühlst, dann wirst du ehrfürchtig, weil du erkennst: Dein Körper ist ein einziges Wunder aus Kommunikation.

Du bist ein vibrierendes Ökosystem aus rund sechsundachtzig Milliarden Neuronen, siebenunddreißig Billionen Zellen und einem elektrischen Herz, das mit jedem Schlag ein Feld erzeugt, das bis zu drei Meter über deine Haut hinaus messbar ist (das ist der wissenschaftliche Stand der Dinge - aber unter uns: angesichts dessen, was wir aus der Quantenphysik wissen, sind es eher unendlich viele Meter, denn Energie kennt weder Anfang noch Ende). Dieses Herz-Feld ist das Zentrum. Es ist der Ort, an dem Energie sich organisiert, damit du überhaupt wahrnehmen kannst. Wenn du fühlst, verändert sich sofort alles: Dein Herzrhythmus verschiebt sich, dein Atem wird flacher oder tiefer, deine Pupillen öffnen oder schließen sich, deine Muskeln spannen oder lösen sich, dein Blut verschiebt sich. Und das passiert in Sekundenbruchteilen, noch bevor du weißt, was du überhaupt fühlst.

Gefühle sind also so gesehen keine Reaktion auf die Welt im Sinne von „die echte Welt da draußen". Gefühle sind die Welt; deine Welt. Deine Welt, wie dein Nervensystem sie im Moment erlebt. Dein Herz ist dabei unsichtbarer Designer dieser, deiner Welt. Es kommuniziert über den Vagusnerv direkt mit deinem Gehirn und das Gehirn hört auf jedes Signal. Wenn dein Herz ruhig schlägt, sagt es: „Alles okay, öffne dich." Wenn es unregelmäßig schlägt, sendet es: „Achtung, da stimmt was nicht!" Und zack, verändert sich dein ganzer chemischer Cocktail. Bei Sicherheit fluten Oxytocin, Serotonin, Dopamin; deine „Ich lebe, ich darf sein"-Moleküle. Bei Gefahr übernehmen Adrenalin, Cortisol, Noradrenalin; deine „Überleben!"-Moleküle.

Deine Gefühle sind gleichzeitig Spiegel deiner gesamten Lerngeschichte. Dein Nervensystem hat ein perfektes Gedächtnis: Es erinnert sich an jede Stimmung, jeden Tonfall, jedes Mikrogesicht deiner Kindheit. Wenn du damals Angst

hattest und dich niemand gehalten hat, speichert dein System: Alleinsein = Gefahr. Wenn du als Kind für Wut bestraft wurdest, lernt dein Körper: Wut = Ausschluss. Wenn du dich für Freude schämen musstest, weil sie „zu laut" war, lernt er: Glück = Risiko. Und dieses Wissen lebt weiter in deinen empfundenen Gefühlen. Jedes Mal, wenn dein Körper heute ein ähnliches Signal wahrnimmt, ein Blick, ein Tonfall, ein Schweigen, eine kleine Distanz, spielt er dieselbe biochemische Partitur ab, die er damals gelernt hat. Hormone. Muskelspannung. Herzfrequenz. Atem. Und genau diese Kombination nennst du dann „Gefühl". Das „Problem" dabei ist nicht das Gefühl an sich, es ist vielmehr, dass wir es bei Unaufmerksamkeit mit Realität verwechseln. „Ich fühle mich einfach nicht gesehen." Fühlt sich an wie eine objektive Beschreibung der Welt. Ist es aber nicht. Was tatsächlich passiert, wäre ehrlicher so formuliert:
„Mein Nervensystem hat abgespeichert, dass eine fehlende Reaktion auf meine Worte Gefahr bedeutet. Deshalb aktiviert es gerade ein altes Schutzprogramm und konstruiert mir eine Realität, in der ich mich nicht gesehen fühle." Und genau hier liegt der Grund, warum du manchmal (oder auch ziemlich oft) „überreagierst". Warum eine beiläufige Bemerkung dich plötzlich trifft wie ein Schlag. Warum ein Schweigen lauter ist als Worte. Warum du dich in Beziehungen, Gesprächen oder Entscheidungen auf einmal fühlst, als wärst du fünf. Einfach weil ein sehr altes und super smartes System gerade versucht, dich zu schützen.

Gefühle sind also nicht „authentisch" im Sinne von „so bin ich". Denn du bist nicht deine Gefühle. Du warst sie nie und du wirst sie niemals sein (streng genommen bist du doch deine Gefühle, weil du alles bist, was ist. Aber da bewegen wir uns an anderer Stelle unseres Bewusstseins: Du bist nicht deine Gefühle und gleichzeitig bist du deine Gefühle, weil du alles bist. Ohne Identifikation mit irgendwas. Also auch ohne Identifikation mit deinen Gefühlen. Die Frage ist, ob wir uns mit unseren Gefühlen identifizieren oder wir anerkennen, dass alles eins ist und sie eben auch Teil dieser Einheit sind). Deine Gefühle sind einfach erlernte Signale über Sicherheit. Sie sagen nicht, was wahr ist, sie sagen, was dein Körper für wahr hält. Wenn du das begreifst, hörst du auf, dich mit deinen Emotionen zu identifizieren. Du verstehst: Angst ist kein Feind, sie ist eine Geschichte, die dein Körper für wahr hält. Wut ist kein Problem, sie ist genauso eine Geschichte in deinem Körper. Eine Energie, die Richtung sucht. Scham ist keine Schwäche, sie ist das Echo eines alten Bedürfnisses nach Zugehörigkeit. Und wenn du sie lässt, einfach lässt, nicht analysierst, nicht korrigierst, dann fängt dein System an, neu zu lernen.

Es merkt: Aha, ich kann wütend sein und trotzdem verbunden bleiben. Aha, ich kann traurig sein und werde nicht verlassen. Aha, ich kann glücklich sein, ohne, dass der Himmel einstürzt. Das ist die klare und unspektakuläre Art, wie das, was wir allgemeinhin „Heilung" nennen, wirklich passiert: Dein Körper lernt, dass Sicherheit größer ist, als er dachte. Er schreibt neue Geschichten. Neue Wahrheiten. Neue Illusionen im Spiel des Menschseins. In Wahrheit ist das, was da passiert, keine Heilung, denn du warst nie „kaputt"; es ist einfach ein Erinnern daran, dass du das grenzenlose Bewusstsein bist, das dieses ganze Universum formt.

Und wenn du das einmal durch jede Zelle verstanden hast, öffnet sich die nächste Schicht der Erkenntnis. Bist du bereit dafür? Gefühle sind nämlich nicht nur biochemische Zustände, die für uns individuell interessant sind, weil wir durch sie unseren Körper und somit unsere Realität unterschiedlich wahrnehmen können, nein, sie sind natürlich viel mehr als das: sie sind Frequenzen im Feld!

Jede Emotion, jeder Gedanke, jedes Zittern deines Nervensystems erzeugt messbare elektromagnetische Wellen. Dein Herzfeld ist das stärkste elektromagnetische Signal deines

Körpers (deswegen kannst du Energie hier am einfachsten, schnellsten und klarsten wahrnehmen) mit einem messbaren Frequenzfeld. Diese Frequenz interagiert mit dem Feld anderer Menschen, mit Orten, mit Tieren, mit allem. Du bist also kein geschlossenes System. Du bist durch deine Gefühle in permanenter Wechselwirkung mit allem, was ist. Wenn du innerlich gegen dich selbst kämpfst, wird dein Energiefeld chaotisch, wenn du im Einklang mit dir selbst (aka entspannt) bist, wird es kohärent, wenn du voller Liebe bist, entsteht Ordnung. Und nein, das ist keine Esoterik, das ist wieder mal schnöde, messbare Physik. Das, was du „Stimmung eines Raumes" nennst, ist nichts anderes als elektromagnetische Resonanzfelder, die du wahrnehmen kannst. Genauso wie auch du wahrgenommen wirst. Ja, über deine Energie sehr viel mehr als über deine Worte. Du spürst die anderen Menschen, weil du Teil desselben Feldes bist und sie spüren dich. Wenn du dich in einem Raum entspannst, verändert sich der Raum. Wenn du dein Herz öffnest, verändert sich das Feld. Wenn du jetzt gerade daran denkst, wie machtvoll das ist, wenn wir an Partnerschaft, Familienleben, Schule oder Meetings im Büro denken ... Ja! Es ist unglaublich machtvoll und wir sprechen später in den entsprechenden Kapiteln auch noch mehr darüber, wie genau dieses Wissen Beziehungen und Partnerschaft komplett verändern kann!

Erstmal ist mir aber wichtig, dass du wirklich ganz klar verstehst: Kein Gefühl ist je nur deins. Es ist immer das Eine (die eine Energie, die alles ist, was ist), das sich gerade durch dich erfährt. Du bist Teil von allem, was ist und dieses „Alles, was ist" wird durch Gefühle zu einer gelebten, menschlichen Erfahrung. Wenn du Freude fühlst, fließt Leichtigkeit in die Einheit. Wenn du Liebe fühlst, erinnert sich das Feld an sich selbst. Alles ist Schwingung. Alles ist Bewegung. Alles ist Leben. Und du, ja, du, bist der Ort, an dem das Leben sich selbst spürt. Nur, wenn du „Freude" spielst oder dich zur

Freude zwingst, dann fließt nicht Leichtigkeit ins Feld. Sondern Inkohärenz! Der Zustand, der entsteht, wenn wir unehrlich und nicht im Einklang mit uns selbst sind. Wir fühlen dann ein Gefühl, unterdrücken es und setzen ein anderes darüber, von dem wir denken, dass es „besser" wäre. Genauso kreieren wir Trennung in uns selbst und Inkohärenz im Außen. Genauso kreieren wir Kampf. Anstrengung. Und Druck.

Wenn du dagegen aufhörst, Gefühle zu pathologisieren und in die Kategorien von „richtig" und „falsch" einzuordnen, geschieht etwas Unspektakuläres und gleichzeitig zutiefst Revolutionäres: Du erkennst sie wieder als das, was sie immer schon waren; reine, bedingungslose Energie. In dem Moment, in dem Energie weder bekämpft noch bewertet oder analysiert werden muss, fließt sie frei, weil nichts mehr festgehalten wird. Schwingung, die einfach als solche wahrgenommen wird, bewegt sich von selbst. Gefühle (also Energie) fließt durch dich und es ist ganz einfach okay. Es stört nicht und es macht nichts. Vielleicht kennst du die Situation, dass du manchmal weinst, ohne zu wissen, warum eigentlich? Und danach fühlst du dich leichter und irgendwie anders und ja, irgendwie besser. Das ist genau das, wovon ich hier rede! Wir nehmen einfach wahr, dass da Energie ist, die fließen will. Manchmal sind es Tränen, manchmal Bewegung, manchmal ein Schrei und manchmal einfach eine ruhige Beobachtung eines Drucks im Solarplexus. Wir nehmen sie einfach wahr und lassen sie dadurch fließen, ohne wissen zu müssen, warum sie da ist. Sie fließt einfach.

Und genau da kommen wir wieder zu einem dieser wiederkehrenden Punkte in diesem Buch: Es gibt in deinen Gefühlen überhaupt nichts, das repariert werden will, weil nie etwas kaputt war. Was „Heilung" genannt wird, ist in Wahrheit ein Erinnern; ein Zurückfallen in das Wissen, dass mit dir immer alles in Ordnung war, auch in den Momenten, in denen es sich anders angefühlt hat. Dass es schon immer okay war, dass da Gefühle (Energie) in dir sind, die sich bewegen und gesehen werden möchten. Die zum Ausdruck gebracht werden möchten, die fließen möchten. An dir war nichts kaputt: die Energie in dir wollte einfach auch endlich da sein dürfen!

Stell dir einen ganz normalen Moment vor: Du stehst morgens in der Küche, der Kaffee wird kalt, dein Kind sagt etwas, was dich stört, dein Körper spannt sich an, ein Gefühl von Enge taucht auf. Bis zu diesem Buch wäre das ein Problem gewesen, etwas, das weg sollte oder erklärt werden musste. Du hättest in deinem Körper wahrgenommen, wie du dich selbst verurteilst. Weil du wieder keine Ruhe und Achtsamkeit für den Kaffee hattest. Weil du wieder genervt von deinem Kind warst. Jetzt, nach dem Lesen dieses Abschnitts, bleibst du einfach erstmal da, mit der Energie, die du wahrnehmen kannst. Du spürst die Enge, gibst ihr Erlaubnis. Atmest weiter und bemerkst, wie sie sich verändert, sobald sie Raum und liebevolle Aufmerksamkeit von dir bekommt. Ein Moment der Präsenz und plötzlich ist da wieder Weite. Ein Moment, in dem du merkst „Ja, ich fühle gerade diese Verurteilung für mich selbst. Diese Schuldgefühle. Ja, diese Gefühle sind da und das ist okay." Vielleicht spürst du eine Träne. Vielleicht das Bedürfnis dich zu schütteln oder zu stampfen. Vielleicht möchte die Energie über einen anderen Weg auch körperlich Ausdruck bekommen. Vielleicht reicht in diesem Moment das bloße Anerkennen und bedingungslose Akzeptieren deiner Selbst. Genau diese Perspektive auf Gefühle und der Umgang mit ihnen ist das Fundament der Rosa Koppelmann Methode, über die du später noch mehr erfährst.

Was für den Moment einfach wichtig ist, ist, dass du alles gleichzeitig bist: alles, was ist und gleichzeitig bist du das Bewusstsein, das sich in der Dualität über deinen Körper als

Mensch erfährt. Durch Gefühle. Durch Wahrnehmungen.
Und diese Erfahrung ist dein Spielplatz des Lebens.

Es ist genau dieses Zusammenspiel aus Gefühlen, Nervensystem und Gehirnwellen, die dir die Möglichkeit geben, dich
als Mensch zu erfahren. Ohne all das, wärst du einfach frei-
schwebende Energie. Auch schön, aber eben ganz anders.
Das eigene Nervensystem, das eigene Gehirn und die eigenen Gefühle als das anzuerkennen, was sie sind, nämlich unser „Spielplatz Menschsein", macht das Leben leicht. Wir
hören auf, uns mit diesen Erfahrungsräumen zu identifizieren
und erkennen, wie wir sie für uns nutzen können. Mit ihnen
spielen können. In anderen Worten: Wir verstehen, wie das
Menschsein funktioniert und wie bei allem anderen auch,
macht das Ganze einfach sehr, sehr viel mehr Spaß, wenn
wir verstehen, wie es funktioniert! Ich meine ... stell dir vor,
du hast eine Whirlpool-Badewanne und du weißt nicht, wie
sie funktioniert! Weder weißt du, wie du das Wasser zum
Fließen bringst, noch weißt du, wie die Whirlpool-Funktion
angeht. Dann macht dir die Wanne reichlich wenig Laune! Im
Gegenteil, es fühlt sich irgendwie nervig an, dass sie da rum-
steht! Tja, genauso leben viele Menschen ihr Leben; sie finden, es fühlt sich reichlich nervig an. Dabei haben sie einfach
nur noch nicht verstanden, wie es funktioniert. Und sobald
wir das verstehen, wird das Leben zu genauso einem Genuss, wie die heiße Whirlpool-Wanne an einem kalten Win-
terabend!

Lass uns nun zusammenfassend noch einmal gemeinsam
schauen, wie so ein Tag im Spiel „Menschsein" aussehen
könnte ...

8.   Die perfekte Illusion deines Lebens

Wenn du morgens aufwachst und glaubst, in einer festen,
objektiven Welt zu landen, in der alles brav an seinem Platz
steht - dein Bett, dein Zimmer, dein Plan, deine Sorgen, deine

Zahnbürste -, dann fühlt sich das so selbstverständlich an, dass man leicht übersieht, wie unfassbar raffiniert diese Illusion eigentlich ist. Denn was du „Welt" nennst, entsteht nicht außen, sondern innen, orchestriert von ungefähr sechsundachtzig Milliarden Nervenzellen, die im Sekundentakt elektrische und chemische Signale austauschen, mit einer Präzision, die das gesamte Internet aussehen lässt wie ein etwas überfordertes Kinder-Bastelprojekt. Und genau darin liegt der Zauber: Nicht, dass es eine Illusion ist, sondern, dass dein Bewusstsein sich selbst so genial täuscht, dass du das Spiel überhaupt spielen kannst.

Denn diese Illusion ist definitiv kein Fehler, kein Defekt und erst recht keine feindliche Matrix, aus der du dich mühsam befreien müsstest. Sie ist der Spielplatz des Lebens; das Spielfeld der Schöpfung, die Bühne, auf der du die Figur „Ich" erfährst, obwohl du gleichzeitig weißt (oder zumindest ahnst), dass dieses „Ich" nur eine temporäre Erscheinung ist, eine Art Avatar, ein menschliches Kostüm, das du trägst, um überhaupt erfahren zu können, wie sich Freude, Wut, Liebe, Kaffee oder Steuerbescheide anfühlen. Dinge, die du als reines Bewusstsein niemals haben würdest, denn reines Bewusstsein braucht keinen Cappuccino und auch keine Steuer-ID.

Ich sage gerne: Ich strebe nicht nach Erleuchtung, weil ich weiß, dass sie mich sowieso erwischt, wenn ich diesen Körper verlasse und warum sollte ich also meine wertvolle Mensch-Zeit damit verbringen, auf etwas hinzuarbeiten, das so unvermeidlich ist wie Nasenhaare, während gleichzeitig diese ganze Palette an Nervensystemreaktionen, Gefühlen, Hormonen, Begegnungen und sinnlosen Diskussionen nur jetzt, genau jetzt, erfahrbar ist. Und genau das macht das Spiel ja erst interessant, weil ohne die Illusion des Getrennt-Seins nichts von dem einen Sinn hätte: du wärst einfach formloses Bewusstsein im All-Eins-Sein, wunderschön, klar, friedlich, aber eben ohne die Möglichkeit, zu wissen, wie sich ein erster Schluck Kaffee an einem Montagmorgen anfühlt und ganz ehrlich: Das wäre schade.

Um dir zu zeigen, wie genial diese Illusion funktioniert, lass uns mal gemeinsam einen vollkommen normalen Tag im Menschsein durchgehen, einfach weil die Mechanik dahinter so perfekt ist, dass du eigentlich jeden Morgen applaudieren müsstest, wenn dein System wieder hochfährt.

Du öffnest also die Augen, noch halb im Traum, halb im Nichts und in dem Moment, in dem Licht auf die Netzhaut trifft, startet das System wie ein Laptop aus dem Standby-Modus: Es lädt die Datei Ich.bin.wieder.da.exe, zieht Identität aus dem Langzeitgedächtnis, sortiert Emotionen, aktiviert Körperkarten und bevor du bewusst denken kannst, hat dein Gehirn bereits entschieden, wer du heute bist, mit allem Drum und Dran: Name, Vorgeschichte, Lieblingsmensch, ungelöster Konflikt, Zahnarzttermin und die immer gleiche Frage, die fast jedes Bewusstsein kennt: „Warum bin ich jetzt schon wach und wo ist mein Kaffee?"

Dann greifst du zum Handy, siehst 7:14 Uhr und sofort lädt dein Gehirn die Illusion von Zeit, ein rein inneres Konstrukt, eine Art mentaler Kalender, der die Welt in Reihenfolgen sortiert, obwohl in Wirklichkeit alles gleichzeitig ist, aber um dir zu ermöglichen, zu wissen, wann du arbeiten, frühstücken oder schlafen solltest, tut dein Gehirn so, als gäbe es Vergangenheit, Gegenwart und Zukunft. Obwohl das alles nur neuronale Storyboards sind, die in Echtzeit erzeugt werden.

Du gehst in die Küche, startest dein Morgenritual, Wasser kocht, Kaffeebohnen duften, dein olfaktorischer Kortex dreht durch vor Freude, dein somatosensorischer Kortex meldet: „Tasse heiß", dein limbisches System bringt die Erinnerung an all die Kaffees davor zurück und sagt: „Aaaaah, das ist mein Ding" und du denkst, du würdest ein Ritual erleben, dabei blockiert das Koffein lediglich die Adenosinrezeptoren in deinem Gehirn und lässt dich glauben, du wärst plötzlich geistig klarer und energetisch auf dem Weg zur Selbstoptimierung; obwohl in Wahrheit nur ein paar Moleküle die Tür zur Müdigkeit zugehalten haben.

Dann scrollst du durch deine Nachrichten: Ein Herz-Emoji - Dopamin. Eine unfreundliche Erinnerung - Cortisol. Eine Nachricht von jemandem, den du magst - Serotonin. Eine Nachricht von jemandem, der dir unangenehm ist - Adrenalin. Und du nennst das „Emotion", obwohl es in Wirklichkeit elektrische Mikroexplosionen in deinem limbischen System sind, die sich gegenseitig anfeuern, als würden sie „Heute wird spannend!" schreien.

Mittags sitzt du im Meeting, dein Kollege redet, dein Gehirn decodiert Schallwellen in Sprache, gleichzeitig denkt ein anderer Teil deines Gehirns bereits an Abendessen, Wochenende oder Fluchtpläne, weil dein Default Mode Network Gehirnareal grundsätzlich gerne in der Zukunft lebt, während dein Körper brav am Tisch sitzt und so tut, als wärst du präsent, obwohl du in Wahrheit gerade imaginär einkaufen bist. Dann vibriert dein Handy, dein Herz springt einmal gegen deinen Brustkorb, weil dein Nervensystem - evolutionär gesehen - immer noch glaubt, dass jedes Signal eine mögliche Bedrohung oder eine Chance auf Nahrung, Sex oder sozialen Ausschluss sein könnte, obwohl es meistens wirklich nur der Paketbote ist; und trotzdem reagiert dein ganzer Körper, als würde die Menschheit von deinem sofortigen Handeln abhängen.

Nachmittags isst du ein Stück Schokolade und denkst, du liebst Schokolade, dabei liebt dein Gehirn Endorphine, Dopamin und die kurze Pause vom Alltagsstress, aber wir lassen dir natürlich auch diese Illusion, weil sie süß schmeckt. Auf dem Heimweg siehst du die Sonne zwischen den Häusern verschwinden, dein visueller Kortex berechnet Tiefe, Farbe,

Bewegung, Perspektive und du sagst: „Der Himmel ist schön", obwohl der Himmel nicht da draußen ist, sondern im Inneren, als elektrische Muster, die dein Gehirn erzeugt und du reagierst emotional auf Lichtphotonen, die deine Retina treffen, was eigentlich absurd ist, aber genau das macht das Menschsein ja so charmant.

Abends sitzt du auf dem Sofa, Netflix läuft, dein Gehirn synchronisiert Pixel zu Geschichten, dein Nervensystem reagiert mit Spannung, Empathie, Mitleid oder Tränen und du denkst, der Film hätte dich „berührt", dabei haben nur farbige Lichtpunkte ein paar neuronale Schaltkreise aktiviert, die dich daran erinnern, dass du ein fühlendes Hologramm bist.

Und wenn du dann die Augen schließt, zieht sich dein Bewusstsein aus der Illusion zurück, das neuronale Orchester fährt herunter, das System sortiert, archiviert, löscht, reorganisiert, baut neue Synapsen, stärkt alte, dehnt Raum und Zeit zusammen und bereitet dich darauf vor, am nächsten Morgen eine neue Version derselben Illusion zu erzeugen, die sich dann wieder völlig real anfühlt.

Und das Wunder dieser ganzen Geschichte ist nicht, dass dein Leben eine perfekte Illusion ist, sondern, dass du sie erschaffst: jede Sekunde, jeden Atemzug, jeden Gedanken, jede Wahrnehmung, niemals als Opfer, sondern in jeder Sekunde als aktive Schöpferin, als Bewusstsein, das durch dich Mensch spielt, durch deine Augen schaut, durch deinen Körper fühlt, durch deine Stimme lacht und sogar durch dich seinen eigenen Kaffee trinkt.

Und wenn wirklich alles, was du erlebst, nur ein Modell deines Nervensystems ist, dann bleibt nur die eine entscheidende Frage:

Was ist das, was durch all diese Modelle hindurch lebt?

Genau dorthin gehen wir jetzt:
in die Energie.

Kapitel 2: Energie verstehen

Nachdem wir verstanden haben, dass Wahrnehmung nichts anderes ist als die Interpretation deines Nervensystems und deine Gefühle die Reaktion darauf, kommen wir jetzt zu der Kraft, aus der alles überhaupt erst möglich wird: Energie. Das klingt zunächst simpel, ist aber der Punkt, an dem sich Wissenschaft und Spiritualität seit Jahrhunderten in die Augen sehen - und dasselbe meinen, während sie unterschiedliche Sprachen sprechen.

1.   Was Energie wirklich ist

Wenn du einen Stein in die Hand nimmst, hältst du scheinbar etwas Festes, doch physikalisch betrachtet besteht er zu 99,9999999 Prozent aus Raum. Der Rest - diese winzige Dichte, die du als fest empfindest - ist nichts anderes als vibrierende Energie, gebündelt zu einem Muster, das deine Sinne als „Materie" interpretieren.
Atome sind keine kleinen Billardkugeln, wie wir es in der Schule gelernt haben, sondern pulsierende Felder. Sie sind Bewegung, Verdichtung, Rhythmus. Selbst im vermeintlich unbeweglichen Gestein tanzt das Leben auf subatomarer Ebene ununterbrochen. Und genauso bist auch du reine Bewegung; dein Herz sendet in jeder Sekunde ein elektromagnetisches Signal aus, das weithin messbar (und noch weiter nicht messbar) ist. Dein Gehirn erzeugt elektrische Wellen, die miteinander in Resonanz gehen. Jede Zelle deines Körpers kommuniziert über winzige Spannungsschwankungen, die sich wie Musik durch dein System bewegen. Du bist kein statischer Körper, du bist ein orchestriertes Feld aus Licht, Impulsen und Information.

Energie ist also nicht irgendetwas Abgehobenes. Sie ist die Grundlage von allem, was existiert. Sie ist das, was Leben möglich macht. Sie wandelt sich ständig; von chemischer in elektrische, von thermischer in kinetische, von Gedanken in

Handlung. Im Universum geht keine Energie verloren, sie verändert nur ihre Form. Das ist der erste Hauptsatz der Thermodynamik: Nichts verschwindet. Nichts entsteht aus dem Nichts. Alles transformiert sich lediglich immer wieder. Wenn du also atmest, denkst, lachst, zweifelst oder tanzt, wandelst du Energie. Nicht mehr und nicht weniger. Dieser Punkt ist entscheidend zu verstehen, wenn es darum geht, den Lauf der Dinge zu akzeptieren: Viele Menschen haben Angst, Geld oder Liebe zu verlieren, sie haben Angst vor jeglicher Veränderung, weil Veränderung Verlust bedeuten könnte. Wenn du aber einmal verstanden hast, dass es unmöglich ist, etwas zu verlieren, weil Energie eben gar nicht verloren gehen kann, dann bekommst du eine ganz andere (sehr entspannte) Perspektive auf diese Themen. Im Kapitel über Geld gehen wir darauf noch tiefer ein. Jetzt lass uns erstmal weiter auf die Energie an sich fokussieren.

Denn ja, obwohl Energie allgegenwärtig ist, tragen wir Menschen oft ein seltsam gespaltenes Verhältnis zu ihr:
Wir sagen zum Beispiel Dinge wie „Hier ist schlechte Energie" oder „Ich brauche wieder gute Energie". Wir spüren, dass Energie real ist, aber wir verwechseln ihre Qualität mit unserer individuellen Bewertung. Denn Energie selbst ist immer neutral. Sie ist weder gut noch schlecht. Sie ist einfach. Das, was du als „gute Energie" empfindest, ist lediglich eine Form, die sich harmonisch in deinem Nervensystem spiegelt - dein Körper kann sie integrieren, sie fühlt sich weit und fließend an. In anderen Worten: sie ist in Kohärenz mit der Energie deines ganz eigenen und individuellen Nervensystems. Das, was du als „schlechte Energie" empfindest, ist Energie, die auf eine Spannung in dir trifft, auf eine Dissonanz, weil dein System sie gerade nicht frei durchlassen kann. Sie ist also nicht in Kohärenz mit deinem Nervensystem. Doch die Energie selbst bleibt dieselbe, völlig neutral.

Es ist ganz spannend, was passiert, wenn wir die Welt aus dieser Perspektive betrachten und beginnen zu sehen, dass Materie nur verdichtete Energie ist, dass Gedanken elektromagnetische Impulse sind, dass Gefühle Schwingungen sind, die sich in deinem Körper ausdrücken. Wir werden dann sensibler dafür, dass selbst der leere Raum zwischen zwei Menschen kein Nichts ist, sondern ein vibrierendes Feld voller Information, das sich in jedem Moment neu formt. Ich finde das immer besonders interessant zu beobachten, wenn ich mit meinen Kindern zusammen bin. Kleine Kinder sind ja komplett in Präsenz und lassen Energie dadurch sehr schnell fließen. So wechseln sie von Spiel zu Streit zu Kuscheln zu Spiel innerhalb weniger Augenblicke. In solchen Momenten beobachte ich dann gerne die Energie („ich nehme sie wahr" trifft es wahrscheinlich besser als „beobachten"), wie sie sich zusammenzieht, wieder ausdehnt, wie sie von einer kohärenten, gleichmäßigen Schwingung in eine chaotische Schwingung wechselt und sich von da wieder beruhigt. Ich finde das absolut faszinierend zu beobachten und kann dir sehr ans Herz legen, es einfach mal auszuprobieren. Wie es geht? Sei einfach offen dafür, die Energie wahrzunehmen, dann merkst du es schon.

Die moderne Quantenphysik beschreibt die Welt übrigens schon längst nicht mehr als Ansammlung fester Teilchen, sondern als ein unendliches Feld aus Möglichkeiten. Jedes sogenannte Teilchen ist eine kleine Welle in diesem Feld, ein Tanzpunkt im großen Gewebe der Existenz. Und du bist kein Beobachter außerhalb dieses Feldes; du bist das Feld selbst. In Wahrheit bist du kein Wesen, das Energie hat, du bist Energie, die sich selbst erlebt; da wären wir wieder bei der Nondualität! Es gibt da keine Trennung zwischen dir und dem Außen. Alles ist die gleiche Energie. Niemand kann behaupten „Das hier ist meine Energie" oder „Das hier ist deine". Alles fließt in einem perfekten Zusammenspiel, ununterbrochen. Und das erschreckt den einen oder anderen vielleicht erstmal, weil wir natürlich überhaupt keine Lust haben, dass ausgerechnet ICH die gleiche Energie bin, aus der auch mein nerviger Nachbar besteht. Und gleichzeitig befreit es so unglaublich, wenn wir uns selbst die Erlaubnis geben, diesen kleinen physikalischen Fakt einfach anzuerkennen. Weil wir dann einfach Teil dieses großen Ganzen sind. Und nicht mehr allein, getrennt, auf uns gestellt. Ein Rosenblatt in der Rosenblüte. Teil des Ganzen, das dafür sorgt, dass diese Rosenblüte, Rosenblüte ist. Keines der Blätter ist mehr oder weniger wichtig oder wertvoll oder erleuchtet als ein anderes. Jedes Einzelne ist einfach ganz bedingungslos Teil des Ganzen. Kannst du das schon ein wenig fühlen?

Dann lass uns einen Schritt weitergehen. Wenn nun alles einfach neutrale Energie ist, wieso denken wir dann so gerne, dass es gute und schlechte Energie gibt? Und vor allem: Wie schaffen wir es, hinter dieses Spiel zu schauen?

2.   Kann Energie gut oder schlecht sein?

In den letzten Jahren hat sich insbesondere in der Szene der Persönlichkeitsentwicklung die Idee durchgesetzt, dass es „positive" und „negative" Schwingungen gibt und dass wir darauf achten sollten, „in positiver Schwingung" zu bleiben, um ein erfülltes Leben zu führen und unsere Wünsche zu manifestieren. Vielleicht hast du auch schon davon gehört, dass du positive Affirmationen sprechen sollst, deine Aufmerksamkeit auf das „Gute" lenken sollst und es eigentlich deine Hauptaufgabe ist, jeden Tag möglichst „High Vibe" zu sein?

Das klingt ja erstmal auch ganz hübsch - ist aber aus zwei ganz konkreten Gründen fulminanter Quatsch.

Neurobiologisch betrachtet

Wenn wir davon ausgehen, dass wir in einer negativen Schwingung sein könnten und dass es besser ist, in einer positiven Schwingung zu sein, dann erzeugen wir innerlich einen permanenten Druck.
Dieser Druck sitzt uns im Nacken und flüstert ununterbrochen, dass wir nicht gut genug sind, wann immer wir „Low Vibe" sind. Und was passiert, wenn wir unter Druck stehen? Du hast es weiter oben schon gelesen: Unser Nervensystem aktiviert den Sympathikus, Cortisol wird ausgeschüttet, unser Herzschlag und unser Atem beschleunigen sich und das gesamte System geht in einen Zustand, den wir in diesem Buch bereits als Beta-Dominanz kennengelernt haben. In diesem Zustand schwingt das Gehirn schnell, unruhig, unkoordiniert. Die innere Wahrnehmung wird enger, Gedanken kreisen und die Verbindung zu uns selbst geht verloren. In anderen Worten: wir vergessen, dass wir unendliche Energie sind und denken, wir seien „Maschinen", die besser werden könnten. Danke liebe Leistungsgesellschaft; das Spiel haben wir allerdings lange genug gespielt. Jetzt ist die Zeit gekommen, in der wir das Menschsein wieder voll umarmen. Und das tun wir, wenn wir in innere Kohärenz kommen!

Yes, das Gegenteil von Stress passiert, wenn das System in Kohärenz geht: Herzrhythmus und Gehirnwellen synchronisieren sich, das Nervensystem reguliert sich ganz von allein und du fühlst dich weit, verbunden und ruhig. Und das passiert, wie du bereits weißt, immer dann, wenn du dich einfach flowig, smooth und verbunden fühlst. Und wann tust du das? Remember? Wenn du NICHT die ganze Zeit darüber nachdenkst, ob du gut genug bist oder wer du überhaupt bist und ob dieses „Ich" jetzt in die Kategorie „richtig" oder „falsch" passt. Kurz: wenn du dir selbst so bedingungslos begegnest wie auf der Picknickdecke im Park, von der wir vorhin gesprochen haben; und nicht voller Erwartungen an „High Vibe" oder voller Vorwurf wegen „Low Vibe".

Mit anderen Worten:
Der Druck, „positive Schwingung" sein zu müssen, ist physiologisch nichts anderes als Stress; und Stress trennt dich in deiner Wahrnehmung von dir selbst. Aus neurobiologischer Sicht ist es also nicht sinnvoll, Energie in „gut" und „schlecht" zu sortieren. Es macht das Menschsein ganz schlicht unnötig schwer.

Ich kenne das selbst so gut, weil ich aus der klassischen Persönlichkeitsentwicklung komme. Ich habe jahrelang alles „richtig" gemacht, so wie es mir in Podcasts und Lehrbüchern über Manifestation und Co beigebracht wurde. So habe ich mich zum Beispiel in jeder Situation immer wieder gefragt: wer will ich denn gerade sein? (Mit der Intention, dann auch diese Person zu sein!) Also, wenn ich zum Beispiel wahnsinnig genervt von meinen Kindern war, die gerade alle miteinander stritten, dann habe ich mir diese Frage gestellt: Wer will ich gerade sein? Daraufhin erinnerte ich mich: Ich will eine entspannte Mutter sein. Und zack, passierte, was neurobiologisch passieren muss: ich wurde frustriert! Denn offensichtlich war ich keine entspannte Mutter, sondern eine Mutter, die sich gerade selbst dafür verurteilte, dass sie KEINE entspannte Mutter war. Diese Vorwürfe gingen tief und machten mir über viele Jahre das Leben sehr viel schwerer als notwendig. Die Alternative dazu? Wir reden später noch ausführlich darüber, aber hier schonmal kurz: In dem Moment, in dem ich einfach das JETZT anerkenne, entspannt sich mein System. Also nicht „Wer will ich gerade sein?", sondern „Wer bin ich gerade". „Aha, ich bin gerade eine genervte Mutter". Punkt. Fertig. Anerkennung des Jetzt und weiter nichts. Keine Sorge, später gehen wir ganz ausführlich darauf ein, denn hier sind wir schon wieder bei der Quintessenz der Rosa Koppelmann Methode angekommen. Aber lass uns jetzt erstmal noch Punkt zwei anschauen.

Wie sieht es also physikalisch aus? Let's see ...

Quantenphysikalisch betrachtet

Energie ist.
Rein physikalisch kann sie nicht hell oder dunkel, besser oder schlechter sein. Sie hat einfach nur unterschiedliche Frequenzen, also verschiedene Schwingungsgeschwindigkeiten. Die „langsame" und „schnelle" Schwingung wurde im Laufe der Jahre leider als „low" (negativ) und „high" (positiv) interpretiert. Aber wer bitte sagt, dass langsam schlecht ist und schnell gut? Stell es dir mal so vor: Wenn du einen Stein nimmst, schwingt er sehr langsam. Ach, weißt du, wir machen dazu direkt eine kleine Übung, damit du verstehst, was ich meine:
Schließe mal kurz deine Augen, richte dein Bewusstsein innerlich auf einen Stein, Felsen oder Edelstein (dafür kannst du ihn dir einfach vorstellen) und sag dir selbst:
„Ich nehme die Energie dieses Steins wahr."

Du wirst spüren, dass er tief und ruhig schwingt - sehr langsam, sehr stabil.

Wenn du jetzt dasselbe mit einer Katze machst, merkst du sofort: sie schwingt schneller, lebendiger, verspielter.

Einfach kurz Augen zu, an eine Katze denken und wahrnehmen, was in deinem Herzraum passiert.

Hast du es ausprobiert? Du nimmst den Unterschied wirklich am intensivsten im Herzraum wahr. Wenn es beim ersten Versuch noch nicht geklappt hat, probiere es nochmal und richte deine Aufmerksamkeit dabei nochmal ganz bewusst in den Herzraum; nimm wahr, wie die Energie von Stein und

Katze sich dort anfühlt. Sehr gut! Jetzt weißt du auch direkt schon mal, wie einfach es geht, Energie wahrzunehmen.

Stein und Katze sind also beide Energie. Nur unterschiedlich verdichtet. Wenn du gerade noch denkst, du kannst da nichts wahrnehmen, dann probiere es erst recht. Es ist unglaublich leicht, Energie zu spüren, sobald du dir selbst einfach die Erlaubnis gibst, es auszuprobieren.

Aber zurück zum Thema: Würdest du jetzt sagen, dass der Stein schlechter ist als die Katze, nur weil er langsamer schwingt? Nein! Natürlich nicht!
Er ist einfach, was er ist. So wie die Katze einfach ist, was sie ist. Eine Schnecke ist schließlich auch nicht schlechter als ein Grashüpfer! Und dennoch machen die allermeisten Menschen genau das mit ihren Gefühlen, Gedanken und ihrem Leben:
Sie sagen, Schuld ist ein schlechtes Gefühl, weil sie langsamer schwingt als Freude; und Freude ist gut, weil sie schneller schwingt. Ähm ... okay, Dr. David R. Hawkins, vielen Dank für deine berühmte Frequenzpyramide.
Nur leider bringt sie Millionen Menschen in massiven Stress (Hawkins entwickelte die sogenannte Map of Consciousness, eine Skala, die emotionalen Zuständen numerische Frequenzen zuordnet, basierend auf Muskeltests. Ein spannendes Konzept, aber wissenschaftlich nicht haltbar. Diese Frequenzpyramide wird in der Persönlichkeitsentwicklung sehr gerne verwendet, um zu erklären, dass es wichtig ist, "High Vibe" zu sein aka „sich zu stressen, gut genug zu sein“).

In dem Moment, in dem wir vollends verstehen, dass Energie weder gut noch schlecht sein kann, kommt so ein großes inneres Aufatmen; das ist der Druck, endlich "richtig" zu sein, der gerade loslassen kann.

Du kannst nicht gut genug sein und genauso wenig kannst du schlecht genug sein. Du bist bedingungslose Energie und dem ist nichts hinzuzufügen. Wenn du ein ganz besonderes wissenschaftliches Gehirn hast, dann schau dir zu diesem Thema wirklich gerne noch mehr Physik an, zum Beispiel indem du Claude oder Gemini (das sind KI-Chat-Programme) nach physikalischen Erklärungen (inklusive Quellen) befragst oder dir YouTube-Videos dazu anschaust. Die Physik dieses Universums zu verstehen, macht das Leben wirklich massiv leichter. Hier erkläre ich dir das Wichtigste, aber hey, tauch unbedingt tiefer ein, wenn dir danach ist! Ich finde es übrigens mal wieder absolut faszinierend, dass wir dieses Wissen rund um Energie eigentlich in der Schule beigebracht bekommen; eben zum Beispiel, dass Energie nicht verschwinden kann. Und dennoch übersetzen die allerwenigsten dieses allgemeine Wissen in den gelebten Alltag. Also, bis jetzt. Jetzt ändern wir das ja.

Nun aber zum nächsten Thema, einem, in dem Rosas Intuition und die Wissenschaft miteinander verschwimmen. Schauen wir mal …

Über „böse Energie", „Geister" und „Reinigung"

Lass uns an dieser Stelle einmal über ein paar Dinge sprechen, die vielen ein mulmiges Gefühl machen: „schwarze Magie", „böse Geister" und die Notwendigkeit der „Reinigung" und des „Schutzes" von Orten oder Menschen. Kurz: „Böse Energie"!

Diese Themen machen vielen Menschen, insbesondere in der spirituellen Szene, immer wieder Angst und Druck (erinnerst du dich, was das für dein Nervensystem und deine Realitätskreation bedeutet?) und daher möchte ich dazu gerne eine andere Perspektive bieten. Eine, die neurobiologisch, quantenphysikalisch und psychologisch mehr Sinn und mehr Spaß macht.

Wir sind hier in einem Teil des Buches angekommen, in dem sich Wissenschaft mit energetischer Erfahrung und individuellem Wissen vermischt. Das bedeutet, alles, was ich hier schreibe, wurde mir so in Meditationen „gezeigt", ohne dass alles davon wissenschaftlich fundiert ist (erinnerst du dich an meine Geschichte aus Japan? Dort wusste ich bereits wissenschaftlich um das Konzept der Zeit und die Erfahrung in Japan hat dieses Wissen in die gelebte Erfahrung gebracht. Manchmal ist es auch andersherum: ich erfahre etwas und erst viel später finde ich die Wissenschaft dahinter. Und manche Wissenschaft dahinter kommt vielleicht erst noch. So lange bleibt meine Erfahrung einfach Erfahrung).

Meine Erfahrungen und Erkenntnisse machen auf Basis des quantenphysikalischen Wissens, das wir heute haben, definitiv Sinn. Und wahrscheinlich können wir in den nächsten Jahren auch alles wissenschaftlich bestätigen. Aber bis dahin wird es immer auch Informationen geben, die Frau Rosa Koppelmann in ihren Meditationen, im Halbschlaf oder auf einem Spaziergang „zugeflüstert" wurden. Was ich also einfach entweder als Stimme im Kopf oder als klares Wissen empfangen habe. Nicht wahr. Nicht unwahr. Einfach meine Realität, die ich hier mit dir teile.

Wir fangen direkt mit den „bösen" Geistern an. Da herrscht nämlich so viel Durcheinander und Angst zu, dass ich da gerne meinen Alles-Easy-Senf zugeben möchte.

Wenn ein Mensch seinen Körper verlässt, kehrt sein Bewusstsein in den Zustand der Verbundenheit zurück - in die absolute Bedingungslosigkeit. Das ist das, was viele als „die Seele kehrt zurück" nennen. Nenne es Seele oder Bewusstsein, das ist mir egal. Jedenfalls verlässt diese Energie den Körper und die Energie des Körpers bleibt zurück. Du weißt jetzt schon, dass Energie langsamer und schneller schwingen kann und das ist an dieser Stelle nochmal wichtig. Denn, da dieses Bewusstsein sehr schnell schwingt, lässt die

Energie des Bewusstseins alles zurück, was langsamer
schwingt. Anders gesagt, nimmt diese absolute Bedingungslosigkeit nichts Persönliches (Konditioniertes) mit. Nichts,
was mit der Illusion des Ich zusammenhängt: keinen Vorwurf, keinen Groll, keine Absichten. Die Energie, die im Körper der Person einst festgehalten war, also Emotion, Spannung, Erinnerung, bleibt als energetische Frequenz
bestehen. Genau dort, wo sie eben gerade ist. Sie ist dann
einfach da, nicht beseelt, nicht bewusst, sondern wie eine
Welle ohne Richtung. Das ist die Energie, die wir manchmal
an Orten spüren, an denen Menschen gestorben sind, besonders an Orten, an denen viel Leid oder Gewalt geschehen ist.
Diese Schwingung ist tatsächlich messbar (z. B. als verän-
dertes elektromagnetisches Feld, Temperatur oder Ionisa-
tion) aber - und das ist mir sehr wichtig - sie ist nicht böse.
Sie hat keine bösen Absichten. Sie will weder Rache noch
Schmerz zufügen. Sie ist einfach da. Zurückgelassen, weil sie
eben langsamer schwingt als das Bewusstsein selbst. Kein
böser Geist, sondern einfach eine langsam schwingende
Energie, die bei vielen Menschen auf Dissonanz stößt, wes-
wegen die Nervensysteme dieser Menschen das, was sie
wahrnehmen, als „schlecht" einordnen. Dabei ist es nicht
schlecht. Und auch nicht gut. Es ist einfach Energie, so wie
alles andere auch.

Nur: Wenn jemand mit der festen Überzeugung an so einen
Ort geht, dass dort „negative Energie" oder „verlorene Seelen" warten, wird genau das - durch die selektive Wahrnehmung der Realität - erlebt. Und jetzt wird es nochmal kurz
spannend, ich brauche deine ganze Aufmerksamkeit: Aus
der Neurowissenschaft und aus der Quantenphysik wissen
wir: Was du beobachtest, verändert das, was du siehst. Das
bedeutet, wenn ein Schamane so einen Ort mit seinen Überzeugungen betritt, dann wird er dort „verlorene Seelen" treffen, die er dann „retten" kann (als wenn Energie „gerettet"
werden könnte ... sie ist ja einfach Energie). Der Schamane

fühlt sich dann super, sein Ego freut sich nen Keks und der Ort fühlt sich tatsächlich anders an! Denn die Energie wurde bewegt! Und das ist prima. Und es funktioniert. So wie eine „Hexen-Gruppe", die an einem Ort ein Reinigungsritual mit Feuer, Tanz und Opfergaben vollführt; das funktioniert dann ebenso. Denn das Feuer, der Tanz und die Opfergaben bewegen Energie. Nur und das ist das Entscheidende: es braucht das ganze „Opfer" und „Retter" Drama gar nicht! Wenn wir nämlich einfach anerkennen, dass diese Energie nur „zurückgelassen" wurde, dass sie nicht schlecht oder böse ist, nicht geheilt werden muss und sich auch niemand vor ihr schützen muss, dass sie einfach Energie ist, die wieder fließen will - und wenn sie dann genauso gesehen wird, ohne bewertet, verurteilt oder gerettet werden zu müssen, dann passiert genau das gleiche: Sie fließt einfach. Frei. Ohne Drama. Sie wird in ihrer Bedingungslosigkeit anerkannt und fließt dadurch bedingungslos weiter. Dafür braucht es kein Ritual und auch keine Opfergaben, sondern einfach die Bereitschaft, wirklich und wahrhaftig wahrzunehmen, zu spüren und Erlaubnis für das zu geben, was da ist.

Gehe ich also an einen Ort, wo ich Schwere spüre oder eine erdrückende Energie, dann erkenne ich innerlich einfach diese Schwere, den Schmerz, den Druck an. In dem Moment fängt die Energie an zu fließen. Sie taucht in den Raum der Bedingungslosigkeit, den ich ihr biete (durch mein Resonanzfeld). Sie ist nicht festgehalten im „falsch sein", sondern ist wieder frei. In dieser Bedingungslosigkeit fängt sie an, sich zu bewegen und ich biete ihr diese Bedingungslosigkeit einfach an, bis alles geflossen ist, was fließen wollte. Das passiert manchmal mit Bildern, die dann entstehen und die ich innerlich sehen kann, manchmal ohne. Manchmal sehe ich die Energie fließen, manchmal nehme ich es einfach wahr. Das alles spielt keine Rolle und nichts davon ist besser oder schlechter. Der Ort fühlt sich danach in jedem Fall komplett anders an - ganz ohne Analysen, Geschichten, Drama, Kult, oder Räucherwerk. Einfach nur durch die Erlaubnis, wieder als die bedingungslose Energie gesehen zu sein, die sie immer war.

Heißt das, aufwändige Rituale und Co sind falsch? Nein, sie sind genauso wenig falsch oder richtig, wie irgendwas. Sie sind nur nicht notwendig. Wer Spaß daran hat, Rituale zu vollziehen, Opfer zu bringen und Energie zu „retten", kann das jederzeit tun. Es darf nur aus dem Bewusstsein geschehen, dass es ein Spiel ist. Sonst wird es schnell zum Kampf gegen das „Böse" und das „Negative". Und Kampf führt niemals zu Frieden.

Das Gleiche gilt entsprechend auch für sogenannte „schwarze Magie": Wenn du neurobiologisch so konditioniert bist, dass du glaubst, jemand könnte dir etwas antun, dann reagiert dein Nervensystem genauso - Stress, Enge, Schutzreflex. Und wenn du erkennst, dass die „schwarze" Energie einfach durch dich hindurchfließt, als du selbst (weil du alles bist, was ist), dann kann dir nichts anhaften.

Und genau hier passt das Thema „Schutz" hinein, denn überall dort, wo Menschen Angst vor Energie haben, taucht sofort die Frage nach Schutz auf. Nur ist Schutz aus nondualer Sicht ein Konzept, das nur innerhalb der Ich-Illusion Sinn ergibt. Mit Schutz lässt sich richtig gut Geld verdienen, aber abgesehen davon sind die Schutz-Geschichten ziemlicher Quatsch. Jedenfalls, wenn wir da aus einer quantenphysischen Perspektive drauf schauen. Denn Schutz setzt voraus, dass du getrennt bist. Dass es ein „Ich" gibt, das angegriffen werden könnte; aber wenn du bedingungslose Energie bist, dann wird ziemlich deutlich klar: Energie kann nicht geschützt werden, weil sie nichts hat, woran etwas „haften" könnte. Du bist ja nicht ein festes und getrenntes Objekt, das geschützt werden muss. Du bist das gesamte Feld selbst; nichts existiert außerhalb von dir. Nichts, was dir etwas antun oder gefährlich sein könnte. Die Idee von Gefahr ist eine konditionierte Interpretation des Nervensystems und das ist natürlich sehr smart! Unser Nervensystem liebt Sicherheit aus gutem Grund: Es möchte, dass wir leben! Daher liebt es auch das Gefühl, dass da „jemand" oder „etwas" über uns wacht - auch dann, wenn wir wissen, dass es nur wir selbst sind, die diesen Raum halten. Du bist Gott. Gott ist du. Da gibt es keine Trennung. Genauso bist du aber auch der Teufel. Und der Teufel ist du. Da gibt es genauso wenig Trennung. Daher dürfen wir uns im Angesicht des Teufels genauso sicher fühlen, wie im Angesicht von Gott. Es ist eh alles eins.

Deshalb darfst du dich übrigens einfach immer geschützt fühlen! Und auch wenn du jetzt weißt, dass du keinen Schutz brauchst, darfst du deinem Nervensystem Zeit geben, diese Tatsache zu integrieren und sich daran zu gewöhnen, dass du in Wahrheit immer sicher bist. Nur bitte nicht, indem du Mauern errichtest, sondern indem du in Präsenz mit dir selbst kommst. Auch nicht indem du Energie abwehrst, sondern indem du anerkennst, dass jede Energie auch DU bist. Die Anwendung der Rosa Koppelmann Methode wird dir genau diesen Weg öffnen. Immer dann, wenn dein Nervensystem schreit „UNSICHER!", wirst du das Gefühl liebevoll, aber radikal als das anerkennen, was es ist: eine neutrale Energie in deinem Körper. Und dadurch kommt dieses Gefühl (aka Energie) direkt wieder in den Fluss. Und Schutz wird dann nicht mehr als Abwehr verstanden, sondern als ein liebevoller Container für dein Nervensystem.

In diesem Zusammenhang reden auch viele darüber, wie wichtig Grenzen sind. Aber Grenzen geben dir keine Sicherheit. Das können sie nicht. Niemals. Sie spielen dir vielleicht kurz das Gefühl von Sicherheit vor. Aber das Gefühl von Sicherheit kann nicht durch Trennung (Grenze) entstehen. Denn, dass du eine Grenze setzen willst, setzt ja voraus, dass du dir selbst erzählst, dass du unsicher bist. Und diese

Geschichte ist dann das, was deine Realität ist. Du erzählst dir selbst also „Ich brauche eine Grenze", während dein Nervensystem versteht „Ich bin unsicher" und dir die entsprechende wahrgenommene Realität kreiert. Wenn die Geschichte nicht aktiv wäre, brauchst du ja die Grenze gar nicht. Somit kommt das Gefühl von Sicherheit nur durch Bewusstsein (Erkennen). Nicht durch Kontrolle (Grenze), sondern durch Erlaubnis (Anerkennen). Wenn dein Körper Sicherheit spürt, kann dein Bewusstsein sich ausdehnen. Und wenn dein Bewusstsein sich ausdehnt, erkennst du ganz automatisch: Es gibt nichts, wovor du dich schützen musst. Es gibt nur Energie, die gesehen werden möchte. Energie, die fließt, sobald du sie nicht mehr bewertest.

So sei zur Sicherheit nochmal gesagt: Energie ist immer zuerst bedingungslos. Immer. Und erst in der Bewertung wird sie zu dem, was sie für dich ist; aber eben nur für dich. Das, was sich für dich als „negative" Energie anfühlt, kann sich für deinen Nachbarn nach „Gemütlichkeit" anfühlen. Und das, was sich für dich nach der Energie von purer „Lebensfreude" anfühlt, kann sich für mich wie „Lebensgefahr" anfühlen. So bewerten wir permanent - und haben niemals recht. Oder andersherum: haben für uns selbst immer recht.

Natürlich gibt es auch ein starkes kollektives Bewertungsfeld, das Realität mitprägt - das Feld, in dem die Menschheit gerade spielt. Aber Felder verändern sich, sobald sich Bewusstsein verändert. Und genau das tun wir hier: Wir erschaffen ein neues kollektives Bewertungsfeld. Eines, in dem wir erkennen, dass alles bedingungslos, alles Energie und dass Angst vor dieser Energie eine Illusion ist.

Denn ja, genau da gehen wir jetzt hin:
Wenn Energie weder gut noch schlecht sein kann,
dann wird Angst zur Illusion.

3.   Angst ist eine Illusion

Du hast es eben gesehen: Energie ist wertfrei. Sie ist weder
gut noch schlecht, sie ist. Sie schwingt; mal dichter, mal weiter, mal wild, mal weich. Bewertung ist das, was wir hinzufü-
gen. Und jetzt kommt der Kniff: Angst ist nichts anderes als
bewertete Energie. Ein Zustand deines Nervensystems, der
auf eine bestimmte Schwingung ein Etikett klebt: Gefahr.
Eng. Nicht sicher.

Neurobiologisch ist das simpel und brillant zugleich: Dein
System scannt permanent: innen (Herzschlag, Atem, Temperatur, Muskeltonus) und außen (Gesichter, Stimmen, Licht,
Kontext) und vergleicht alles mit seinem inneren Modell.
Weicht etwas ab, geht der Sympathikus an, die Amygdala
hebt die Hand: Alarm. Deine Gehirnwellen rutschen in Beta,
der Fokus verengt sich, die Welt wird kleiner. Aber: Diese
Wahrnehmung ist Konstruktion. (Du erinnerst dich: elf Millionen Bits rein, ~vierzig-fünfzig bewusst raus. Der Rest wird ge-
filtert.) Angst ist deshalb nie „die Realität", sondern dein ak-
tuelles Sicherheitsmodell in Aktion. Es ist eine Frequenz, die
dein System gerade bevorzugt, nicht die Wahrheit über dich
oder die Welt. Und weil Energie wertfrei ist, ist auch die Angst
an sich wertfrei. Sie ist nicht „böse" und auch nicht schlecht.
Sie ist keine „Blockade", die gelöst werden muss und auch
kein „Schatten", der erleuchtet werden muss. Sie ist Energie,
einfach in Schutzform. Nondual übersetzt: Du bist das Feld,
das alles hält; auch die Angst. Wenn alles eins ist, ist selbst
die Angst nicht außerhalb von dir. Sie ist nicht dein Gegner.
Sie ist nur eine verdichtete Welle, die gesehen werden will,
damit sie wieder fließt.

Dazu erzähle ich dir eine kleine Geschichte:

Einmal wurde mein Konto vom Finanzamt gepfändet! Das ist
so ziemlich das, was niemand gerne erfahren möchte! Als ich
davon erfuhr, war ich unter Schock! Ich hatte riesige Angst,

weil ich keine Ahnung hatte, WARUM es gepfändet wurde. Durch mich flossen Wellen von Panik und tausend Filme spielten sich gleichzeitig ab. In mir stiegen Bilder auf, von Hängungen, von Gefängnissen, von Unterdrückung durch die staatlichen Autoritäten. Kurz: ich spürte Angst! Ich hatte keine Fakten darüber, warum das Finanzamt das Konto gepfändet hatte, also machte die Angst zu dem Zeitpunkt rein logisch keinen Sinn. Ich tat also das, was ich immer tue, wenn ich starke Gefühle wahrnehme: Ich setze mich hin und mache eine Session mit der Rosa Koppelmann Methode, um die Energie der Gefühle in den Fluss zu bringen. Nachdem ich das getan hatte, fühlte ich mich wunderbar leicht, frei und friedlich. Es war abends, als ich die Nachricht bekam und ich hatte zuerst geglaubt, dass ich bestimmt die ganze Nacht nicht schlafen kann. Nachdem ich die Angst in der Session aber wahrgenommen hatte, fühlte ich nur noch Ruhe und Frieden und schlief wunderbar. Am nächsten Morgen erfuhr ich, dass mein Steuerberater mir den Steuerbescheid nicht geschickt hatte. Ich wusste also drei Monate lang nicht, dass ich 77€ an das Finanzamt schuldete. Ja, wegen 77€ hatte ich fast einen Herzinfarkt. Die Sache war innerhalb weniger Minuten geklärt und ich konnte herzlich darüber lachen.

So ist das mit der Angst. Wenn wir sie als die Illusion erkennen, die sie ist, dann fließt unsere Energie frei und ein Schockmoment wird zum Lacher.

Genau dafür ist die Rosa Koppelmann Methode da: Gefühl zulassen, damit Energie wieder in Bewegung kommt. Doch bevor wir dorthin gehen, lass uns die großen Angst-Mythen entzaubern. Drei archetypische Felder, drei Mal derselbe Kern:

Angst vor Mangel — „Es reicht nicht."

Mangel ist kein Zustand, Mangel ist ein Wahrnehmungsfilter. Und dieser Filter ist nicht zufällig entstanden, sondern biologisch ausgesprochen sinnvoll. Dein Gehirn ist nicht darauf spezialisiert, Fülle zu erkennen oder dich glücklich zu machen - es ist darauf spezialisiert, dich am Leben zu halten. Dafür arbeitet es mit extrem begrenzter Kapazität und muss ständig entscheiden, welche Informationen wichtig sind und welche nicht. Aus den unzähligen Eindrücken, die permanent auf dich einströmen, wählt es genau das aus, was für dein Überleben relevant erscheinen könnte.

Und hier kommt der entscheidende Punkt: Für das Gehirn ist ein übersehener Verlust deutlich gefährlicher als ein übersehener Gewinn. Ob du eine Gelegenheit verpasst, ist evolutionär gesehen egal. Ob du eine Bedrohung übersiehst, kann tödlich sein. Deshalb gewichtet dein System Mangel stärker als Fülle. Es scannt nicht zuerst danach, was da ist, sondern danach, was fehlen könnte. Daher ist es so wunderbar leicht, ständig im Mangel zu sein!

Und sobald dein inneres Erwartungssystem auf „nicht genug" eingestellt ist - egal ob es um Geld, Zeit, Liebe oder Aufmerksamkeit geht -, schaltet dein Nervensystem in einen Engpassmodus. Deine Wahrnehmung verengt sich, dein Fokus wird schmal, Alternativen verschwinden aus dem Blick. Alles, was nicht unmittelbar zur Sicherung beiträgt, wird ausgeblendet. Das ist simple kognitive Ökonomie: In Unsicherheit reduziert das Gehirn Komplexität, um schneller reagieren und Energie sparen zu können. Mangel erzeugt Tunnelblick, weil Weite im Notfall zu langsam wäre. Das Entscheidende ist: Dein Gehirn unterscheidet dabei nicht zwischen realem physischem Mangel und gedachtem Mangel. Ein Gedanke wie „Es reicht nicht", „Ich habe zu wenig", „Das wird knapp" aktiviert dieselben inneren Mechanismen wie eine tatsächliche Bedrohung. Und solange dieser Modus aktiv ist, kannst du Fülle nicht wahrnehmen. Deswegen fühlt sich Mangel so real an. Nicht, weil er wahr ist, sondern weil dein Gehirn in diesem Moment hervorragend funktioniert. Es tut einfach genau das, wofür es gebaut wurde. Und genau hier setzt dann auch wieder die Rosa Koppelmann Methode an: nicht, indem sie Mangel wegdenkt oder schönredet, sondern indem sie sichtbar macht, in welchem Modus dein System gerade läuft. Denn in dem Moment, in dem Wahrnehmung sich selbst erkennt, beginnt sich der Fokus wieder zu weiten; und zwar ganz ohne Kampf, ganz ohne Zwang und auch nicht, weil du ein „Mindset-Upgrade" bekommen hast und plötzlich „anders denkst", sondern weil dein Nervensystem merkt: Oh, das ist ja sicher hier! Und Sicherheit ist die Voraussetzung dafür, dass Fülle überhaupt ins Blickfeld kehren kann.

Und jetzt dazu auch direkt schon mal die radikale Wahrheit: Reichtum ist kein Kontostand, Reichtum ist Kohärenz. Wenn Herzrhythmus und Gehirn synchron gehen und dein Nervensystem entsprechend entspannt, dann öffnet sich dein Wahrnehmungsfenster: Du siehst dann die Optionen, die dein Alarm-Modus unsichtbar gemacht hat: Kooperationen, Timing, Synchro-Zufälle. Und dadurch, dass du Möglichkeiten wahrnimmst, fließt plötzlich auch das Geld. Verstehst du dich selbst, verstehst du immer mehr: wenn alles eins ist, ist alles easy! Und du wirst zunehmend zur Meisterin dieses wunderschönen Spiels des Lebens!

Glaubst du noch nicht ganz? Dann lass uns noch eine Angst anschauen ...

Angst vor dem Alleinsein — „Ich gehöre nicht dazu."

Das Gefühl, allein zu sein, ist erstmal ein ganz banaler Körpermoment: Du sitzt da, alles ist eigentlich okay und trotzdem zieht sich innerlich etwas zusammen. So ein leises, unangenehmes Ziehen. Nicht dramatisch, aber deutlich. Und dann kommt dieser Gedanke dazu: Irgendwie gehöre ich gerade nicht dazu. Das ist dein Nervensystem, das kurz checkt: Bin ich noch verbunden?

Dein Gehirn ist nämlich extrem auf Gemeinschaft programmiert. Es geht unbewusst davon aus, dass da andere Menschen sind, dass du eingebettet bist, dass jemand da ist; selbst, wenn du gerade allein auf dem Sofa sitzt. Das ist die Grundeinstellung. Und wenn diese innere Verbindung kurz wackelt, zum Beispiel, weil sich jemand nicht gemeldet hat, weil du dich missverstanden gefühlt, weil du etwas Peinliches gesagt oder weil du einfach einen sensiblen Tag hast, dann meldet dein System nicht: Oh, interessant, ein emotionales Thema. Es meldet: Achtung. Das könnte uns gefährden.

Und zack fangen die Gedanken an zu erzählen: Warum meldet sich niemand? Mit mir stimmt was nicht. Andere sind verbunden, ich irgendwie nicht. Ja, das kennen wir alle. Wieder einmal: Willkommen im Menschsein! So sind wir Menschen und das bereits seit der Steinzeit: Früher war das Alleinsein wirklich gefährlich. Dein Körper erinnert sich daran. Mehr nicht. Das Problem ist nur: Dein Körper weiß in solchen Momenten nicht, dass du heute WLAN hast, eine Haustür, einen Kalender, einen Job und Menschen, die dich mögen (auch wenn sie sich gerade nicht melden). Er reagiert auf ein inneres Signal, nicht auf die Faktenlage. Und dieses Signal heißt: Keine Resonanz = Enge.

Jetzt kommt der entspannende Teil: Du bist nicht allein. Wirklich nicht. Auch jetzt nicht, in diesem Moment. Du bist mitten im Leben. Geräusche, Luft, dein Atem, dein Körper, diese Worte hier, alles passiert gleichzeitig in dir und um dich herum. Dein Gefühl von Einsamkeit ist real, aber die Geschichte „Ich gehöre nicht dazu“ ist nur ein Filter, den dein System gerade aktiviert hat. Und weißt du, was deinem Nervensystem in solchen Momenten wirklich hilft? Verbindung. Ganz langweilig. Ganz menschlich. Ruf jemanden an. Schreib eine Nachricht. Schau jemandem kurz in die Augen, selbst der Kassiererin. Umarme jemanden. Oder, wenn gerade niemand greifbar ist, leg dir selbst eine Hand auf den Brustkorb und atme bewusst. Das klingt simpel, ist aber neurologisch hochwirksam. Dein System hört: Ah. Da ist Kontakt. Ich bin doch nicht rausgefallen. Es ist einfach ein weiterer kleiner „Hack", um dieses Spiel „Menschsein" wirklich zu genießen: gib deinem Körper, was er braucht! Gib deinem Nervensystem, was es braucht. Schwupps, schon ist das Leben wieder leicht!

Nondual betrachtet kannst du übrigens nie wirklich getrennt sein. Aber dein Körper muss das nicht philosophisch verstehen. Er muss es erleben. Und jedes kleine Zeichen von Verbindung - ein Lächeln, eine Stimme, ein ehrlicher Kontakt - ist wie ein sanftes Update für dein Nervensystem. Es sagt: Alles gut. Du bist drin. Du warst es die ganze Zeit.

Also wenn dieses Gefühl das nächste Mal auftaucht, mach kein Drama draus. Sag innerlich: Ah. Hallo, alte Angst. Du willst nur sicherstellen, dass ich nicht alleine in der Savanne stehe. Dann bring deinem System kurz das, was es braucht. Und du wirst merken: Die Enge löst sich viel schneller, als du dachtest.

Angst vor dem Tod — „Ich verschwinde."

Die Königin der Ängste. Der Kopf flüstert: Irgendwann ist alles aus. Neuropsychologisch schützt dich das Ich-Modell (Default-Mode-Netzwerk) vor Reizüberflutung, indem es deine Geschichte baut: Ich und die Welt. Diese Geschichte hat ein Anfang/Ende-Narrativ. Wenn das Ich-Gerüst wackelt, ruft die Psyche nach Halt; das ist ganz normal. (Die Terror-Management-Theorie aus der Neurobiologie lässt grüßen.) Aber du hast es bereits gefühlt (Picknickdecke, Sonnenuntergang, Gamma-Aufblitzen, remember?):
Es gibt Momente, da hört der innere Erzähler auf zu brabbeln und was bleibt, ist Weite. Keine Kante zwischen „ich" und „Luft", nur Präsenz.

Physikalisch betrachtet kommen und gehen Formen, während das Feld bleibt. Eine Welle fällt nie „aus dem Meer". Sie ist das Meer, das sich kurz hebt. Nondual gesagt: Niemand stirbt, außer einer Geschichte.
Der Körper endet, ja. Die Form wechselt. Die Energie nicht. Was du wirklich bist, ist nicht sterblich; es ist etwas, in dem selbst der Gedanke an den Tod auftaucht und wieder vergeht. Ist Verlust dennoch „echt"? Natürlich! In der menschlichen Erfahrung ist er absolut echt. Nur Verlust-Angst und Angst vor dem eigenen Tod sind zwei verschiedene Paar Schuhe. Wir gehen später in Teil zwei nochmal ganz konkret auf das Thema Verlust ein und schauen uns an, wie die Rosa Koppelmann Methode selbst Verlust zu einem Spielfeld des Lebens machen kann.

Für diesen Moment lass uns nochmal ein paar mehr Ängste streifen ... denn wenn wir ehrlich sind, dann ist das Thema „Angst" eins, das uns im Alltag am allermeisten bestimmt! Daher räumen wir hier noch ein bisschen weiter auf. Denn ja, Mangel, Alleinsein und Tod sind die drei großen Archetypen, aber sie zeigen sich in vielen kleinen Kostümen. Was du „deine Angst" nennst, ist meist nur ein Untertitel davon. Hier sind die häufigsten - in Wahrheit alle Varianten derselben Wurzel: die Angst, Energie nicht halten zu können.

Angst vor Ablehnung - das alte Herdentier in dir

Diese Angst ist so alt wie unsere DNA. Dein Nervensystem liest „Ablehnung" wie Lebensgefahr, genauso wie bei der Angst vor dem Alleinsein: weil du biologisch immer noch Teil einer Herde bist. In der Savanne hieß „ausgeschlossen sein": kein Schutz, kein Essen, keine Nacht überleben. Heute heißt es: jemand liked meinen Post nicht, aber dein Körper unterscheidet nicht zwischen Kommentarspalte und Lagerfeuer. Neurobiologisch gesehen springt hier die Amygdala an, das Angstzentrum: sie registriert sozialen Schmerz über dieselben neuronalen Bahnen wie physischen Schmerz (Studien zeigen, dass Ablehnung im anterioren cingulären Cortex genauso feuert wie ein Schlag auf den Arm). Kein Drama also, wenn du dich nach Ablehnung zusammenziehst; das ist pure Biologie.

Was hilft? Nicht dich überzeugen, dass es „egal" ist, sondern dich erkennen und erinnern, bis dein Körper wieder spürt: Ich fühle mich ausgeschlossen und ich bin dennoch sicher. Weil: Du bist kein Rudeltier mehr, das ohne Herde stirbt. Du bist Bewusstsein, das durch Form spielt.

Das nächste Mal, wenn du dich „nicht gemocht" fühlst: Leg mal zwei Finger an dein Brustbein. Sag leise: „Hier bin ich." Spüre den Druck, das Kribbeln, die Hitze. Atme, bis du wieder Weite fühlst. Das ist Erinnerung in Echtzeit.

Angst vor Sichtbarkeit - die Verwechslung von Licht mit Gefahr

Viele glauben, sie hätten Angst vor Sichtbarkeit, dabei fürchtet ihr System nicht das Licht, sondern das Brennglas. Sichtbarkeit fühlt sich bedrohlich an, wenn dein Körper gelernt hat: „Wenn ich auffalle, werde ich verletzt / kritisiert / ausgelacht / beneidet / ausgeschlossen."

Hier arbeitet dein System in antizipatorischem Stress - also Stress vor dem Ereignis. Das Gehirn simuliert potenzielle Gefahr, um dich „zu schützen". Das nennt man präventive Aktivierung; klingt klug, fühlt sich aber ehrlich gesagt scheiße an. Doch Sichtbarkeit an sich ist neutral. Es ist einfach Licht. Du entscheidest, ob du dich im Scheinwerfer siehst oder verbrennst.

Wenn Angst vor Sichtbarkeit ein Thema von dir ist, stell dir mal vor, du stehst auf einer Bühne, ein weiches Licht fällt auf dich. Spür, dass du gesehen wirst und gleichzeitig sicher bist. Das Gehirn denkt jeder Gedanke und jede Vision ist real.

Somit schreibt jeder bewusste Moment im Licht dein neuronales Muster um.

Angst vor Kontrollverlust - der Versuch, Gott zu spielen

Kontrolle ist eine Überlebensstrategie. Sie ist der Versuch des Gehirns, Unsicherheit zu managen, indem es Vorhersagen erzwingt. Predictive Coding, erinnerst du dich? Dein Gehirn will immer wissen, was als Nächstes passiert, weil Ungewissheit einfach Stress ist.

Doch Kontrolle ist anstrengend. Sie kostet energetisch konstant Sympathikusleistung. Und sie hält dich in Beta-Wellen, also im Zustand von Überwachung, nicht Vertrauen. Loslassen ist eine neurobiologische Erinnerung: Wenn der Körper spürt, dass er sicher ist, sinkt der Bedarf an Kontrolle automatisch. Wichtig: Du lässt nicht los, weil du solltest. Du lässt los, weil dein System genug Sicherheit hat, es zu tun.

Mach mal die Augen zu und sag laut: „Ich weiß nicht, was passiert."
Spür mal, was das in dir auslöst. Genau da atme hinein.
Das Zittern, das Flattern, das Herzklopfen - das ist gespeicherte Energie, die zurück in den Fluss will.
Sie war nie gegen dich.

Angst zu scheitern - das Missverständnis von Lernen

Scheitern ist keine Katastrophe. Es ist Feedback. Nur Beta-Wellen nennen es „Versagen". Alpha- und Theta-Wellen nennen es „Anpassung".

Das Gehirn lernt in Zyklen. Versuch, Irritation, Integration, Wiederholung. Erst Fehler, dann Muster. Doch wenn du dich mit dem Fehler identifizierst („Ich bin gescheitert" statt „Etwas hat nicht funktioniert"), aktiviert das dein Schamzentrum und Scham schneidet dich von der Lernfähigkeit ab.

Nondual gesprochen: Scheitern gibt es nicht, weil es niemanden gibt, der getrennt vom Prozess scheitern könnte. Es ist das Leben an sich, das sich selbst verfeinert.

Wenn du Frieden mit der Angst vor dem Scheitern finden willst, dann schreib dir mal drei Dinge auf, die „nicht geklappt haben". Lies sie laut (wichtig! Energie fließt über Worte anders als durch Gedanken!) und ergänze: „Und das war Teil meiner Meisterschaft." Spür, was passiert. Energie shiftet sofort, sobald du Bedeutung durch Beobachtung ersetzt.

Angst vor Nähe - die subtile Angst, sich zu verlieren

Viele wollen Nähe, bis sie passiert. Dann wird's eng. Warum? Weil dein System gelernt hat, dass Nähe = Verschmelzung = Selbstverlust ist.

Neurobiologisch: Wenn du als Kind nicht konstant gesehen und emotional gehalten wurdest, entsteht eine innere Ambivalenz: Ein Teil von dir sehnt sich nach Kontakt, ein anderer Teil ist gleichzeitig wachsam oder zieht sich zurück. Das nennt man in der Bindungsforschung „desorganisiert" - und das klingt schlimmer, als es ist. Es heißt einfach: dein System hat beides gelernt, ja und nein, gleichzeitig.

Nähe bedeutet heute für dich nicht mehr Gefahr. Du darfst neu verhandeln, wie viel Nähe dein Körper halten kann.

Wenn du Erlaubnis für Nähe aktiv üben willst, setze dich jemandem gegenüber, schau ihr/ihm in die Augen. Bleib einen Atemzug länger als angenehm ist. So trainierst du Kohärenz in Verbindung.

Nähe ist kein Risiko. Sie ist die Synchronisation von Nervensystemen - Herz zu Herz, Feld zu Feld.
Und du darfst dabei ganz du bleiben. Schau dazu auch gerne

noch später in das Kapitel über Beziehungen und Partnerschaft.

Angst vor Schmerz oder Krankheit - die Angst, zu fühlen

Schmerz ist kein Feind. Er ist eine laute Information deines
Systems, dass irgendwo Energie verknotet ist. Im Körper, in
der Psyche, im Feld.

Die Medizin betrachtet Schmerz als Signal einer Störung; die
Neurobiologie sieht darin Predictive Error Correction - das
System merkt, dass etwas nicht stimmt und sendet Wellen,
um Aufmerksamkeit zu holen. Wenn du die Welle unter-
drückst (Tablette, Ablenkung, Dissoziation), bleibt sie bestehen. Wenn du sie fühlst, kommt sie in den natürlichen Fluss.

Nondual gesagt: Schmerz ist Leben, das sich daran erinnert,
dass es fließen will. Wenn du ihn nicht bekämpfst, erkennt er
sich selbst als Energie. In Rosas Worten: Schmerz und Krankheit sind einfach Inkohärenz in deinem Körper. Willste Leichtigkeit? Wähle Kohärenz! Achte also darauf, dein Leben in
Kohärenz zu gestalten, so kann auch dein Körper diese kohärente Energie genießen und braucht sich nicht ständig mit
Schmerz und Krankheit bei dir melden (Fun fact: ich war 2023
das letzte Mal krank ... kurz danach habe ich die Rosa Koppelmann Methode entwickelt und damit war das Thema dann
durch).

Im Alltag kannst du mit Schmerzen folgendermaßen umgehen: Leg eine Hand auf die Stelle, wo's zieht, drückt, brennt.
Atme genau dorthin. Sag: „Ich sehe dich." Kein Drama, kein
Warum. Nur Wahrnehmung. Beobachte, wie das System weicher wird.

Jede dieser Ängste ist letztlich nur ein Versuch deines Systems, Sicherheit zu erzeugen. Keine davon ist eine Störung,
sondern Intelligenz. Keine davon will dich stoppen, sondern

stabilisieren. Und sobald du sie nicht mehr bewertest, wird sie das, was sie immer war: reine Bewegung. Und ich kann dir aus Erfahrung sagen, dass die Energie unter der Angst unfassbar stark und wunderschön ist! Wenn du deine Ängste tatsächlich mit der RKM anschaust, integrierst und fließen lässt, dann erwartet dich ein völlig abgefahren geniales Level an Freiheit, Macht und Leichtigkeit!

Und genau da möchte ich nun mit dir hin. Denn du hast jetzt verstanden: Energie ist neutral. Angst ist neutral. Alles ist eins.

Wir bewegen uns nun langsam in Richtung des zweiten Teils dieses Buches: das alles zu fühlen und zu LEBEN!
Dein Nervensystem darf lernen, dass Sicherheit nicht von außen kommt, sondern von innen entsteht, wenn du dir erlaubst, alles zu fühlen, ohne es zu bewerten.

Und genau das ist die Rosa Koppelmann Methode (RKM): eine präzise, sanfte, wissenschaftlich fundierte Praxis, um Angst, Schmerz und Emotion in reine Energie zurückzuführen.

Aaaaaaber ... um die RKM in aller Tiefe zu verstehen, fehlen uns noch ein paar fundamentale Punkte. Zunächst einmal müssen wir noch tiefer in das Feld der Energie eintauchen. Denn da wartet noch mehr auf uns als das, was wir bisher besprochen haben. Wir haben zwar generell über Energie gesprochen, über Angst und über „böse Geister", aber uns fehlt noch die konkrete Wahrnehmung von Energie. Und dann ... naja, dann müssen wir uns wohl oder übel auch noch der Illusion des Ich zuwenden. Denn die habe ich zwar bisher immer mal wieder angeschnitten, aber wenn wir ehrlich sind, dann sind wir noch nicht so richtig eingetaucht. Und das sollten wir tun, wenn wir dieses Spiel des Lebens wirklich so richtig genießen wollen!

Ein kleines bisschen Weg haben wir also noch vor uns ... bist du bereit dafür? Schließen wir erstmal das Kapitel über Energie ab und bewegen uns dann auf die nächsten Spielplätze.

4. Energie lesen, fühlen, verkörpern

Wenn du beginnst zu erkennen, dass alles, was du Realität nennst, kein festes Etwas ist, sondern ein vibrierendes Feld aus Information, dann verändert sich dein Zugang zu dir selbst grundlegend. Ganz einfach, weil du aufhörst, dich selbst zu übersehen und dich stattdessen immer mehr und mehr erkennst als das, was du bist: reine Energie. Und wenn Energie nicht etwas ist, das dich umgibt, sondern etwas, das du bist, dann wird sofort klar: Energie spüren ist keine Fähigkeit. Es ist Erinnerung. Eine Rückkehr zu etwas, das dein Körper ohnehin jede Sekunde tut. Du hast das nur vergessen, weil dir irgendwann beigebracht wurde, deinem Denken mehr zu trauen als deinem Erleben.

Dein Körper ist ein Resonanzkörper. Lange bevor du eine Persönlichkeit warst, die Meinungen hat, Pläne schmiedet und sich Sorgen macht, warst du ein fühlendes, wahrnehmendes Feld. Dein System liest Räume, liest Menschen, liest Stimmungen, liest Ungesagtes und zwar eben nicht, weil du besonders feinfühlig bist, sondern weil dein Nervensystem dafür gemacht ist. Energie zu lesen, bedeutet also nicht, etwas Übernatürliches zu entwickeln. Es bedeutet, dich einfach an das zu erinnern, was sowieso die ganze Zeit da ist.

Der Punkt, an dem viele aussteigen, ist derselbe Punkt, an dem wir alle gelernt haben, „vernünftig" zu sein: Das Denken. Sobald du dich selbst als getrenntes Ich denkst - hier ich, dort die Welt - entsteht ein Beobachter, der glaubt, er müsse etwas außerhalb von sich wahrnehmen. Und genau in diesem Moment verlierst du den direkten Kontakt zur Schwingung, die du bist. Keineswegs weil sie weg ist, sondern einfach, weil du sie mit Gedanken überlagerst. Und gleichzeitig kennst du die Momente, in denen du pure Energie bist. Ganz sicher kennst du sie. Wir haben weiter vorne in einem anderen Zusammenhang schon darüber gesprochen: Diese Momente, in denen das Denken plötzlich ganz leise wird und etwas anderes übernimmt. Picknickdecke im Park, der Geruch von Gras und Sommer. Sonnenuntergang am Meer, wenn der Himmel so weit wird, dass dein Brustkorb automatisch mit aufmacht. Der Moment, wenn du nach Stunden des Wanderns oben ankommst und einfach nur dastehst, ohne Worte. In diesen Momenten liest du Energie direkt und pur - nur nennst du sie nicht so. Du nennst sie Gänsehaut. Weite. Dankbarkeit. Dieses komische Ziehen im Herzen, das gleichzeitig schön und überwältigend ist.

Das ist körperlich wahrgenommene Energie.

Und wie du bereits weißt, ist es dein Körper, der sie übersetzt. Dein Nervensystem reagiert auf Schwingung, lange bevor dein Kopf begriffen hat, was gerade passiert. Es öffnet sich oder zieht sich zusammen. Es lässt Wärme entstehen oder Kälte. Spannung oder Weichheit. Enge im Hals. Weite im Brustraum. Ruhe im Bauch. All das sind keine Emotionen im klassischen Sinne und auch keine Gedanken - es sind sogenannte somatische Marker. Direkte körperliche Antworten auf das Feld. Aber - und das ist wichtig - Energie fühlen geht tiefer, als nur diese Reaktionen deines Körpers wahrzunehmen. Es beginnt dort, wo du aufhörst, die Empfindung persönlich zu nehmen. In dem Moment, in dem du sagst: „Ich fühle Enge", wird aus einem energetischen Phänomen eine Identifikation. Die Enge wird zu meiner Enge. Und dadurch baust du schon wieder eine Trennung auf. Denn was „meine Enge" sein kann, kann auch „nicht meine" sein.

Und jetzt kommt so eine unangenehme Wahrheit, die du vielleicht schon vermutet und vielleicht auch schon erlebt hast: Energie kann nur frei fließen, wenn du sie wahrnimmst,

OHNE dich mit ihr zu verwechseln. Was meine ich jetzt schon wieder damit?

Nehmen wir eine Situation, die die meisten von uns kennen: Du sitzt mit jemandem am Tisch. Alles ist okay, ihr redet, du bist präsent mit deinem Gesprächspartner. Du fühlst dich frei und einfach HIER und JETZT. Und plötzlich zieht sich innerlich irgendetwas zusammen. Kein klarer Gedanke. Kein offensichtlicher Auslöser. Nur ein ganz feines Zusammenziehen im Bauch oder im Brustraum. Du kannst es nicht zuordnen und somit passiert reflexartig stets dasselbe: Dein Kopf springt an. Was ist los? Habe ich etwas Falsches gesagt? Ist die Stimmung komisch? Liegt das an mir? Und zack - bist du nicht mehr im Kontakt, sondern in der Geschichte über den Kontakt. Du beginnst dich mit der Energie, die du wahrnimmst, zu verwechseln.

Was ursprünglich einfach nur eine energetische Reaktion war, ein körperlicher Marker, eine Information im Feld, wird innerhalb von Sekunden zu deiner Enge, deinem Problem, deiner Unsicherheit. Und genau dort stockt der natürliche Fluss der Energie. Plötzlich wandelt sich das Gespräch. Plötzlich bist du nicht mehr in der Präsenz. Irgendetwas ist anders. Du kannst es nicht erklären, aber du nimmst es deutlich wahr und willst jetzt gerne aufstehen und den Tisch abräumen. Kennst du, oder? So oder so ähnlich haben wir das alle schon erlebt. Und genauso fühlt es sich an, wenn wir wahrnehmen, dass Energie aus dem natürlichen Fluss gerät. Wenn wir von der reinen Wahrnehmung in die Identifikation mit der Wahrnehmung switchen.

Dein Körper arbeitet in diesen Momenten nicht gegen dich. Er zeigt dir lediglich, wo etwas gerade festgehalten wird. Wo die Bewegung der Energie noch nicht durch durfte. Schwere ist, wie wir schon besprochen haben, keine schlechte Energie. Schwere ist einfach Information, die noch keinen Raum hatte, anerkannt und gesehen zu werden. Sobald du sie nicht mehr wegmachen willst, beginnt sie sich zu bewegen. Ganz von selbst. Energie lesen heißt deshalb auch nicht, Menschen oder Räume zu „scannen". Es heißt, in dir zu beobachten, wie das Leben auf dich trifft. Wo du weit wirst. Wo du eng wirst. Wo dein Atem tiefer geht. Wo er stockt. Du liest kein Außen - du liest das Zusammenspiel. Die Beziehung zwischen Feld und Nervensystem. Und diese Beziehung nennen wir dann eben Resonanz oder Dissonanz.

Ganz wichtig: Energie kommt nicht von außen zu dir. Sie fließt permanent durch dich, als du selbst (remember: es gibt keine Trennung zwischen den Energien, es gibt nur eine zusammenhängende Suppe, die ich „Alles, was ist" nenne). Wenn du „schwere Energie" im Raum spürst, spürst du nicht den Raum, du spürst, wie dein System auf diese Schwingung reagiert. Die Energie selbst ist immer neutral. Dein Nervensystem macht einfach eine Erfahrung daraus. Und genau hier liegt immer wieder die Freiheit: Sobald du erkennst, dass du einfach Resonanz oder Dissonanz wahrnimmst, hörst du auf, dich dagegen zu wehren und das Spiel wird wieder zum Spiel.

Vielleicht fragst du dich an diesem Punkt: Woher weiß ich, dass ich Energie lese und mir nicht einfach irgendetwas einbilde? Die Antwort ist simpel: Ein Gefühl (und auch ein Gedanke) hat eine Geschichte. Energie nicht. Energie taucht auf - und verschwindet wieder. Ohne Drama. Ohne Erklärung. Ohne Warum. Wärme, Kribbeln, Weite, Schwere, Stille. Wenn du nichts daraus machst, bleibt es Bewegung. In dem Moment, in dem du Bedeutung hinzufügst, wird daraus wahrgenommenes Gefühl mit Namen und Bewertung. Beides ist völlig fein, aber es ist nicht dasselbe.

Energie will sich bewegen. Das ist ihre Natur. Alles, was stagniert, tut das nicht, weil es „schlecht" ist, sondern weil es gehalten wird. Genau wie beim Atmen: Wenn du versuchst, den Atem zu kontrollieren, wird er angestrengt und fließt nicht mehr frei. Wenn du ihn lässt, findet er seinen Rhythmus.

Energie folgt demselben Prinzip. Wenn es um das Lesen, das Wahrnehmen von Energie geht, dann glauben viele Menschen, sie seien „zu offen" oder „anfällig" für Energie. Das stimmt nicht. Niemand ist anfällig für Energie. Menschen sind lediglich anfällig für ihre eigenen Bewertungen. In dem Moment, in dem du glaubst, du müsstest dich schützen, entsteht Trennung. Trennung erzeugt Stress. Stress macht sensibel. Und plötzlich fühlt sich alles „zu viel" an. Aber nicht, weil das Feld gefährlich ist, sondern weil dein System im Alarm ist. Wie wir weiter vorne schon besprochen haben: Wenn alles Energie ist, kannst du nichts fernhalten. Und du musst es auch nicht.

Energie zu verkörpern bedeutet, aufzuhören, Energie zu beobachten. Verkörperung heißt nicht, bestimmte Vibes zu halten oder „hoch" zu schwingen. Verkörperung heißt, dich als Feld zu erkennen, nicht als Beobachter. Und in diesem Moment hört das ganze Optimieren auf. Du versuchst nicht mehr, etwas zu verändern. Du lässt fließen. Und genau dadurch verändert sich alles. Du spürst nicht mehr „die Energie im Raum", sondern wie der Raum sich durch dich selbst erlebt. Da ist keine Energie mehr im Außen, die du von dir fernhalten musst, sondern du erkennst dich selbst, als diejenige, die diese Energie als Gefahr bewertet und ablehnt. Und dann passiert eben auch das, was alles so easy macht: Energie fühlt sich nicht mehr gut oder schlecht an. Sie fühlt sich ganz einfach wahr an. Und Wahrheit braucht keinen Sinn und Zweck. Sie bewegt sich, weil sie lebendig ist. Wie Licht, wenn du das Fenster öffnest. Wie Wasser, wenn nichts es staut. Wie Leben, wenn du es nicht mehr festhältst. Dann bekommt der Titel des Buches „Wenn alles Eins ist, ist alles Easy" plötzlich eine ganz andere Bedeutung für dich. Weil du erkennst: es ging nie darum, dass es endlich „leicht" wird. Es ging die ganze Zeit schon darum, die Bewertung von „leicht" zu nehmen, damit die natürliche Leichtigkeit des Seins wieder spürbar wird! Das ist das Spiel, das ist das Leben! Zu erkennen, dass alles diese wundervolle selbstkreierte Illusion ist, mit der du dich vergnügen darfst.

Und vielleicht merkst du an diesem Punkt noch etwas ganz anderes: Je weniger du Energie erklären willst, desto klarer wird sie. Je weniger du sie bewertest, desto eindeutiger zeigt sie dir den Weg. Als ein inneres Wissen, das nicht diskutiert. Das ist der Moment, in dem Energie nicht mehr nur gefühlt wird, sondern beginnt, zu führen. Der Moment, in dem das Leben nicht mehr aus den (wie wir jetzt wissen) sehr limitierten Gedanken entsteht, sondern aus dem, was sehr viel größer ist als das. Größer als das „Ich", größer als der Verstand. Der Moment, in dem wir Energie wahrnehmen und beginnen, das Leben aus der Perspektive von Frequenzen und Wellen zu sehen, beginnen wir, Entscheidungen anders zu treffen. Anders zu handeln. Anders mit anderen Menschen zu sein. Kurz: alles verändert sich! Und ja, du ahnst es gerade vielleicht bereits: Intuition ist nichts anderes als verkörperte Energie in Bewegung. Sie ist kein Impuls von „außerhalb" und auch keine mysteriöse Stimme, die plötzlich auftaucht. Intuition ist das, was geschieht, wenn dein Nervensystem so ruhig und durchlässig ist, dass Informationen nicht mehr umgerechnet werden müssen. Sie kommt nicht als Argument, sondern als Klarheit. Nicht als Erklärung, sondern als Richtung.

Vielleicht hast du das schon erlebt: Du weißt etwas, ohne zu wissen, warum. Du spürst ein klares Ja oder ein leises Nein, lange bevor dein Kopf nachgezogen hat. Das ist Energie, die sich ungehindert durch dich ausdrückt und die wir gerne auch Intuition nennen.

Und da wollen wir jetzt eintauchen!

Denn wenn du Energie lesen, fühlen und verkörpern kannst, dann bist du bereits mitten im Feld der Intuition.

Kapitel 3: Intuition - Das Wissen hinter dem Denken

Intuition beginnt im Raum des Nichtwissens. Sie beginnt genau dort, wo dein Verstand stehen bleibt und sagt: „Hier endet meine Welt." Und genau in diesem Moment öffnet sich eine andere Welt. Intuition ist das Wahrnehmen jenseits des Wissens, das Erkennen jenseits der Erinnerung, das Sehen jenseits dessen, was dein Gehirn bisher abgespeichert hat. Sie ist kein Gefühl, kein Gedanke und kein Impuls, sondern ein Zustand stiller Kohärenz, in dem Körper, Gehirn und Bewusstsein sich nicht länger als getrennte Systeme erleben, sondern als ein einziges Feld, das sich selbst wahrnimmt.

Um Intuition zu verstehen, musst du erst einmal akzeptieren, dass du nichts weißt. Das klingt radikaler, als es ist: In der Neurobiologie ist Nichtwissen kein Verlust, sondern ein Reset. Ein Moment, in dem das Default Mode Network in deinem Gehirn still wird. Wenn dieses Netzwerk sich zurückzieht, hört dein Gehirn auf, dich mit deiner Vergangenheit zu verwechseln. Es hört auf, Geschichten zu produzieren. Es hört auf, aus Erfahrung vorherzusagen. Und genau in dieser Stille beginnt die Magie, die wir Intuition nennen. Denn wenn das DMN schweigt, treten andere Systeme in den Vordergrund: das Salience Network, das erkennt, was wesentlich ist, ohne es erklären zu müssen; die Insula, die feinste somatische und energetische Signale registriert, lange bevor du sie bewusst spürst; der vordere cinguläre Kortex, der Konflikte löst, indem er sie nicht länger kommentiert. Diese Netzwerke beginnen miteinander zu synchronisieren und diese Synchronisation ist nichts weiter als der Zustand von Kohärenz, über den wir hier die ganze Zeit schon reden: Eine innere Ordnung, in der dein Nervensystem nicht reagiert, sondern einfach frei empfängt.

Intuition ist nicht aktiv. Sie ist rezeptiv. Sie ist also nicht etwas, das du machst, sondern etwas, das einfach geschieht, wenn du nichts mehr machst. Und genau deshalb ist Intuition so schwer zu fassen für Menschen, die gelernt haben, dass Wissen aus Denken entsteht. Denken ist linear. Es basiert auf gespeicherten Informationen, die in deinem Hippocampus lagern, auf Mustern, die dein präfrontaler Cortex zu Strategien verwebt. Denken ist Erinnerung, die Zukunft spielt. Intuition ist dagegen Gegenwart, die sich selbst offenbart. Oder stell es dir so vor: Dein Gehirn kann nur auf das zugreifen, was es kennt. Es nimmt also alle Informationen, die es jemals bekommen hat (linear) und baut daraus eine Geschichte für die Zukunft. Beispielsweise: Weil du in der Vergangenheit immer von Männern verlassen wurdest, ist es völlig klar, dass du auch in Zukunft von Männern verlassen wirst. Diese Geschichte ist bekannt und somit „Wahrheit". Außer, dass sie natürlich keine Wahrheit ist, sondern eine Geschichte im Default Mode Network. Intuition dagegen ist non-lokal. Es gibt keine Zeitlinie, auf der Intuition stattfindet. Es ist eher so, dass sie dir aus dem Nichts plötzlich sagt: Geh heute ins Gym. Und dann lernst du im Gym plötzlich diesen Mann kennen. Und später heiratet ihr und du stellst fest: Oh wow, weil ich damals auf meine Intuition gehört habe und ins Gym gegangen bin, habe ich meine gesamte Geschichte (Männer verlassen mich) neu geschrieben! So macht die Intuition das. Sie erklärt dir nicht, warum du ins Gym gehen sollst. Sie bewertet es auch nicht. Sie sagt einfach, was Sache ist. Klar. Neutral. Ohne Beweise oder Erklärungen. Und vor allem ohne Geschichten. Wunderbar simpel. Und unfassbar praktisch! Du merkst schon, welcher Satz als nächstes SCHON WIEDER aus mir raus will ... YES: es macht das Leben SO leicht! So wunderbar leicht, wenn wir Energie verstehen und Kohärenz leben und somit unsere Intuition so klar hören können. Und wir sparen uns so viel Energie, weil wir weniger Grübeln müssen. Einer von vielen netten Nebeneffekten ... Aber bevor ich weiter abschweife und wieder anfange, über das Leben zu schwärmen, nehme ich dich

erstmal noch tiefer mit hinein in die Wissenschaft rund um
die Intuition!

Der Neurowissenschaftler Antonio Damasio sprach mal in
Verbindung mit Intuition von somatischen Markern; körperlichen Signalen, die schneller wissen als der Verstand, was
wahr ist. Dadurch hat sich bei vielen Menschen eingespei-
chert, dass wir Intuition im Körper wahrnehmen können. Das
ist allerdings Quatsch. Denn Intuition ist nicht der Marker im
Körper. Intuition ist das Feld, aus dem der Marker entsteht.
Der Körper reagiert, weil etwas durch ihn wahrgenommen
wurde, das nicht aus seiner Biografie stammt. Eine Frequenz,
die nicht im Nervensystem gespeichert ist. Eine Information,
die nicht lokal ist. Und der Körper reagiert darauf ganz individuell: daher kann sich Intuition wie Angst im Bauch anfühlen.
Oder wie Kribbeln. Oder wie Freude. Oder wie Panik. Oder
wie gar nichts davon, sondern einfach wie stilles, langweili-
ges Wissen. Immer, je nachdem, wie dein persönliches Nervensystem die Energie (intuitive Information) interpretiert, die
es wahrnimmt.

Um es auf den Punkt zu bringen: Intuition ist Nichtlokalität in
menschlicher Wahrnehmung. Wenn du im Jetzt bist, wirklich
im Jetzt, nicht im gedanklichen Konzept davon, öffnet sich
ein Zugang zu einem Informationsraum, den die Quantenphysik als reines Potenzial beschreibt. In diesem Potenzial
existieren weder Zeit noch Raum. Es gibt keine Entfernung
zwischen dir und dem, was du wahrnimmst. Intuition ist die
direkte Kommunikation zwischen Bewusstsein und Feld,
ohne den Umweg über körperliche Sinnesorgane oder Verstand basierte Logik. Es ist die Wahrnehmung dessen, was
schon vorhanden ist; als Möglichkeit, die bereits eine innere
Realität besitzt. Dabei geht es nicht um die „Zukunft", denn
die gibt es ja nicht. Es geht um das Wahrnehmen anderer Bits
als der bekannten.

Viele Menschen verwechseln Intuition mit Emotion. Aber wie du schon weißt, ist ein Gefühl immer eine Reaktion; ein biochemischer Prozess, der Hormone, Neurotransmitter und neuronale Muster aktiviert. Das heißt: Ein Gefühl ist nie Ursprung, es ist immer das Ergebnis. Es kommt und es geht. Es schwappt und verflüchtigt sich. Intuition dagegen ist unbewegt. Sie hat keine Wellen. Sie steigt nicht auf und fällt nicht ab. Sie ist ein Zustand, kein Prozess. Du kennst das sehr gut: da ist irgendwas in dir, was seit langem da ist. Vielleicht der Wunsch, in ein anderes Land zu ziehen. Ein Buch zu schreiben. Eine bestimmte Form von Kunst auszuüben. Irgendwas. Es ist seit Monaten da. Latent und unterschwellig. Vielleicht seit Jahren oder sogar Jahrzehnten. Und es geht nicht weg. Obendrauf liegen deine Gefühle: an manchen Tagen fühlst du dich weit und offen und denkst „Ja, ich mache das wirklich! Ich setze das jetzt endlich um!" Und am nächsten Tag fühlst du dich eng und ängstlich und du denkst „Ich mache das doch nicht! Das kann ich nicht!" Aber das, was unter den Gefühlen liegt, die Intuition, die bleibt. Egal, was die Gefühle und die Gedanken obendrüber alles für Geschichten erzählen.

Genau deshalb lässt sich Intuition auch nicht rechtfertigen. Sie erklärt nichts. Sie argumentiert nicht. Sie gibt keine Gründe. Sie ist nicht dafür da, dich sicher fühlen zu lassen. Sie ist einfach da, ganz gleich, ob du dich sicher fühlst oder nicht. Sie ist da, wenn dein Nervensystem rebelliert. Sie ist da, wenn deine Biografie schreit: „Nein!" Sie ist da, wenn sich jede Zelle zusammenzieht. Intuition ist die Klarheit jenseits des Körpers, komplett unabhängig von ihm.

Ich möchte dir dazu eine Geschichte aus meinem Leben mitgeben. Ich treffe tatsächlich bereits seit vielen Jahren alle meine Entscheidungen intuitiv. Und das ist definitiv nicht immer bequem. Und gleichzeitig ist es das, was mich zu einer tiefen Erfüllung, finanziellem Reichtum und enormer innerer und äußerer Freiheit geführt hat. Ich könnte ein ganzes Buch nur mit meinen Geschichten über intuitive Entscheidungen und ihre genialen Konsequenzen füllen. Aber dafür sind wir gerade ja nicht hier, daher begrenze ich mich für den Moment auf eine Geschichte.

Ich erinnere mich zum Beispiel gut an meine Entscheidung für Schweden im Sommer 2025. Nichts in meinem Leben, in meiner Geschichte, in meinen Empfindungen sprach dafür. Mein ganzer Körper sagte ganz klar nein. Mein Verstand sagte nein (zu viele Mücken, schlechtes Wetter, langweilig). Mein Nervensystem sagte auch nein. Mein Körper zog sich bei der Idee zusammen. Alles in mir (dem Ich) sagte nein zu Schweden! Wirklich absolut alles. In anderen Worten: Ich WOLLTE NICHT nach Schweden! Aber meiner Intuition war das alles egal. Sie war einfach da, wie ein bereits geschriebenes Kapitel, auf das ich noch nicht zugreifen konnte. „Ende 2025 bist du in Schweden." Nicht als Vision, nicht als Wunsch, nicht als Ziel, sondern als Tatsache. Eine Realität, die bereits im Feld existierte, während mein Körper noch in seiner Vergangenheit lebte und sich wehrte. Und ja, natürlich fuhr ich dann mit Mann und vier Kindern für einige Monate nach Schweden und natürlich hatte ich die allerbeste Zeit. Natürlich schrieb ich ausgerechnet dort (und in Norwegen sowie Griechenland) genau dieses Buch. Natürlich verliebten wir alle uns in das Land. Natürlich wollten wir am liebsten sofort ein Haus in Schweden kaufen. Natürlich bekomme ich heute Gänsehaut, wenn ich an diese Zeit zurückdenke. Natürlich ist dort die Idee zu meinem ersten Orakelkarten-Set entstanden. Natürlich waren es die Tiere dort, die mich wieder näher zu dem Thema Krafttiere gebracht haben. Natürlich war es die Natur dort, die in mir eine unglaubliche Ruhe freigesetzt hat, die in der Zeit so wertvoll für mich war. Natürlich traf ich dort mehrere sehr große lebensverändernde Entscheidungen in absoluter Ruhe und Klarheit. Natürlich wurde ich dort schwanger mit unserem fünften Kind. Warum ich „natürlich" schreibe?

Weil die Intuition eben genauso ist. Für das „Ich" fühlt sich alles völlig fremd, gefährlich und definitiv nicht gut an und am Ende war es das Beste, was einem je passiert ist.

Neurobiologisch nennt man diesen Zustand übrigens Insight Mode: ein Zustand, in dem verschiedene Netzwerke im Gehirn plötzlich synchron schwingen; einfach, weil du nicht mehr linear denkst. Im Insight Mode entsteht Ganzheitswissen: eine Erkenntnis, die nicht Schritt für Schritt entsteht, sondern auf einmal vollständig und klar da ist. Quantenphysikalisch betrachtet ist es die Resonanz deines Bewusstseins mit einer bereits bestehenden Realität. Eine Übereinstimmung zwischen deinem jetzigen Zustand und einem Punkt im Feld, der schon längst existiert. Das ist mir nochmal wichtig zu betonen: Nicht Intuition als Vorahnung, sondern Intuition als Gegenwart, die zu dir spricht. Denn Zeit existiert nicht, erinnerst du dich?

Wenn du noch nie bewusst im Feld wahrgenommen hast, dann beginnt dein Weg zur Intuition über den Körper. Der Körper ist ein wunderbarer Sensor: Er nimmt Schwingungen wahr, bevor du ihnen Bedeutung gibst. Er öffnet sich oder verschließt sich, er geht in Weite oder in Enge. Er spürt Vibrationen, die nicht aus Emotion entstehen, sondern aus Resonanz. Wenn dein Herzraum sich öffnet, ist das nicht unbedingt Intuition, aber es ist die Voraussetzung, dass du sie hören kannst. Du darfst erst deinen Körper wahrnehmen lernen, damit du unterscheiden kannst: was ist eigentlich ein Gefühl? Was ist die Intuition? Was ist lokal? Was ist nicht lokal? Das kannst du üben. Nimm bewusst wahr, wie sich „wissen" anfühlt, wie sich Angst, Freude, Zweifel anfühlen. Nimm wahr, wann dein Herz weiter wird und wann es enger wird. Beginne dich selbst zu erforschen. Denn desto besser du weißt, wie du funktionierst, desto leichter kannst du das Spiel des Lebens spielen.

Der Körper kann Intuition, wie eben besprochen, nicht erzeugen, aber er kann sie übersetzen. Um deutlich zu machen, was ich damit meine, möchte ich dir noch eine kleine Geschichte aus meinem Leben mitgeben.

Ich erinnere mich da zum Beispiel an einen Moment im Supermarkt. Ich war auf der Suche nach Kokosblütenzucker. Meine Köchin war am Tag vorher im gleichen Supermarkt gewesen und hat mir gesagt, dass es keinen Kokoszucker in diesem Laden gibt. Ich hatte aber eine andere Wahrnehmung. Oder in anderen Worten: Ich wusste, dass es in diesem Laden Kokosblütenzucker gab. Aber ich wusste nicht, wo er stand. Ich ging durch die Gänge und bog dann ab. In dem Moment, in dem ich in einen bestimmten Gang einbog, lief ein kurzer Schauer durch meine Arme. Kein Gefühl. Keine Emotion. Nur ein kleiner Resonanzschlag. Und ich wusste: Er ist hier. Irgendwo in diesem Gang. Ich beugte mich nach unten und fand genau eine einzige Packung, gaaaaanz hinten in einem Regal. Für jeden, der nicht 100% wusste, dass dort hinten in der Dunkelheit noch ein Päckchen wartete, sah es so aus, als wenn er ausverkauft wäre. Nur: ich wusste es.

Das war mein Bewusstsein, das sich selbst über den Körper wahrnahm. Nicht als Gefühl im Körper. Sondern der Körper war einfach in dem Moment der Resonanzraum, den ich wahrnehmen konnte.

Diese kleine Geschichte zeigt übrigens auch: Intuition ist nicht immer riesig, bedeutungsvoll, alles verändernd, transformierend oder gigantisch! Sie ist auch nicht dramatisch. Sie ist einfach präzise. Egal ob im Supermarkt oder wenn es um die großen Entscheidungen des Lebens geht. Sie ist praktisch. Sie ist wie der Joker im Spiel des Lebens, der alles ein bisschen einfacher macht, weil er mühelos zum Einsatz kommen kann, wenn man gerade nicht weiterweiß oder es so aussieht, als hätte man keine Züge mehr frei. Man kann viel mit dem Joker spielen oder wenig, das ist am Ende gleichgültig. Es ist nicht besser oder schlechter, mehr oder weniger intuitiv zu leben. Genauso wie nichts, besser oder schlechter ist. Intuition ist einfach eine Möglichkeit, dieses Spiel des Lebens etwas mehr zu genießen, es flowiger zu machen, leichter. Freudvoller. Und massiv viel entspannter.

Wenn du lernst, die feinen Bewegungen deines Nervensystems zu lesen, erkennst du irgendwann, was dein Körper ist und was er nicht ist. Und genau in dieser Unterscheidung beginnst du ein Leben in einer Leichtigkeit zu führen, über die andere nur den Kopf schütteln können. Weil du dann einfach alles weißt, ohne zu erklären oder zu rechtfertigen.

Intuition an sich muss übrigens nicht trainiert werden; sie ist ja immer da. Du kannst sie nicht stärken, so wie du einen Muskel stärkst, aber du kannst dich darin üben, in Kohärenz zu sein. In Alpha-Zustand zu gehen. Du kannst Intuition nicht üben, weil sie keine Fähigkeit ist, aber auf deine innere Kohärenz zu hören und so viel Zeit wie nur möglich im Alpha-Zustand zu verbringen, gibt dir sehr bald das Gefühl, als hättest du eine geniale Fähigkeit! Intuition selbst ist letztlich einfach dein natürlicher Zustand, wenn du aufhörst, dich mit deinem Denken (Beta-Gehirnwellen) zu verwechseln. In Rosas Worten; je mehr du chillst, desto mehr kannst du deine Intuition hören. Aber dieses „chillen" sollte natürlich ein wirkliches Chillen sein. Playstation spielen bringt dich nicht in Alpha-Gehirnwellen und ein Krimi auch nicht. Alles, bei dem du merkst, dass es ruhiger im Kopf wird, aber schon. Spazieren gehen, Tanzen, Badewanne, Joggen, Schwimmen, Bügeln (ohne Ablenkung), Massage, you name it. Ja, Meditation auch. Aus meiner Erfahrung mit Tausenden Kunden kann ich allerdings sagen: ein ausgedehnter Spaziergang in der Natur führt bei 100% aller Menschen zu mehr Alpha-Gehirnwellen. Eine Meditation nicht immer. Dafür brauchen viele erstmal Übung. Da ich ja ziemlich pragmatisch bin, empfehle ich daher am häufigsten: Spazierengehen in der Natur (NICHT in der Stadt) und bei schlechtem Wetter alternativ ausgiebiges, freies Tanzen. Aber probiere einfach aus, was für dich funktioniert und wo du merkst: Yes, hier wird mein Kopf wirklich ruhiger. Hier spüre ich das, was Rosa in ihrem Buch immer wieder „Kohärenz" genannt hat.

Und am Ende verstehst du dann auch, dass Intuition nichts anderes ist, als die Wahrnehmung der Einheit von allem, was ist. Ein Bewusstsein, das sich an dich selbst erinnert.

Intuition ist also der Moment, in dem das Denken wirklich zurücktritt und danach stellt sich nun unausweichlich die eine Frage: „Wenn ich nicht mein Denken bin, wer bin ich denn dann im Alltag?

Da tauchen wir jetzt ein! Ready für noch mehr Illusion-Zersplittern und Spiel des Lebens verstehen?

Kapitel 4: Identität & Rolle - Leben ohne Selbstbild

Bevor wir darüber sprechen, wer du bist, lass uns kurz anschauen, was dieses „Ich" eigentlich ist, das hier ständig angesprochen wird. Ich schreibe hier vom Default Network, packe das Wort „Ich" in Anführungszeichen und weise hier und da in einem Nebensatz darauf hin, dass es das „Ich" gar nicht gibt. Aber mal ehrlich, was meine ich denn damit? Wovon quatscht die Rosa da die ganze Zeit? Also, meine Liebe, mein Lieber, das „Ich", dass du meinst, wenn du an dich denkst, ist kein festes Ding. Es ist eher wie ein inneres Namensschild, das du dir irgendwann umgehängt hast, damit dieses ziemlich komplexe Menschsein halbwegs übersichtlich bleibt.

Und das ist erstmal wirklich eine grandiose Idee. Denn stell dir mal vor, du würdest morgens aufwachen, ohne irgendeine Vorstellung davon zu haben, wer du bist, was du kannst, was von dir erwartet wird oder wie du dich üblicherweise verhältst. Allein der Gedanke daran lässt viele Nervensysteme schon nervös werden. Also bildet sich etwas, das sagt: Ah. Ich. Das kenne ich. Das bin ich. So funktioniere ich. Das ist meine Identität. Und zack; Orientierung da. Stabilität da. Sicherheit da. Nervensystem ist glücklich.

Identität ist also kein spirituelles Problem. Sie ist ein Organisationsprinzip. Ein ziemlich cleveres sogar. Das „Ich" hilft dir, Verantwortung zu übernehmen, Beziehungen zu führen, Entscheidungen zu treffen und dich in dieser Welt zu bewegen, ohne bei jedem Schritt neu aushandeln zu müssen, wie das mit dem Leben eigentlich funktioniert. Es ist wie ein Benutzerprofil, das geladen wird, sobald du morgens die Augen öffnest. Einstellungen gespeichert. Gewohnheiten aktiviert. Persönlichkeit online. Und genau hier liegt der einzige kleine Haken: Wir vergessen gerne, dass wir dieses Profil verwenden und beginnen zu glauben, dass wir es sind. Wie als wenn du dich selbst mit deinem Charakter im Computer-Spiel „Die Sims" verwechselst und denkst, dass du die Figur da auf dem Bildschirm wirklich bist. Und ab da wird es spannend. Denn dann passiert etwas sehr Menschliches: Wir beginnen Rollen zu tragen. Und das kann durchaus anstrengend werden. Aus „Ich bin gerade Mutter" wird „Ich bin nur Mutter". Aus „Ich arbeite als Unternehmerin" wird „So bin ich halt". Aus Eigenschaften werden Festlegungen. Aus Orientierung wird Identität. Und unsere Identität, aka unser Namensschild, wird heimlich, still und leise zu unserer größten Limitierung.

Das fühlt sich nicht sofort schlimm an. Meist fühlt es sich sogar erstmal richtig gut an. Klarheit hat etwas Beruhigendes. Wir denken uns, wir wissen, wer wir sind und freuen uns darüber, dass wir dies oder jenes sind. Denn ja, zu wissen, wer man ist, gibt Halt. Vor allem in einer Welt, die sich ständig verändert. Also halten wir fest, an Bildern, an Geschichten, an Vorstellungen von uns selbst. Und wir nennen das dann Stabilität und freuen uns darüber. „Ich bin Lehrerin. Ich bin Reihenhaus-Besitzerin. Ich bin Mutter. Ich bin Ehefrau. Ich bin Kredit-Abzahlerin. Ich bin ehrenamtlich aktiv. So bin ich.". Ein wunderbares sicheres Gerüst, eine Geschichte, die uns jeden Morgen daran erinnert, warum wir aufstehen, obwohl wir noch müde sind, warum wir die Kinder zum Schulbus scheuchen, obwohl wir noch kuscheln wollen. Warum wir lieber den Kredit abzahlen, als sechs Wochen Sommerurlaub auf den Philippinen zu machen. Eine Geschichte voller großartiger „darum mache ich das so". Und das ist wunderschön. Bis es eben irgendwann nicht mehr wunderschön ist. Bis das Leben irgendwann anfängt, gegen diese Geschichten zu drücken. Das merkt man nicht an großen Dramen. Sondern an kleinen, feinen Signalen, wie Müdigkeit, die nicht vom Tun kommt. An Entscheidungen, die plötzlich schwer wirken oder sogar unmöglich (und sei es nur die Farbe der Gardinen). An diesem inneren Ziehen, wenn etwas Neues auftaucht, das aber irgendwie „nicht zu mir passt". An kleinen Gedanken, die wir schnell wegdrücken, die aber stur wiederkommen. Am genervt sein von Dingen und Situationen, die wir bis vor Kurzem noch toll fanden. Und dann wird etwas, das einmal diese wundervolle Sicherheit war, zur Last. Das passiert ganz automatisch im Laufe unseres Lebens immer wieder. Weil das Leben eben Energie ist; und Energie bewegt sich, wie du bereits weißt. Und wenn wir versuchen, Energie in einer Identität festzuhalten, dann wird es irgendwann enger und enger und enger. Dann werden die Identitäts-Rollen, die wir so spielen, sehr schnell viel zu eng. Sie fühlen sich einfach unpassend an. Du kennst das, natürlich kennst du das. Oder wohnst du gerade noch in deiner ersten Wohnung, hast deinen ersten Job, deinen ersten Freund, deine Freunde von der Schule und isst immer noch jeden Tag Spaghetti mit Ketchup? Nee, eben. Weil du dich verändert hast. Und das tust du im Laufe des Lebens permanent. Ja, permanent. Immer.

Dein Nervensystem mag aber keine Unsicherheit und Veränderung ist immer unsicher. Dein Nervensystem liebt Vorhersagbarkeit und eine klare Identität liefert genau das. Sie sagt: So reagierst du. So fühlst du. So gehörst du dazu. Das spart enorm viel Energie, aber es kostet eben auch enorm viel Freiheit.

Aber was machen wir dann mit dieser Identität? Transformieren wir sie? Passen wir sie an? Optimieren wir sie? Genau das zu tun, lehren die meisten im Bereich der Persönlichkeitsentwicklung und Co., genau das habe ich selbst jahrelang versucht. Ich sollte eine „Millionärs-Identität" annehmen. Die Identität einer entspannten Mutter. Was auch immer. Egal, was ich haben wollte, ich sollte die Identität dieser Person annehmen. Nur habe ich es nicht geschafft, weil ich ehrlich gesagt nicht die geringste Ahnung hatte, wie sich diese „Millionärs-Identität" anfühlt. Weil ich ja linear nicht auf sie zugreifen konnte. Ich hatte auch keine Ahnung, wie sich die „Entspannte-Mutter-Identität" anfühlt. Und ich kann dir auch ehrlich sagen: heute bin ich Millionärin und entspannte Mutter und fühle mich ganz anders, als ich es damals vermutet habe! Ich hatte damals ganz einfach nicht die geringste Idee und ich bin unendlich dankbar dafür, dass ich mir keine „fremde" Identität aufgezwungen, sondern mich stattdessen für den Weg der Rosa Koppelmann Methode und der Nondualität entschieden habe. Denn so konnte ich raus aus dem Kampf um die perfekte Identität und rein in das Sein, das jenseits der Identität spielt und das alles so wunderbar leicht macht. Und ja, das auch dazu geführt hat, dass die entspannte Mutter und die Millionärin so eine selbstverständliche gelebte Erfahrung sind. Ganz ohne Kampf, Krampf, Druck und Identitätsoptimierung.

Also, was ist die nonduale Rosa-Perspektive? Du denkst vielleicht: „ah, die nonduale Perspektive, die bedeutet, dass ich einfach gar keine Identität mehr habe! Weil ich ja alles bin, was ist!?" Nun, nein ... nicht ganz! Nondualität bedeutet nicht, Identität loszuwerden. Sie bedeutet auch nicht, Rollen zu verlassen, sich aufzulösen oder „niemand" zu werden. Das wäre nämlich nur die nächste Geschichte über dich selbst; diesmal dann nur mit hübschem spirituellem Anstrich.

Aber die nonduale Rosa-Perspektive ist viel unspektakulärer (schon wieder!). Sie ist nämlich einfach das Erkennen davon, dass all diese Rollen stattfinden, ohne, dass sie das Zentrum deines Seins definieren. Du kannst Mutter sein, ohne dich darin zu verlieren. Du kannst Unternehmerin sein, ohne dich darüber zu erklären. Du kannst Mensch sein, ohne dich festzulegen. Die Rollen können bleiben. Das Drama geht einfach. Es gibt kein „zu groß" oder „zu klein" mehr. Es ist einfach, wie es ist. Und dadurch in jedem Moment flexibel. Ich fing also damals an, einfach mein Sein wahrzunehmen und mich selbst zu erkennen. Dadurch wurde ich immer freier in mir und es konnten Dinge durch mich fließen, die meine Identität vorher direkt im Keim gestoppt hat. Plötzlich konnte Ruhe durch mich fließen, wenn ich mit den Kindern zusammen war. Es konnten Ideen für mein Business fließen, die vorher in den Identitäts-Konstrukten keinen Platz hatten. Einfach nur durch das bloße Anerkennen, dass „ich" nur eine Geschichte bin. Dabei löst sich Identität nicht auf wie Zucker im Tee. Sie wird eher durchsichtig, durchlässig. Du kannst sie sehen, benutzen, wechseln, ohne sie zu verteidigen, zu rechtfertigen oder zu beweisen. Ich bin immer noch ich. Ich erkenne mich nur in diesem Ich und verwechsle mich nicht mehr damit. Und genau hier beginnt diese tiefe Entspannung ins Menschsein, von der wir hier schon so viel gesprochen haben. Du bist dann einfach in deinem SEIN. Nicht „die Person, die ...", sondern einfach da. Denn wenn du nicht mehr aus einem Selbstbild heraus lebst, musst du nichts mehr beweisen. Du darfst falsch liegen. Deine Meinung ändern. Veränderung umarmen. Widersprüchlich sein. Müde sein. Klar sein. Mensch sein. Verantwortung wird leichter, weil sie nicht mehr das „Ich" absichern muss. Humor kommt zurück, Freude, Leichtigkeit. Und das ist letzten Endes auch die größte Freiheit überhaupt: Nicht endlich jemand anderes zu werden, sondern aufzuhören, jemand Bestimmtes sein zu müssen. Denn wenn du niemand mehr sein musst, bist du frei.

Und das Witzigste ist: genau hier hebt das Leben ab! Genau hier wird es so unfassbar schön! Mein Erfolg kam beispielsweise, als ich aufgehört habe, jemand sein zu wollen (vorher wollte ich unbedingt eine erfolgreiche Unternehmerin sein und es hat 10 Jahre nicht geklappt)! Meine Entspannung in der Familie kam, als ich aufgehört habe, eine entspannte Mutter sein zu wollen. Meine Liebe kam, als ich aufgehört habe, eine Liebende sein zu wollen. Meine Schönheit kam, als ich aufgehört habe, eine Schönheit sein zu wollen. Denn

ja, von genau hier aus wird alles easy: Gefühle dürfen kommen und gehen, ohne eine Geschichte über dich zu erzählen.
Beziehungen dürfen sich bewegen, ohne, dass Identität ver-
teidigt werden muss. Der Körper darf Signale senden, ohne,
dass sie interpretiert oder optimiert werden müssen.

Und genau hier wollen wir jetzt auch in die praktische Anwendung dessen, was wir bis hierher alles verstanden und erkannt haben. Denn genau dieses „alles easy" kannst auch du
leben. Ich gebe dir ganz konkret mit, wie das mit der Rosa
Koppelmann Methode möglich ist.

Let's go!

TEIL ZWEI: DAS WISSEN IN DER ANWENDUNG

Du hast im ersten Teil gesehen, wie Realität sich formt, als logische Konsequenz dessen, was sich durch deine Wahrnehmung organisiert. Du hast verstanden, dass Zeit und Raum keine festen Größen sind, sondern Bewegungen im Feld, die dein Nervensystem auf eine Weise interpretiert, die dir wie „Leben" erscheint. Und vielleicht hast du dabei bemerkt, dass du nicht länger nur Beobachterin dieser Prozesse bist, sondern Teil der Bewegung selbst: ein Bewusstseinsraum, der sich über jede Erfahrung erkennt.

Genau hier beginnt der zweite Teil dieses Buches.

Denn, sobald du verstehst, wie das, was wir „Realität" nennen, entsteht, stellt sich nur noch eine Frage:

Wie gehst du damit um?

Wie gehst du mit den Gefühlen um, die in dir auftauchen?
Wie gehst du mit den inneren Wellen um, die dich manchmal festhalten, obwohl du eigentlich weißt, dass sie nicht gefährlich sind?
Wie gehst du mit deinem eigenen Nervensystem um - jetzt, wo du erkennst, wie eng es mit deiner Wahrnehmung verwoben ist?
Wie gehst du im Alltag damit um, dass deine Identität keine feste Instanz ist?

An diesem Punkt kommen wir endlich ganz konkret zur Rosa Koppelmann Methode. Diese Methode, die ich 2023 entwickelt habe, ist letztlich nichts weiter, als die logische, liebevolle und radikal einfache Konsequenz dessen, was du im ersten Teil verstanden hast:

Wenn alles eins ist, dann ist jedes Gefühl Teil dieser Einheit. Und was Teil der Einheit ist, muss nicht bekämpft werden.

Die RKM bringt die inneren Kämpfe zum Stillstand. Dadurch ist nicht alles „perfekt" (so wie dein Verstand es definieren würde), aber alles kommt in innere Kohärenz. Und diese Kohärenz, die sich einfach wie wunderschöner innerer Frieden und Leichtigkeit anfühlt, sorgt dafür, dass sich dein Leben nach und nach verändert. Dass du beginnst, kohärente Entscheidungen zu treffen, dass du aufhörst, Angst vor Veränderungen zu haben, dass du deine Intuition hörst und ihr folgst, dass der Stress des Alltags vergessen wird und an seine Stelle ein tiefes, allumfassendes Vertrauen rückt.

Wenn wir die RKM anwenden und leben, dann hören wir auf, in Trennung mit uns selbst und allem anderen zu sein. Wir erkennen alles in uns selbst (ja alles! Auch die ganz fiesen Gefühle) einfach als bedingungslosen Teil der Einheit an. Und das Schöne ist: desto mehr wir uns selbst wahrhaftig und ganzheitlich anerkennen, desto mehr erkennen wir ganz automatisch alle anderen an. Wir hören auf zu verurteilen und zu beurteilen. Weil wir einfach verstehen, dass alle anderen auch nur versuchen, das Spiel „Menschsein" irgendwie zu meistern. Jeder eben auf seine Art. Wir werden mild mit uns selbst und mit anderen. Und ganz nebenbei bringen wir so Frieden in die Welt. Denn was in uns selbst ist, das ist in der Welt. Und wenn Frieden und Einheit und Leichtigkeit in dir ist, so ist Frieden, Einheit und Leichtigkeit in der Welt. Oder meinst du, ich hätte dieses Buch schreiben und damit Tausende von Menschen berühren können, wenn ich innerlich zerrissen wäre? Nee, siehst du. Du bringst unweigerlich in die Welt, was du bist. In jedem zwischenmenschlichen Kontakt, egal ob auf einer Bühne oder an der Supermarkt-Kasse. Du - also deine Energie - wirkt immer.

Nun lass uns also eintauchen in die RKM und diesen Weg, dieses Spiel des Lebens wahrhaftig und ganz praktisch zu genießen.

Kapitel 1: Die Rosa Koppelmann Methode

1.   Was ist die Rosa Koppelmann Methode (RKM)?

Die Rosa Koppelmann Methode beginnt mit einer Voraussetzung, die den meisten Menschen völlig fremd ist, die du jetzt
aber bereits aus dem ersten Teil dieses Buches kennst:

Sie setzt voraus, dass du nicht repariert werden musst. Nein.
Gar nicht. Nicht irgendwann, nicht nach zehn Jahren Aufar-
beitung, nicht, nachdem du deine Kindheit durchgekaut hast.
Du bist bereits heil. Nichts, absolut gar nichts an dir ist
falsch. Und deine Geschichte ist nichts weiter als das JETZT.
In genau diesem Moment findet alles statt, was ist. Und genau deshalb interessiert sich die RKM nicht für deine Vergangenheit, sondern nur für deine Wahrnehmung; denn nur dort
findet Realität überhaupt statt. Die RKM ist entsprechend
eine Einladung, wieder wahrzunehmen, was tatsächlich geschieht und nicht, was dein Verstand daraus macht. Sie basiert auf einem einfachen, aber radikalen Verständnis: Gefühle sind keine Störungen in deinem System, sie sind
Schwingungen im Feld und sie beginnen erst dann weh zu
tun, wenn du versuchst, sie zu kontrollieren. Dein Nervensystem reagiert nicht auf das Gefühl selbst, sondern auf deinen
Widerstand dagegen. Sobald der Widerstand fällt, fällt auch
die Spannung. Und was bleibt, ist Bewegung; der natürliche
Fluss der Energie, über den wir bereits gesprochen haben.

Die RKM ist deshalb nicht einfach ein praktisches Werkzeug,
das du anwendest, sondern ein Bewusstseinszustand, den
du jeden Moment auf's Neue erinnerst. Jedes Mal, wenn du
dich an die Rosa Koppelmann Methode erinnerst, erinnerst
du dich, dass du dich nicht verbessern musst, um endlich
vollständig oder angekommen zu sein. Du erinnerst dich,
dass du nicht falsch bist, mit dem, was gerade in dir präsent
ist. Dass es sicher für dich ist, deine Gefühle - auch die ganz
intensiven - wahrzunehmen. Dein Körper braucht nicht deine

Analyse, er braucht deine Präsenz. Dein Nervensystem braucht keine Kontrolle und auch keine manipulative Regulation, sondern Erlaubnis (die ist am Ende die perfekte Regulation). Und deine Gefühle brauchen nicht deine Disziplin und das perfekte High-Vibe-Mindset, sondern deine liebevolle Anerkennung.

Neurobiologisch passiert bei der Anwendung der RKM etwas Interessantes: Sobald du einem Gefühl erlaubst, da zu sein - wirklich da zu sein, nicht als Quick-Fix, nicht als Technik, sondern als bewusste Anerkennung -, schaltet dein System vom Überlebensmodus in Kohärenz. Du atmest tiefer. Deine Schultern lockern sich. Dein Gesicht wird weicher. Du fühlst körperlich, wie etwas in dir fließt. Das alles passiert, weil das Default Mode Network sich zurückzieht und die Alarmzentren sich entspannen können. Wenn du nicht mehr Angst (Alarm) vor deinen eigenen Gefühlen hast, wird alles in dir frei und weit. Das ist der Zustand, den wir ganz am Anfang dieses Buches in Bezug auf die Picknickdecke im Park besprochen haben, erinnerst du dich?

Die RKM braucht daher auch kein Drama. Und mit Drama meine ich Inszenierungen, Kult, Geschichten, Räucherwerk, Mantren, Gesänge, Opfergaben oder sonst etwas. Sie arbeitet einfach ganz Rosa-pragmatisch mit deiner aktuellen Realität. Und deine Realität ist schlicht: etwas taucht in dir auf, du bemerkst es, du erkennst es an und während du anerkennst, beginnt das Nervensystem sich zu beruhigen. Die Energie, die früher festgehalten war, kommt in Bewegung. Einfach weil du aufgehört hast, sie zu bekämpfen. Wut, Angst, Scham, sie verlieren ihre Schwere. Gefühle bleiben dieselben - du bist nur nicht länger ihr Gefangener.

In der Anwendung der RKM beginnst du, dich selbst wieder zu spüren, ohne dich mit dem, was du spürst, zu verwechseln. Es ist der Moment, in dem Angst auftaucht und nicht zu einem Problem wird, sondern einfach da sein darf. Es ist der

Moment, in dem Schmerz da ist, ohne, dass du daraus eine Geschichte formst. Es ist der Moment, in dem du nicht analysierst, sondern anwesend bist. Und genau in dieser Anwesenheit beginnt das Leben leichter zu werden, weil du aufgehört hast, gegen dich selbst zu arbeiten. Die Rosa Koppelmann Methode verändert nichts an dir. Sie verändert nur deine Beziehung zu allem. Ja, zu absolut allem. Und in genau dieser Veränderung entsteht echte Freiheit.

Die drei Kernprinzipien: Erlaubnis, Wahrnehmung, Präsenz

Die Rosa Koppelmann Methode besteht im Fundament aus drei Bewegungen, die so einfach sind, dass dein Verstand sie fast nicht ernst nimmt, während dein Körper sofort versteht, was geschieht. Diese drei Prinzipien sind die natürliche Art, wie Bewusstsein sich verhält, sobald du aufhörst, dein inneres Erleben zu kontrollieren. Sie sind gewissermaßen die Grundtemperatur deines Nervensystems, wenn du dich nicht mehr in Geschichten verhedderst, sondern in der Realität des Jetzt ankommst.

Bedingungslose Erlaubnis - Das Ende des inneren Widerstands

Bedingungslose Erlaubnis bedeutet nicht, dass du alles gut findest, was du fühlst. Es bedeutet, dass du anerkennst, dass es da ist. Punkt. Dein Gefühl ist nicht optional, es ist kein Vorschlag, über den du verhandeln kannst. Es ist da. Es ist eine Frequenz in deinem Feld, die sich zeigt, weil sie Energie trägt, die gesehen werden möchte. Auch wenn du versuchst zu sagen „Nein, das Gefühl ist nicht da", dann ist es trotzdem da. Und daran lässt sich nicht rütteln. Und genau in dem Moment, in dem du aufhörst, gegen diese Frequenz zu arbeiten, beginnt dein Nervensystem zu entspannen, weil es wahrnimmt, dass es keinen Grund mehr gibt, Alarm zu schlagen.

In der Praxis sieht das viel unspektakulärer aus, als die meisten erwarten: Ein Gefühl taucht auf und du sagst innerlich „Okay. Da bist du." Nicht mehr und nicht weniger. Keine Bewertung, keine Analyse, keine Eskalation. Diese einfache Erlaubnis ist neurobiologisch gesehen ein Signal der Sicherheit. Dein System erkennt: „Ich bin nicht in Gefahr." Und sobald dieser Satz in deinem Körper ankommt, löst sich die Spannung, die du für dein „Problem" gehalten hast.

Bedingungslose Erlaubnis ist deshalb kein spirituelles Konzept, sondern pure Physiologie. Sie ist das Aufatmen deines Körpers, wenn du aufhörst, ihn gegen dich selbst zu verteidigen.

Bewusste Wahrnehmung - Der Moment, in dem du dich nicht mehr verwechselst

Bewusste Wahrnehmung bedeutet, dass du bemerkst, was geschieht, ohne automatisch auf das zu reagieren, was du bemerkst. Es ist dieser Zwischenraum, dieser kleine, unscheinbare Moment, in dem du eine Erfahrung hast und gleichzeitig erkennst, dass du nicht diese Erfahrung bist. Du kannst Angst fühlen, ohne „ängstlich" zu werden. Du kannst Wut spüren, ohne „wütend" zu sein. Du kannst Scham wahrnehmen, ohne aus ihr deine Identität zu bauen. In diesem Bewusstsein entsteht eine Freiheit, die du nicht herbeiführen musst, weil sie sich von selbst zeigt, sobald du nicht mehr in der automatischen Reaktion verschwindest.

Neurobiologisch lässt sich diese Fähigkeit messen: Das Default Mode Network tritt zurück, das Salience Network übernimmt und dein System ordnet Informationen nicht mehr nach Erinnerungen, sondern nach Realität. Du erkennst, was jetzt wirklich ist, statt das, was dein Verstand aus gestern ins heute hineinprojiziert. Dieser Zustand ist kein Aha-Moment, sondern ein ganz nüchterner „Ich-bin-da"-Moment. Und dieser Moment reicht.

Bewusste Wahrnehmung verändert nichts an deinem Gefühl; sie verändert die Position, aus der du es betrachtest.

Tiefe Präsenz - Der einzige Ort, an dem Veränderung stattfindet

Präsenz bedeutet, aufzuhören, in die Vergangenheit zu greifen oder eine Zukunft zu konstruieren, um das Jetzt zu vermeiden. Präsenz ist der radikale Schritt, dich dort zu verankern, wo dein Leben tatsächlich stattfindet: in diesem Moment, in diesem Atemzug, in dieser Empfindung. Präsenz heißt nicht, dass du ruhig sein musst oder entspannt oder spirituell korrekt. Präsenz heißt nur, dass du hier bist, während etwas in dir geschieht.

Und dieser Punkt ist entscheidend: Gefühle bewegen sich ausschließlich im Jetzt. Nicht in deiner Erinnerung an sie, nicht in deiner Vorstellung von ihnen, sondern in dem Moment, in dem sie in dir auftauchen. Wenn du also wirklich Veränderung erleben willst, dann geschieht sie genau hier: im unmittelbaren Kontakt mit der Erfahrung, die du gerade hast.

Präsenz ist damit nicht das Ziel der RKM, sondern ihre Grundlage. Ohne Präsenz gibt es keine Erlaubnis. Ohne Erlaubnis keine Entspannung. Ohne Entspannung keinen Fluss. Und ohne Fluss keine Freiheit.

Aus diesen drei Prinzipien entsteht in der Praxis ein sehr einfacher Prozess: du merkst dein Gefühl, du gehst in Beziehung mit ihm, du erkennst seine Rolle an; und währenddessen kommt dein System in den Fluss zurück..

2.   Warum die RKM funktioniert

Wenn du verstehen willst, warum die Rosa Koppelmann Methode funktioniert, musst du weder spirituell sein noch an

Energiewesen glauben oder dir vorstellen, dass irgendwo im Kosmos ein unsichtbares Komitee deine Entwicklung überwacht. Es reicht vollkommen, dich zu erinnern, wie dein Nervensystem mit Gefühlen umgeht, wie dein Gehirn Informationen verarbeitet und wie Wahrnehmung das formt, was du „Realität" nennst. Die RKM wirkt nicht, weil sie übernatürlich ist, sondern weil sie exakt dort ansetzt, wo menschliches Erleben tatsächlich entsteht: im Zusammenspiel von Bewusstsein, Körper und Gegenwart.

Aus psychologischer Sicht sind Gefühle zunächst nichts anderes als Signale, sie sind, wie es der Neurowissenschaftler Joseph LeDoux beschreibt, körperlich verankerte Reaktionsmuster, die deinem System anzeigen, dass etwas Bedeutung hat, lange bevor du eine Geschichte darüber erzählen kannst. Du hast in Teil Eins bereits viel über deine Gefühle gelernt und erinnerst dich bestimmt: Eine Emotion wird erst dann zum „Problem", wenn du beginnst, sie zu bewerten, zu pathologisieren oder zu bekämpfen. In der Emotionspsychologie spricht man von kognitiver Bewertung: Nicht das Ereignis selbst erzeugt deinen inneren Stress, sondern die Bedeutung, die du ihm gibst. Wenn du dir innerlich erzählst (egal ob bewusst oder unbewusst) „So darf ich nicht fühlen", entsteht über dem ursprünglichen Gefühl eine zweite Schicht; eine sekundäre Emotion aus Scham, Ärger über dich selbst oder Hilflosigkeit. Dein System reagiert nicht mehr nur auf Angst, Wut oder Traurigkeit, sondern auf deinen inneren Angriff gegen diese Angst, Wut oder Traurigkeit. Genau hier setzt die RKM an: Sie nimmt diesen Angriff aus der Gleichung. In dem Moment, in dem du das Gefühl nicht mehr bekämpfst, sondern ihm erlaubst, da zu sein, bricht die sekundäre Schleife zusammen und damit auch ein Großteil des Stresses, den du bisher für „dein Problem" gehalten hast.

Neurobiologisch lässt sich das sehr klar nachvollziehen. In dem Moment, in dem ein Reiz auf dich trifft, reagieren zunächst tiefere Strukturen wie die Amygdala; sie scannt deine Umgebung auf potenzielle Gefahr und löst binnen Millisekunden körperliche Reaktionen aus: Herzschlag, Muskeltonus, Atemfrequenz. Erst einen Augenblick später schaltet sich dein präfrontaler Cortex dazu, der Teil deines Gehirns, der bewertet, einordnet und Entscheidungen trifft. Parallel dazu arbeitet das Default Mode Network, das Netzwerk, das sich unter anderem einschaltet, wenn du in Grübelschleifen, Selbstkommentaren und inneren Geschichten hängst. Studien konnten zeigen, dass dieses Netzwerk bei Menschen, die stark zur Selbstkritik und zum Grübeln neigen, besonders aktiv ist, während Regionen, die mit klarer, gegenwartsbezogener Wahrnehmung verbunden sind, eher in den Hintergrund treten. Genau das erlebst du, wenn du „in deinen Gefühlen untergehst": Nicht das Gefühl überflutet dich, sondern die Geschichten darüber, die du dir selbst erzählst.

Wenn du mit der Rosa Koppelmann Methode einem Gefühl erlaubst, da zu sein, wirklich da zu sein, sendest du deinem gesamten System ein anderes Signal. Dein präfrontaler Cortex muss das Gefühl nicht mehr wegargumentieren, die Amygdala registriert, dass keine zusätzliche Gefahr besteht und das Default Mode Network verliert für diesen Moment seine Bühne. In bildgebenden Verfahren konnte man bei Menschen, die Präsenz- und Akzeptanzpraktiken nutzen, genau diesen Effekt beobachten: weniger Aktivität in den Alarm- und Grübelnetzwerken, mehr Aktivität in Bereichen, die mit Körperwahrnehmung und Regulation zusammenhängen. Für dich fühlt sich das zunächst ganz unspektakulär an: Du atmest tiefer, deine Schultern sinken, dein Gesicht wird weicher, irgendwo in dir wird es weiter. Auf der Ebene der Neurowissenschaft bedeutet das: Dein System wechselt vom Überlebensmodus in Kohärenz.

Damit wird verständlich, warum Erlaubnis keine nette Idee einer verrückten Mitt-Dreißigerin (also mir) ist, sondern ein

biologischer Vorgang. Dein Nervensystem kann sich nur
dann wahrhaftig regulieren, wenn es sich sicher fühlt. Sicherheit entsteht nicht dadurch, dass nichts „Schwieriges" mehr
in dir auftaucht, sondern dadurch, dass dein System merkt:
Es ist sicher, dass es auftaucht. In dem Moment, in dem du
innerlich sagst „Ja, du darfst da sein", brichst du den Alarmkreis. Genau deshalb braucht die RKM keine komplizierten
Interventionen und keine inszenierten Heilungsrituale. Sie
stellt einfach den Zustand wieder her, in dem dein Körper das
tun kann, wozu er sowieso gebaut ist: Energie durchfließen
lassen.

Auf physikalischer Ebene ist das ebenfalls anschlussfähig.
Die moderne Physik beschreibt seit Jahrzehnten, dass Systeme sich anders verhalten, sobald sie beobachtet werden.
Teilchen verhalten sich mal wie Wellen, mal wie Partikel, abhängig davon, ob sie beobachtet werden, oder eben nicht.
Diese Erkenntnis aus der modernen Physik macht deutlich:
Beobachtung ist kein neutraler Vorgang. Sie beeinflusst das
System. Wenn du ein Gefühl bewusst wahrnimmst, ohne es
zu bewerten, veränderst du die Rahmenbedingungen, unter
denen diese emotionale Energie in dir schwingt. Du hältst sie
nicht mehr fest, du presst sie nicht mehr in eine alte Geschichte, du kommentierst sie nicht in Endlosschleife. Stattdessen erlaubst du, dass sie das tun kann, wozu jede Form
von Energie tendiert: sich auszugleichen, zu fließen, sich in
ein größeres Feld einzuordnen.

In der Thermodynamik spricht man davon, dass Systeme
dazu neigen, Spannungen abzubauen und in einen Zustand
höherer Entropie überzugehen, oder vereinfacht gesagt: angespannte Energie sucht einen Weg in die Bewegung. Wenn
du sie festhältst, wird es eng. Wenn du sie lässt, wird es weit.
In der Sprache der RKM nennen wir das: den natürlichen
Fluss wieder freigeben. In der Sprache der Physik heißt es:
ein System nicht länger künstlich in einem

Spannungszustand halten. In der Sprache der Neurobiologie heißt es: das Zusammenspiel von Gehirn, Nervensystem und Körper in einen regulierten Zustand zurückkehren lassen.

Im Grunde übst du mit der RKM eine neue Grundhaltung deinem individuellen Erleben des „Menschsein" gegenüber. Jedes Mal, wenn du ein Gefühl nicht wegdrückst, sondern bedingungslos wahrnimmst, stärkst du neuronale Bahnen, die mit Präsenz, Klarheit und Regulation verbunden sind. Jedes Mal, wenn du dich nicht in eine mentale Erklärung flüchtest, sondern im Jetzt bleibst, zeigst du deinem System: Es ist sicher, hier zu sein. Über Zeit wird diese Haltung automatisch. Einfach weil dein Gehirn sich immer mehr daran gewöhnt. Genau wie dein Nervensystem und dein ganzes Sein.

Der vielleicht wichtigste Punkt ist allerdings folgender, den ich nicht müde werde, hier zu wiederholen: Dein Nervensystem reagiert immer auf den aktuellen Zustand. Immer. Nicht auf die Vergangenheit als Geschichte. Es kann alte Erfahrungen speichern, ja, aber es kann sie nur über das aktualisieren, was du im Jetzt fühlst und wie du damit umgehst. Du musst dein Trauma, Geschichten, Kindheit, Herkunftsfamilie, etc. nicht wieder und wieder durchleben, damit sich etwas verändert. Du musst nicht zurück in jede Szene deiner Biografie. Du musst deinem System nur im gegenwärtigen Moment zeigen: „Es ist sicher, dass dieses Gefühl da ist." In dem Moment, in dem du das tust, beginnen alte Muster endlich zu fließen. Einfach weil sie im Licht einer neuen Erfahrung ihre Berechtigung verlieren. Das ist der Punkt, an dem „Heilung" überflüssig wird, weil dein System nicht länger versucht, eine Vergangenheit zu reparieren, sondern in der Gegenwart atmet.

Die Rosa Koppelmann Methode funktioniert also nicht, weil du an sie glaubst oder weil sie dir eine neue Identität anbietet, in der du „spirituell genug" bist. Sie funktioniert, weil sie die Art und Weise respektiert, wie dein Organismus gebaut ist. Sie setzt genau dort an, wo Psychologie, Neurobiologie und Physik sich treffen: bei deiner Aufmerksamkeit im Jetzt. Sie hört auf, gegen deine inneren Bewegungen anzukämpfen und lässt dein System zu dem Zustand zurückfinden, für den es gemacht ist; Kohärenz, Klarheit, Weite. Und in dem Moment, in dem du beginnst, das nicht nur zu verstehen, sondern zu erleben, erübrigt sich die Frage, ob die RKM „Sinn macht". Dein Körper hat dann längst geantwortet.

3. Gefühle erkennen, halten und in den natürlichen Fluss zurückbringen - praktische Anwendung

Bis hierhin hast du verstanden, wie die Rosa Koppelmann Methode funktioniert. Aber das Wissen allein hilft dir wenig, wenn du nicht weißt, was du in einer ganz konkreten Situation tun kannst; in dem Moment, in dem Eifersucht hochschießt, Existenzangst die Brust zuschnürt oder ein diffuses Unbehagen wie ein grauer Schleier über deinem Tag liegt. Die RKM lebt nicht auf dem Papier, sie lebt in diesen Momenten, in denen dein System dir etwas zeigen will und du die Wahl hast: wieder in deine alten Reaktionen zu kippen oder bewusst in den natürlichen Fluss zurückzufinden.

Wenn du die Rosa Koppelmann Methode wirklich leben willst, dann beginnt alles in dem Moment, in dem ein Gefühl auftaucht. Nicht in bester Laune, nicht während einer Meditation, nicht in einem Retreat, sondern dort, wo das Leben tatsächlich geschieht: in der Küche um 7:30 Uhr, während dein Kind schreit; abends, wenn dein Partner in sein Handy lächelt und du dich fragst, mit wem er schreibt; nachts, wenn Existenzangst durch deinen Brustkorb wandert wie ein kalter Strom. Genau hier entscheidet sich, ob du im alten Muster reagierst oder ob du die Tür zu einer inneren Freiheit öffnest, die nicht von Umständen abhängt. Die RKM ist nicht dafür gemacht, dich in guten Momenten noch glücklicher zu machen. Sie ist dafür gemacht, dass du dich nicht länger vor dir selbst fürchtest und dieses Spiel des Lebens als das Erfahren kannst, was es ist: ein Spiel. Und genau deshalb beginnt sie immer mit dem gleichen Schritt: Du bemerkst, was du fühlst und du hörst auf zu kämpfen.

Es klingt dir vielleicht weiterhin zu einfach. Dein Verstand wird dir hundert Gründe liefern, warum es mehr brauchen müsste: ein Werkzeug, eine Analyse, eine traumatische Kindheitsgeschichte, ein Konzept. Aber dein Körper; dieser brillante Sensor, der Energie schneller registriert als jeder

Gedanke, der weiß längst, dass Erlaubnis der Punkt ist, an dem er zu atmen beginnt. Fühl mal rein, nimm mal wahr. Und dann weißt du es.

Und jetzt stell dir vor, ein Gefühl taucht auf. Vielleicht Eifersucht, weil dein Partner gerade jemandem schreibt. Vielleicht ein Unbehagen, wenn dein Kind etwas aus der Schule erzählt, das bei dir alte Ängste berührt. Vielleicht eine diffuse Schwere, ohne Anlass, ohne Form. In der RKM machst du jetzt etwas, das deinem System im ersten Moment ungewohnt vorkommt: Du stoppst jede Bewegung nach außen und jede Geschichte nach innen. Du sagst nicht „Warum fühle ich das?", du sagst nicht „Das muss weg", du sagst nicht „Was bedeutet das?" - du sagst nur:

„Okay. Da bist du."

Du lässt das Gefühl dort, wo es auftaucht. Du rennst nicht davon. Du drückst es nicht weg. Du erklärst es nicht. Du hältst es nicht künstlich fest. Du bemerkst es einfach. Manchmal fühlt es sich in diesem Moment an, als würde in dir alles enger werden. Manchmal wie Hitze. Manchmal wie Leere. Manchmal wie ein Knoten im Hals, der sich weigert aufzugehen. Und genau das ist der Punkt: Du musst nichts tun. Dein Nervensystem reagiert nicht auf das Gefühl selbst, sondern auf deinen Widerstand dagegen. Wenn der Widerstand fällt, fällt der Alarm.

Ein Gefühl ist nicht dafür da, dich zu überwältigen. Es ist dafür da, gesehen zu werden. Und genau das ist der erste Schritt in der RKM: Du nimmst wahr, ohne dich in Geschichten oder im Außen zu verlieren.

Wenn du ein Gefühl halten kannst, ohne davor wegzulaufen, öffnet sich ein nächster Raum, der noch ein gutes Stück tiefer ist: das Gespräch mit dem Gefühl selbst. Und zwar genau dort, wo du es im Körper spürst. NICHT in einer Geschichte.

Vielleicht sitzt das Gefühl als Druck hinter deinem Brustbein. Vielleicht als Kälte im Bauch. Vielleicht als Unruhe in den Händen. Dieses Wahrnehmen davon, wo das Gefühl sitzt, ist für die Kommunikation fundamental. Denn so hat deine Aufmerksamkeit etwas, woran sie sich festhalten kann. Wenn du mit einer Energie, die du im Körper wahrnehmen kannst, in Kontakt gehst, ist das etwas völlig anderes, als wenn du mit der Geschichte über ein Gefühl in Kontakt gehst. Durch die Aufmerksamkeit im Körper bleibst du der Geschichte (und damit der Identifikation mit dem Gefühl) leichter fern und bleibst in der Präsenz. Wenn du den Druck im Solarplexus voll wahrnimmst, dann ist da kein Raum für „Warum ist das da, vielleicht weil ich mit vierzehn so gemein zu meinem Exfreund war und das jetzt die Rache von ihm ist?", nein, dann nimmst du einfach wahr. Im Körper. Im Jetzt.

Wenn du das geübt hast und ein Gefühl (also eine Energie) im Körper lokalisieren kannst, dann wanderst du mit deiner Aufmerksamkeit dorthin und fragst innerlich:

„Warum bist du so wertvoll für mich?"

Nur das. Keine andere Frage. Also kein „Warum bist du da?" Kein „Warum bist du wichtig?". Kein „Was soll ich mit dir?" Sondern die ganz klare Frage danach, warum das Gefühl wertvoll für dich ist. Warum ich hier so streng bin? Weil eine andere Formulierung dazu führt, dass du in eine bekannte Geschichte rutscht „Ich bin da, weil ich dir jeden Tag zeigen will, dass du wertlos bist! Denn ja, du bist wertlos, weil du ja nicht mal dein Haus sauber halten kannst! Ja, siehst du mal!". Die Frage nach dem wertvoll-sein bringt dein Nervensystem direkt in eine andere Richtung. Du bist gezwungen aus alten Geschichten auszusteigen und dich für neue zu öffnen.

Und plötzlich beginnt etwas, das sich weniger, wie Denken und mehr wie Erinnern anfühlt. Antworten steigen nicht aus deinem Verstand auf, sondern aus deinem Körper:

„Ich will verhindern, dass du wieder verlassen und verletzt wirst."
„Ich halte dich klein, damit niemand dich auslachen könnte."
„Ich will dich schützen, bevor jemand dich ernsthaft bedroht."

Kein Gefühl arbeitet jemals gegen dich. Kein einziges. Kein einziges ist „böse". Alles in diesem Menschsein ist erstmal neutral. Und sobald du den ehrlichen Wert erkennst, fällt es dir leicht, anzuerkennen, dass da dieses Gefühl ist. Ja, selbst, wenn es Hass ist. Ich erinnere mich an einen Moment, in dem ich selbst in eine tiefe Angst fiel, obwohl mein Umfeld völlig stabil war. Als ich hinein spürte und fragte, warum diese Angst so wertvoll ist, tauchte der Satz auf: „Wenn du die Kontrolle loslässt, stirbst du." Ein Satz, der biografisch keinen Sinn ergab, aber energetisch perfekt erklärte, warum mein System so angespannt war. Ich konnte in dem Moment dieser Angst, die ich im Bauch fühlte, dankbar sein und dadurch konnte ich sie anerkennen und erlauben. Und sie konnte fließen. Dieser Moment war übrigens in Costa Rica in einem Supermarkt. Ich hatte ein Konto voll Geld und Hunderte Kunden, die dafür sorgten, dass dieses Konto immer voll blieb. Und ich stand vor einem Rasierer für 10€ im Supermarkt. Ich wollte diesen Rasierer gerne kaufen. Und ich konnte nicht. Alles in mir zog sich zusammen, ich hatte eine unfassbare Angst. Es schien mir absolut unmöglich, 10€ nur für mich auszugeben. Für das Business, ja. Für die Kinder, ja. Für uns als Familie, ja. Aber für mich allein. Nein. Ich fühlte mich wirklich, als wenn ich sterben würde, wenn ich diesen Rasierer jetzt einpacken sollte. Und dann eben dieser Satz „Wenn du die Kontrolle loslässt, dann stirbst du". Und so stand ich da im Supermarkt mit diesem Gefühl und gab ihm einfach die Erlaubnis, da zu sein. Ich hörte ihm zu. Ohne Bewertung.

Wenn du diesen Punkt erreichst, passiert etwas in deinem Körper: Die Spannung verändert ihre Qualität. Sie wird nicht weniger, aber sie wird weicher. Sie wird nicht „wegtherapiert", aber sie verliert ihre Härte. Das Gefühl bekommt ein Gesicht und du erkennst:
Es ist kein Feind. Es ist Teil von dir, der zu lange allein gelaufen ist. Und dann kannst du auch den Rasierer plötzlich kaufen; oder was auch immer es bei dir gerade ist.

Die ehrliche und tiefe Anerkennung ist der Punkt, an dem aus innerem Kampf, innere Weite wird. Es ist der Moment, in dem du nicht nur verstehst, wofür das Gefühl da war, sondern es wirklich würdigst. Ganz liebevoll als deine menschliche Wahrheit:

„Danke, von Herzen. Danke lieber Hass/Angst/Sorge/Zweifel/whatever, du darfst da sein! Ja, du hast die volle Erlaubnis einfach da zu sein!"

Wenn du das sagen kannst; und zwar nicht aus dem Kopf, sondern wirklich als tiefe Resonanz in deinem Körper, passiert etwas, was sich so wunderschön anfühlt: Die Ladung geht. Nicht das Gefühl. Die Ladung. Angst bleibt Angst, aber ohne Enge. Wut bleibt Wut, aber ohne Schärfe.
Scham bleibt Scham, aber ohne den Stachel.

Du merkst das körperlich: Der Atem wird tiefer. Der Brustkorb weitet sich. Ein Schauer geht durch die Arme. Eine Träne der Erleichterung läuft über deine Wange. Oder es fühlt sich an, als würde irgendwo in dir etwas abfließen. Das ist der natürliche Fluss. Viele beschreiben es, als wenn sie auf Wolken schweben. Als wenn sie in Liebe baden. Als wenn sie purer Frieden wären. Ich kann all diese Beschreibungen unterschreiben und gleichzeitig kann kein Wort der Welt diesem Zustand wirklich gerecht werden.

Wenn das alles noch etwas kompliziert für dich klingt, dann kannst du dir das Gefühl auch einfach wie ein Kind vorstellen, das an deinem Rockzipfel zieht: Je länger du es ignorierst, desto lauter wird es. Aber sobald du dich zu ihm herunterbeugst und sagst: „Ich sehe dich", zeigt es dir einfach nur sein Lego-Auto, lächelt und läuft weiter. Gefühle verhalten sich exakt so. Sie wollen nicht dominieren. Sie wollen einfach gesehen werden. Und wenn sie gesehen werden, gehen sie zurück in den Fluss des All-Eins-Seins, aus dem sie entstanden sind.

Ein Leben mit der RKM fühlt sich daher auch nicht so an, als würdest du die schwierigen Gefühle ein für alle Mal hinter dir lassen; es fühlt sich vielmehr so an, als würdest du zum ersten Mal wirklich verstehen, dass Gefühle (und somit Energie) nichts sind, wovor du dich schützen musst.

Die Angst wird nicht verschwinden, aber sie wird weich, weil du sie nicht mehr zusammendrückst. Und du machst plötzlich in Leichtigkeit all die Dinge, die du dir vorher nicht getraut hast. Einfach weil du die Angst als das erkennst, was sie ist: bedingungslose Energie. Die Wut wird nicht verstummen, aber sie wird klarer, weil du sie nicht mehr in Geschichten verwandelst. Und plötzlich erkennst du, was die Wut dir sagen will und beginnst, für dich selbst einzustehen. Die Scham wird sich nicht in Luft auflösen, aber sie verliert ihre Schwere, sobald du nicht mehr versuchst, sie zu verstecken. Und plötzlich stehst du im Rampenlicht und bist frei; obwohl die Scham da ist. Zart und weich. Da und gleichzeitig irgendwie einfach egal. Und du wirst dich nicht mehr mit diesen Gefühlen identifizieren, weil du begreifst, dass kein einziges davon gekommen ist, um dich zu zerstören; sie sind Bewegungen in einem Feld, das dich hält, nicht bedroht.

In einem Leben mit der RKM fühlst du mehr, nicht weniger und gleichzeitig fühlt sich alles leichter an, weil du nicht mehr in den Reflex verfällst, aus jeder inneren Regung eine Entscheidung zu machen oder ein Urteil oder eine Geschichte. Du nimmst wahr, was auftaucht, du gibst ihm Raum und während du Raum gibst, öffnet sich in dir etwas, das früher nur Millimeter breit war und jetzt, nach und nach, zu einer inneren Weite wird, die nichts mehr fordert, sondern nur noch trägt. Immer mehr Flow. Immer mehr innere Kohärenz. Leichtigkeit. Frieden.

Und irgendwann bemerkst du, dass dein Alltag sich verändert hat, ohne, dass du ihn aktiv verändert hättest. Gespräche werden klarer, nicht weil du dich zusammenreißt, sondern weil du nicht mehr in alten Mustern reagierst. Beziehungen werden weicher, nicht weil du „besser kommunizierst", sondern weil du nicht mehr aus Angst sprichst. Konflikte verlieren ihre Dramatik, weil du dich selbst nicht mehr im Stich lässt. Und dein inneres Erleben; dieser Ort, der früher voller Alarm war, wird zunehmend ein Raum der Präsenz, in dem alles da sein darf, ohne, dass es dich verschlingt. Das ist ein Leben mit der RKM: ein natürlicher Rhythmus, in den du zurückfindest, sobald du aufhörst, dich selbst zu korrigieren. Freiheit entsteht nicht, weil du nichts mehr fühlst, sondern weil du endlich verstehst, dass nichts, was du fühlst, gegen dich ist. So beginnt das Spiel „Menschsein" leicht zu werden, die Dramatik verschwindet, alles wird … naja, easy eben.

Wenn du beginnst, mit der Rosa Koppelmann Methode zu arbeiten, bemerkst du außerdem ziemlich schnell, dass dein Körper alles immer früher weiß als du (also du in deinem Kopf). Er ist der erste Ort, an dem sich Realität bemerkbar macht, weil er das direkteste Interface zwischen Bewusstsein und Erfahrung darstellt. Er ist einfach das Schwingungsfeld, das wahrnimmt, lange bevor dein Verstand begonnen hat, sich dazu eine Geschichte auszudenken. In der Neurobiologie nennt man das interozeptives Netzwerk, das über Strukturen wie die Insula, den anterioren cingulären Kortex und den somatosensorischen Kortex die feinen inneren Zustände registriert. Antonio Damasio hat das einmal sehr elegant beschrieben: Der Körper markiert Bedeutung, lange bevor der Verstand versucht, sie zu verstehen. Und genau dieser Sekundenbruchteil, dieser körperliche Marker, dieser subtile Impuls, diese Öffnung oder Enge, dieses kaum bemerkbare Vibrieren, ist das, worauf die RKM dich wieder aufmerksam macht. Sie lässt dich wieder das spüren, was vor den Geschichten des Verstandes kommt. Sie öffnet dich für das Größere. Der Körper liefert keine Interpretationen, er liefert Resonanzen. Keine Meinungen, sondern Frequenzveränderungen. Keine Geschichten, sondern Signale. Und in dem Moment, in dem du aufhörst, diese Signale zu übertönen; durch mentale Analyse, spirituelle Bypassing-Mantren oder das klassische „ich atme das jetzt weg", in dem Moment beginnt der Körper, seine eigentliche Funktion wieder ausüben zu können: Dich zu informieren. Nicht zu definieren. Wenn du Enge im Solarplexus spürst, bedeutet das nicht, dass etwas falsch ist. Wenn dein Herzraum sich öffnet, bedeutet das nicht, dass du „auf dem richtigen Weg" bist. Es bedeutet einfach nur, dass dein System reagiert, mit einer Schwingung, die wahrgenommen werden möchte.

Die RKM nimmt diese Signale ernst, ohne ihnen Bedeutung zu schenken. Denn Bedeutung entsteht immer im Kopf, nie im Körper. Und in dem Moment, wo dein Körper kein Gegner ist, sondern dein schnellster Zugang zur Realität-im-Moment, beginnt das Leben leichter zu werden, weil du nicht mehr versuchst, diese Resonanzen zu manipulieren, sondern lernst, sie zu lesen wie eine Sprache, die du zwar nie gelernt hast, die aber immer in dir gesprochen wurde.

Und nochmal zur Sicherheit: Der Körper ist nicht die Quelle deiner Weisheit. Er ist einfach ihr Übersetzer. Und je besser du diesen Übersetzungen lauschen kannst (ohne „Was bedeutet das jetzt für meine Zukunft?") desto klarer erkennst du, was die RKM dir die ganze Zeit zeigen will: Gefühle (Energie) waren nie das Problem. Dein Widerstand gegen sie ist es.

4.   Prozesse innerhalb der RKM verstehen

Einer der größten Irrtümer in der Arbeit mit Emotionen ist die Annahme, dass ein Gefühl, das wieder auftaucht, ein Zeichen von Scheitern ist. Als hättest du „etwas nicht richtig gemacht". Als wäre etwas „noch nicht geheilt". Als müsstest du „noch tiefer graben", analysieren, Kindheit aufrollen, bis das letzte Molekül Schmerz aus deinen Zellen gesaugt ist. Das ist die Logik der Dualität: die Annahme, wir können ein Gefühl aus dem Universum hinausschmeißen. Einfach eine Tür öffnen und sagen: Ciao Kakao, du bist hier nicht mehr willkommen! Nur, aus einer quantenphysischen Perspektive erkennen wir relativ easy: es kann ja gar nichts verschwinden. Keine Energie verschwindet jemals. Alles bleibt. Es ändert nur Form. Und Form-Veränderung nennt sich auch: Prozess. Also lass uns über Prozesse sprechen!

In der RKM verstehen wir „Prozess" als lebendige Bewegung der Energie, nicht als To-do-Liste, die du abhakst. Ein Prozess ist keine Straße von A nach B; kein „Heute habe ich noch Angst, aber morgen ist sie dann weg, weil ich sie einfach anerkenne und dann nie wieder mit ihr zu tun haben muss". Prozesse sind Wellen, Spiralen, eine dauernde Frequenzbewegung im Feld der Einheit. In der Illusion der Trennung glaubst du: „Ich bin hier - mein Ziel ist dort. Und solange ich dort noch nicht angekommen bin, stimmt etwas nicht mit mir." Genau aus dieser Illusion entsteht Widerstand: Selbstverurteilung, Frust, das Gefühl von „Rückfall". In der Einheit gibt es keinen Rückfall. Es gibt nur Bewegung.

Auch aus quantenphysischer Perspektive gibt es keinen Rückfall - nur Bewegung. Energie in Bewegung, das ist das ganze Spiel des Lebens.

Gefühle sind dabei wie Wellen und Wellen verschwinden nicht, sie verändern ihre Form. In einem Moment haut die Welle der Wut dich mit aller Wucht um, im nächsten Moment ist sie einfach da und du beobachtest sie mit liebevoller Faszination, während du nebenbei deinen Cocktail mit Schirmchen trinkst und das Leben genießt. Beide Male ist die Welle WUT, aber dennoch ist deine Wahrnehmung zu diesem Gefühl komplett unterschiedlich. Eben je nachdem, ob du sie einfach beobachtest oder ob du dich mit ihr verwechselst.

In der Physik spricht man hier vom Resonanzphänomen: Sobald ein System eine neue Grundschwingung annimmt, beginnen alle noch nicht integrierten Energien, die nicht mit dieser neuen Schwingung übereinstimmen, sich zu zeigen. Und das ist natürlich kein Rückschritt, das ist Entfaltung, Evolution, Fortschritt (wenn es sowas wie Fortschritt gibt, in einer Welt, in der Zeit nicht existiert). Wenn sich also Gefühle von einer anderen Seite, auf einer tieferen Ebene zeigen, wenn alte Themen plötzlich wieder an die Oberfläche kommen, dann ist all das FÜR dich. Es ist wie eine Tür, die sich zeigt, die vorher nicht sichtbar war und durch die du jetzt hindurchgehen kannst (indem du auch diese Facette des Gefühls anerkennst).

Übrigens, das, was du vielleicht von Bob Proctor als „Terror Barrier" kennst, ist genau das: Ein System, das versucht, sich in eine neue Frequenz einzuordnen und kurz stolpert, weil die alte Schwingung sich verabschieden muss. Bob Proctor ist im Bereich der Persönlichkeitsentwicklung ziemlich bekannt und erklärt das als Barriere, durch die man hindurchgehen muss. Ich sehe es, wie gesagt, viel mehr wie eine Tür, die sich zeigt. Keine Barriere, die überwunden werden muss, sondern eine geniale Möglichkeit, endlich etwas zu erkennen, was bisher unsichtbar war. Oder, in ganz anderen Worten: Eine Emotion kommt zurück, weil du größer geworden und jetzt für sie bereit bist. Dein Nervensystem erlaubt dir etwas Neues. Das ist genial! Und kein bisschen rückschrittlich.

Gefühle kommen also nicht wieder, weil du versagt hast. Sie kommen wieder, weil dein System bereit ist, sie in einem neuen Bewusstseinszustand wahrzunehmen. Der Prozess ist kein Rückschritt. Der Prozess ist Frequenzkorrektur. Du kannst es dir auch so vorstellen: Transformation ist wie das Schälen einer Zwiebel: Wenn du eine Schicht löst, kommt die nächste zum Vorschein. Das bedeutet nicht, dass die vorherige Arbeit „nichts gebracht hat". Im Gegenteil: Erst weil oben Raum geworden ist, kann sich unten zeigen, was vorher verdeckt war. Dein System sagt nicht: „Da ist noch etwas kaputt." Es sagt: „Wir sind bereit, tiefer zu gehen. Schau mal hier."

Neurobiologisch lässt sich das übrigens auch hervorragend nachverfolgen: Wir wissen aus Studien über Neuroplastizität (z. B. Merzenich, Pascual-Leone), dass das Gehirn jede neue Erfahrung, insbesondere neue emotionale Erfahrungen, in wiederholten Zyklen integriert. Eine neue Haltung, wie eben zum Beispiel die bedingungslose Erlaubnis, schreibt sich nicht in einem einzigen magischen Moment ins Nervensystem ein, sondern in wiederkehrenden Runden: jede Runde ein bisschen tiefer, jede Runde ein bisschen freier. Step by Step wird das Spiel des Lebens freier und leichter. Dein System probiert einfach aus: „Ist es jetzt auch sicher? Und jetzt? Und jetzt?". Einfach weil es eben ein nettes Nervensystem ist, das gerne möchte, dass du netter Mensch dein Überleben sicherst und dir nicht zu viel auf einmal zumutest.

Dennoch, wenn wir ehrlich sind, dann verurteilen wir uns einfach erstmal aus Prinzip, wenn ein Thema wiederkommt, von dem wir dachten, dass wir damit längst durch wären. Wenn

Emotionen wiederkommen, rutscht das Nervensystem leicht in einen inneren Negativ-Kreislauf, à la „Schon wieder.", „Ich hab's wohl doch nicht geschafft.", „Ich bin noch immer nicht weit genug." Diese schöne Selbstverurteilungs-Schleife kennen wir alle. Ich auch. Du auch. Jeder. Und wenn wir uns in dieser Schleife der Verurteilung wiederfinden, hilft es, in eine nonduale Perspektive zu wechseln. Denn aus nondualer Sicht gibt es natürlich gar keinen „Negativ-Kreislauf". Es gibt nur einen Erkenntnis-Kreislauf: Dasselbe Gefühl taucht in einer neuen Bewusstseinsschicht auf und lädt dich (im Zweifelsfall immer und immer wieder) ein, dich diesmal nicht mehr zu verlieren. Lass uns nochmal ganz konkret schauen, wie wir also damit umgehen würden, wenn ein Gefühl immer und immer wieder aufkommt und wir uns darin gefangen fühlen:

- **Anschauen** - du erkennst: „Ah, da bist du wieder."

- **Bedingungslose Erlaubnis** - du hörst auf zu kämpfen und sagst innerlich: „Schön, dich zu sehen. Du darfst da sein."

- **In Kontakt gehen** - du lokalisierst das Gefühl im Körper und fragst: „Warum bist du gerade so wertvoll für mich?"

- **Energie fließen lassen** - du erkennst, wie wertvoll das Gefühl für dich ist, beginnst es dadurch gern zu haben und kannst es innerlich ernsthaft anerkennen und ihm die volle Erlaubnis geben, da zu sein. Der Widerstand löst sich. Die Ladung ist weg.

Aus „Oh nein, schon wieder" wird: „Ah, hier kommt die nächste Welle Integration, wie schön."

Und was ich dir in diesem ganzen Zusammenhang unbedingt auch noch mitgeben möchte, ist, dass dein Prozess nicht unabhängig vom „Außen" stattfindet. Denn in dem Moment, in dem sich deine innere Frequenz verschiebt, bleibt das Außen niemals neutral. Geht ja auch gar nicht, weil wir ja alle eins sind. Menschen, Tiere, sogar Situationen und Gegenstände reagieren entsprechend auf die veränderte Schwingung. Plötzlich wirkt eine Beziehung enger oder distanzierter. Jemand kritisiert dich schärfer - oder zieht sich zurück. Ein Gerät geht kaputt, ein Vertrag löst sich, alte Strukturen brechen weg. Dein Auto geht kaputt. Du verlierst deine alte Lieblingskette. All das ist völlig normal. Aus der Perspektive der Nondualität gilt immer: Es gibt keine Trennung zwischen Innen und Außen. Alles, was du im Außen erlebst, ist Teil derselben Einheit, in der auch dein innerer Prozess stattfindet. Wenn du also in einem Prozess bist, deine Frequenz sich dadurch verändert, du dich selbst und die Welt plötzlich ganz anders erlebst und wenn dann gleichzeitig das Außen „komplizierter" wird, ist das kein Zeichen, dass alles schlimmer wird. Es zeigt einfach, dass dein System sich neu sortiert und sich das Feld um dich herum entsprechend mitbewegt. Ergo: das ist prima! Auch wenn du es im ersten Moment vielleicht nicht sehen kannst.

Dazu ein schönes Beispiel einer Kundin. Sie begann mit der RKM zu arbeiten und dadurch ihre Energie neu auszurichten. Zuerst war alles wunderbar. Dann schrieb sie mir wütend: „Rosa, ich hatte einen Unfall mit Blechschaden! Das Auto ist komplett hinüber! Ich bin wütend, denn so habe ich mir das nicht vorgestellt!". Ich lud sie ein, die Gefühle, die aktiv waren, anzuerkennen und fließen zu lassen. Drei Tage später schrieb sie wieder: „Rosa, ich muss mich entschuldigen. Der Autounfall erwies sich als Segen! Unser altes Auto, das längst nicht mehr zu uns passte, ist endlich weg und meine Versicherung übernimmt einen Neuwagen! Ich bekomme jetzt also mein Traumauto und zwar einfach so!". Ja, solche Geschichten höre ich jeden Tag; aber es braucht dazu eben die Bereitschaft, auch dann in der Erlaubnis und im Anerkennen zu bleiben, wenn wir mitten in einem Prozess der

Veränderung sind. Mit der RKM begegnest du den Reaktionen dann eben nicht mit Drama, sondern immer wieder mit Erlaubnis: „Okay, auch das gehört gerade zu meinem Prozess.". Dadurch kann die Energie frei fließen und die Dinge können sich in kohärenter Perfektion entwickeln.

Jedes Wiederkommen von Themen oder Gefühlen ist also ein Zeichen dafür, dass dein System in eine neue Ordnung hineinwächst. Und je mehr du erkennst, dass Prozesse keine Rückschritte kennen, desto leichter wird es, jede Welle willkommen zu heißen, als genau das, was sie eben ist: eine weitere Runde Tiefergehen in das, was du in Wahrheit eh schon bist; Kohärenz. Flow. Leichtigkeit.

Ich möchte dir auch zum Ende dieses Kapitels einige Einblicke in mein Leben geben, um deutlicher zu machen, was ich hier theoretisch alles so schön erklärt habe:

Jedes Mal, wenn ich einen neuen Prozess durchlaufe, in dem ich neue Erkenntnisse gewinne, gehe ich auch mit meinem Mann durch einen Prozess. Meine Frequenz verändert sich mit jeder inneren Veränderung und seine Frequenz ist in solchen Momenten erstmal kurz in Dissonanz mit meiner. Es dauert dann ein paar Tage, bis unsere beiden Frequenzen sich wieder „eingetuned" haben und in Kohärenz miteinander schwingen. In der Zeit dazwischen ist es irgendwie einfach „komisch". Wir missverstehen uns, reden aneinander vorbei, es entstehen Vorwürfe und die Beziehung wirkt anstrengender. Als wir noch nichts von Frequenz und Co wussten, waren diese Phasen sehr herausfordernd und dauerten mitunter wochenlang an. Es war hart! Wirklich! Seit wir verstehen, wie Prozesse funktionieren und wie Energie fließt, halten diese Phasen nur noch wenige Stunden oder maximal zwei Tage an. Weil wir sie einfach anerkennen, als das, was sie sind: Re-Kalibierungsphasen. Wir bewerten sie nicht mehr und wie du bereits weißt, entsteht der ganze Struggle ja nur durch die Bewertung. Wenn etwas einfach sein darf, wie es ist, dann fließt es sehr schnell. Das macht die Beziehung nicht nur sehr viel schöner, es löst auch jegliche Angst vor Prozessen und innerer Veränderung. Und das ist eigentlich das größte Geschenk, weil so Veränderung einfach leicht ist und wir beide uns immer weiter und weiter entwickeln können, ohne Angst davor zu haben, dass es unsere Beziehung beinträchtigen wird.

Genau das lässt sich ebenso auf Kinder und auf das Business anwenden: Auch hier verschiebt sich mit jedem Prozess etwas. Die Kinder passen sich den neuen Frequenzen an und das kann durchaus mal chaotisch sein. Und die Kunden im Business genauso. Und ja, das kann auch manchmal chaotisch sein. Aber wenn du verstehst, dass das nichts weiter ist als eine Frequenzanpassung, dann lächelst du einfach liebevoll drüber. Apropos liebevoll drüber lächeln … jetzt wo wir den ernsten Teil hinter uns haben und du weißt, wie die RKM funktioniert, wollen wir nochmal tiefer in das Spiel mit der Energie eintauchen? Ja, oder!?

Kapitel 2: Das Spiel mit der Energie

Wenn du Teil 1 gelesen hast, weißt du das Entscheidende bereits: Alles ist Feld. Materie ist verdichtete Schwingung. Energie ist neutral, „gut" und „schlecht" entstehen erst durch Resonanz im Nervensystem und durch Bewertung. Und nondual betrachtet bist du nicht jemand, der Energie hat, sondern das Feld selbst in Bewegung. Genau deshalb geht es jetzt nicht mehr um Erklären, sondern um Spielen: Wie wird dieses Wissen im Alltag zu Leichtigkeit?

Wir erinnern uns nochmal kurz an das Wichtigste und steigen dann direkt ins Spiel.

Aus nondualer Sicht ist Energie nichts Getrenntes: Energie ist Bewusstsein, das sich als Form ausdrückt. Das bedeutet, dass jede Schwingung, jedes Gefühl, jeder Gedanke, jede Handlung, jedes Objekt, jede Beziehung Ausdruck desselben Feldes ist, das sich selbst unendlich neu interpretiert. Und sobald du nicht mehr versuchst, Energie in „gut" und „schlecht" einzuteilen, sondern erkennst, dass Energie immer neutral ist und erst durch deine Bedeutung, deinen Fokus, deine Hingabe, deine innere Ordnung eine Richtung bekommt, beginnt etwas in dir zu entspannen. Weil du plötzlich merkst, dass du nicht Opfer von „Energie" bist, sondern der Bedeutungsgeber, der Resonanzpunkt, der Ursprung, an dem sich alles ausrichtet. Oder im Klartext: das gesamte Universum. Yep. Du. Ja.

Energie folgt deinem Fokus, immer, ohne Ausnahme; sie richtet sich nach deiner inneren Kohärenz, nach der Klarheit deines Bewusstseins, nach dem Grad, in dem du mit dir selbst übereinstimmst. Genau deshalb fühlt sich ein Tag, an dem du innerlich klar bist, nach Flow an, während ein Tag, an dem du innerlich widersprüchlich bist, sich nach Dissonanz anfühlt. Das ist energetische Physik in Aktion.

Die Physik zeigt uns seit Jahrzehnten, dass Materie keine soliden Blöcke sind, sondern zu über 99,99999 Prozent aus leerem Raum besteht; aus Schwingungsfeldern, die sich je nach Frequenz unterschiedlich organisieren. Je tiefer man diese Ebene betrachtet, desto deutlicher wird, dass „Dinge" eigentlich dynamische Muster sind, energetische Zustände, die auf Resonanz reagieren, genau wie du. Jede Form hat ihre eigene Frequenz. Resonanz bedeutet, dass Gleiches sich gegenseitig verstärkt, während Ungleiches sich gegenseitig schwächt, weshalb du sofort spürst, wenn etwas „nicht passt", auch wenn dein Verstand es noch nicht erklären kann. Kohärenz bedeutet, dass Schwingungen geordnet sind - rhythmisch, harmonisch, klar - und diese Ordnung erzeugt Kraft, Fokus, Kreativität, Entscheidungsleichtigkeit; Dissonanz dagegen ist chaotische Schwingung, die das System Energie kostet, egal ob wir über ein physikalisches Feld, einen Gedanken oder einen vollgestopften Küchenschrank sprechen.

Wenn du Kohärenz im Außen erzeugst, erzeugst du automatisch Kohärenz im Innen und umgekehrt, denn du bist kein getrenntes System, sondern ein Frequenzknotenpunkt, der permanent sendet und empfängt, bewusst und unbewusst.

Alles klar soweit? Kommst du mit? Wir gehen hier einmal schnell durch, um die wichtigsten Eckpunkte klar zu haben. Bleib noch bei mir, das hier ist wichtig. Wir wiederholen nochmal …

Biologisch betrachtet ist dein Körper ein hochsensibler Energieübersetzer, der ständig Frequenzen scannt, interpretiert und in Empfindungen, Gefühle, Impulse oder Stressreaktionen übersetzt; dein Nervensystem ist nicht einfach eine Leitung für elektrische Signale, sondern ein Wahrnehmungsinstrument, das kontinuierlich registriert, ob etwas kohärent oder dissonant schwingt. Das Herzfeld - das stärkste elektromagnetische Feld des Körpers - spielt dabei eine zentrale

Rolle, denn Herz-Kohärenz ist ein messbares Phänomen: Wenn Herzrhythmus, Atmung, Emotion und Nervensystem in Harmonie schwingen, entsteht ein Kohärenzmuster, das messbar klarer, stärker und geordneter ist als jeder mentale Versuch, das Leben „unter Kontrolle zu bringen". In solchen Momenten verschiebt sich deine Wahrnehmung, weil dein Gehirn in einen Zustand tritt, in dem es Informationen anders filtert; nicht durch Angst oder Schutzprogramme, sondern durch Klarheit, Präsenz und innere Ordnung. Genau deshalb wird dein Leben leichter, wenn du kohärent bist: Du siehst die Welt anders, also reagiert die Welt anders auf dich.

Und genau das hast du in der Hand! Yes, das ist der Punkt, in dem du das Spiel des Lebens aktiv gestaltest. Ja sogar bestimmst. Das ist deine persönliche Macht, die du jeden Tag, in jedem Moment hast. Du wirkst immer. Deine Macht wirkt immer. Nur vielleicht bisher noch ziemlich unbewusst und daher sieht der Alltag eher nach Chaos als nach „geiles Spiel" aus. Aber nun darfst du lernen, diese Macht, die du ohnehin hast, für dich zu nutzen. Yes, genau das wollen wir tun!

Also, Kohärenz bedeutet, dass deine Wahrnehmung, deine Umgebung, dein Körper und dein Bewusstsein nicht mehr in verschiedene Richtungen ziehen, sondern sich gegenseitig unterstützen. Dadurch wird dein Alltag nicht mehr zu einem Chaos aus Verpflichtungen, sondern zu einem fließenden Netz aus Möglichkeiten, die sich wie von selbst ordnen, weil du geordnet bist.

Kohärente Energie = ein kohärentes Leben

Innere Energie formt äußere Energie - und äußere Energie formt innere Energie - Systeme bringen sich immer in Resonanz zueinander und du bist ein System. Ebenso wie dein Haus, dein Kalender, dein Körper, deine Beziehungen, deine Ernährung, deine Kleidung, deine Routinen. Wenn du innerlich geordnet bist, reagiert auch das Leben auf dich geordneter, weil du klarer wahrnimmst, klarer entscheidest, klarer sendest und diese Klarheit dehnt sich automatisch in alles aus, was dich umgibt. Genau wie Chaos sich ausdehnt, sobald du es ignorierst. Darum ist es kein Zufall, dass deine Termine sich leichter anfühlen, wenn deine Umgebung klar ist; dass Menschen sanfter reagieren, wenn dein Nervensystem kohärent ist; dass Kreativität spontan entsteht, wenn deine Frequenz stabil ist; dass Entscheidungen mühelos sind, wenn dein Herzfeld im Lead ist. Kohärenz ist die unsichtbare Architektur eines leichten Lebens. Sie ist das, was Struktur ohne Anstrengung entstehen lässt. Sie ist die Energie, die alles miteinander verbindet.

Und Kohärenz ist es, was wir bis in die Tiefe verstehen dürfen, wenn wir das Spiel mit der Energie zu unserem Spiel des Lebens machen wollen!

Und ja, du lebst in Kohärenz, wenn du die RKM anwendest. Sie ist das simple Werkzeug, das dich im Alltag immer wieder in Kohärenz bringt. Das hast du dir vermutlich schon gedacht, weil du bist ja 'nen ziemlich smarter Mensch, sonst hättest du schon auf Seite dreizehn aufgehört zu lesen. Aber es gibt natürlich noch sehr viel mehr, was dich zusätzlich zur RKM dabei unterstützen kann, Kohärenz im Alltag zu erleben. Schauen wir uns drei fundamentale Schichten an, die entscheiden, wie kohärent du durch deinen Alltag gehst. Sie wirken immer zusammen, wie drei Frequenzstränge eines einzigen Feldes, das du bist:

Die Umgebung (Materie & Formen)

Alles, was dich umgibt, schwingt; Möbel, Farben, Objekte, Licht, Materialien und sie beeinflussen dein Nervensystem schneller, als dein Verstand es überhaupt registrieren kann, denn dein Körper ist permanent damit beschäftigt, Informationen aus deiner Umgebung zu interpretieren.

Ein Raum in Ordnung erzeugt eine innere Ordnung. Ein Raum in Chaos erzeugt eine innere Unruhe. Du bist nie unabhängig von dem, was dich umgibt; du bist in permanentem Austausch damit.

Dein Körper (Nahrung, Schlaf, Energiezufuhr)

Der Körper ist das Übersetzungsgerät deiner Energie, das Instrument, das Schwingung in Empfindung verwandelt und je stabiler, stimmiger und genährter dieses System ist, desto klarer kann es kohärente Informationen überhaupt empfangen.

Schlaf, Nahrung, Wasser, Bewegung, Licht; das sind keine Lifestyle-Details, sondern energetische Grundlagen, die unmittelbar beeinflussen, wie stark, klar und präsent du bist.

Kohärente Energie braucht einen kohärenten Körper.

Dein Bewusstsein (Fokus, Intention, innerer Zustand)

Der tiefste Layer, der alles durchdringt, ist dein Bewusstsein; dein Fokus, deine innere Haltung, deine Bedeutung, dein Blick auf die Welt. Kurz: die RKM.

Wenn du präsent bist, sortiert sich Energie mühelos. Wenn du gestresst bist, fragmentiert sie. Wenn du klar bist, schwingt sie in Richtung Flow.

Bewusstsein ist die Frequenz, die alle anderen Frequenzen organisiert.

Wenn diese drei Ebenen in Kohärenz kommen - Umgebung, Körper, Bewusstsein -, entsteht ein energetischer Zustand, der nicht mehr „mühsam herbeigeführt" werden muss, sondern von selbst entsteht, ganz organisch, ganz ruhig, ganz selbstverständlich.

Und genau hier beginnt sich dein Alltag zu verändern; ganz einfach, weil du weniger gegen dich arbeitest.

1. Energie in deiner Umgebung - Wie Räume deine Frequenz formen

Räume sind lebendige Frequenzfelder, die auf dich wirken, dich formen, dich nähren oder dich schwächen, lange bevor du einen einzigen bewussten Gedanken dazu denkst. Denn dein Nervensystem liest Räume schneller, als dein Verstand Sprache versteht.

Und wenn ich „Raum" sage, meine ich damit alle Räume. Dein Zimmer. Dein Haus und ja, auch deine Stadt oder dein Dorf! Vielleicht bist du mal in Berlin am Potsdamer Platz gewesen und vielleicht bist du mal in Montmartre durch die Gassen spaziert. Dann weißt du genau, was ich meine. Architektur ist genauso Energie, wie Möbel oder Dekorationsobjekte. Denn ein Raum ist niemals nur ein Raum. Ein Raum ist eine Schwingung. Ein Raum ist ein vorübergehender Teil deines Bewusstseinsfelds. Und je weniger du dich selbst betäubst, desto klarer spürst du, wie fein abgestimmt dein System auf die Energie deiner Umgebung reagiert und wie deine innere Ordnung sich sofort verschiebt, wenn das Außen kohärent oder eben nicht kohärent schwingt.

Die Schwingung deiner Einrichtung

Jeder Gegenstand trägt eine Frequenz, jede Farbe, jede Form, jede Oberfläche, jedes Material hat eine energetische Signatur; und dein System spürt diese Signatur, bevor du sie interpretierst, weil dein Körper permanent abgleicht, ob er sich in diesem Feld ausdehnen kann oder ob er sich schützen muss. Deshalb weißt du intuitiv, ob ein Raum „passt", selbst wenn du nicht sagen kannst, warum. Deshalb hast du Orte, an denen du sofort durchatmest und Orte, an denen du dich unruhig fühlst, obwohl alles „schön aussieht". Deshalb fühlst du dich in manchen Wohnungen direkt zu Hause und in anderen wie ein Gast im eigenen Leben. Energetische Dissonanz zeigt sich nicht spektakulär, sie flüstert. Und sie flüstert in Körperempfindungen, die du längst kennst: ein leichter Druck im Brustkorb, gereizte Mikroreaktionen, Unruhe im Nervensystem, das Gefühl, nicht landen zu können, subtile Überforderung, obwohl nichts „Schlimmes" da ist.

Es ist nicht der Raum, der „falsch" ist, es ist einfach die Schwingung, die nicht mit deiner eigenen kohärent ist.

Genauso sind auch Materialien reine Frequenzträger und dein Körper reagiert auf sie mit einer Präzision, die wir kulturell längst verlernt, aber biologisch nie verloren haben. Naturmaterialien wie Leinen, Wolle, Holz oder Stein schwingen organisch, geerdet, kohärent, während synthetische Materialien wie Polyester, Kunststoffe und Kunstfasern elektrische, unruhige, fragmentierte Schwingungen tragen, die dein System subtil herausfordern.

Und nein, es geht hier nicht darum, „perfekt" zu leben, sondern sensibel genug zu werden, um zu merken, dass Kleidung nicht einfach Kleidung ist, sondern ein Feld, das du über Stunden direkt am Körper trägst; dass Möbel nicht einfach Möbel sind, sondern Schwingungssender; dass deine Tasse, dein Teller, deine Bettwäsche, deine Wolldecke Teil deiner täglichen Frequenz werden, ob du das bewusst wahrnimmst oder nicht.

Naturmaterialien verstärken Kohärenz. Synthetische Materialien verstärken Dissonanz. Und du spürst den Unterschied sofort; du nennst es vielleicht „Wohlfühlen", aber es ist energetische Resonanz.

Alltagsbeispiele für energetische Kohärenz in Räumen

Ein Raum in Kohärenz spricht zu dir, ohne Worte, ohne Aufforderung, ohne Mühe. Er öffnet dich. Er beruhigt dich. Er sortiert dich.

Hier ein paar Beispiele, die du sofort verstehen wirst, weil du sie schon erlebt hast:

Küche

Wenn deine Schränke klar sind, die Utensilien dort liegen, wo sie hingehören und dein Blick nicht von Stapeln, Verpackungen oder „irgendwohin geschobenen Dingen" zersplittert wird, kochst du anders, entscheidest anders, isst anders; es entsteht ein ruhiger Rhythmus, ein Gefühl von Natürlichkeit.

Schlafzimmer

Dein Bett ist ein Frequenzpunkt. Bettwäsche aus Naturmaterialien verändert dein Nervensystem. Ein Schlafzimmer voller synthetischer Stoffe, Restgerüche, Chaos oder ungeliebter Gegenstände verändert es ebenfalls. Schlafqualität ist nicht nur körperlich; sie ist energetisch.

Kleidung

Die meisten Menschen spüren es und ignorieren es: Manchmal ziehst du etwas an und deine Frequenz sinkt sofort, dein Körper wirkt schwerer, deine Laune kippt minimal. Und manchmal ist es ein einziges Kleidungsstück, das deine Energie hebt, weil es dich atmen lässt, dich wärmt, dich nicht einschnürt, dich nicht elektrisch auflädt.

Kleine Dinge tragen große Schwingung. Dein Alltag ist voll davon.

Ich möchte dir auch dazu eine kleine Geschichte aus meinem Leben erzählen. Als Kind bin ich in einem ganz schönen Chaos aufgewachsen. Unser Haus war nie sauber, nie aufgeräumt und die Möbelstücke passten nicht zueinander. Ich habe damals als Kind intuitiv mein eigenes Zimmer zu meinem Refugium gemacht und es regelmäßig umgestellt, dekoriert, mir zu Geburtstagen und zu Weihnachten Sachen wie „ein Sitzsack in Blau" oder ein „Regal mit kleinen Schubladen" gewünscht, um mir einen Ort zu erschaffen, der in Kohärenz mit mir selbst ist. Auch später waren meine WG-Zimmer immer präzise dekoriert und so gestaltet, dass ich mich wirklich richtig wohlfühlte. Nur als dann die Kinder kamen, kam das Chaos zurück. Und ich litt wirklich darunter. Als wir drei Kinder hatten, lebten wir in einer Doppelhaushälfte und obwohl ein Mal pro Woche eine Putzhilfe kam, war das Chaos IMMER präsent. Es war für mich eine der anstrengendsten Phasen meines Lebens; ich war nicht einfach nur wegen der Kinder gestresst, sondern vor allem wegen des Chaos. Als ich anfing mit der RKM zu arbeiten und mich selbst in Kohärenz zu bringen, fing ich als erstes an, auszusortieren. Viel. Sehr viel. Kisten- und beutelweise. Schließlich entschieden wir, diese Doppelhaushälfte zu verlassen und auf Reisen zu gehen. Mit fünf Koffern zogen wir damals als (dann) sechsköpfige Familie los und ich fühlte mich so frei wie nie zuvor. Nicht nur, weil wir reisten und neue Orte kennenlernten, sondern weil ich so wenig „Zeug" hatte. Ich hatte einen halben Koffer voll Kleidung, nur und ausschließlich Teile, die ich wirklich liebte und die Kinder hatten nur ihr absolutes Lieblings-Spielzeug dabei. Mehr nicht. Und ja, es war in genau der Zeit, dass ich plötzlich meine ersten sechsstelligen Monatsumsätze machte, dass ich unglaublich geniale Ideen hatte, dass das Business genauso leicht wurde, wie der Inhalt meines Koffers! Ich habe es damals noch nicht so klar erkannt, heute aber weiß ich, dass das ganz einfach eine massive Frequenz-Verschiebung war. Eine Frequenz-Veränderung von Chaos und Enge hin zu Raum und Freiheit. Und diese Veränderung zeigte sich selbstverständlich in allen Lebensbereichen und somit auch in meinem Unternehmen.

Mini-Übung: Räume energetisch testen

- **Geh in einen Raum und lege die Hand aufs Herz.**
  Beobachte die erste Körperreaktion: Ausdehnung oder Kontraktion?

- **Setz dich auf dein Sofa oder deinen Stuhl.**
  Spürst du Weite oder Anspannung?

- **Schließe die Augen.**
  Welche Mikroimpulse tauchen auf? Ruhe? Unruhe? Beobachtung? Flucht?

- **Betrachte einen Gegenstand.**
  Spürst du Kohärenz - oder spürst du Geschichte?

Schmeiß raus, was nicht kohärent ist (und bleibe dabei in deiner Selbstverantwortung)!

2. Energie in deinem Körper - Die Frequenz deiner Nahrung

Dein Körper ist kein zufälliger Haufen Biomasse, der „irgendwie funktioniert", sondern ein hochkomplexes, zutiefst sensibles, multidimensionales Resonanzinstrument, das jeden Tag, jede Sekunde, Frequenzen liest, integriert, ablehnt oder transformiert. Und er tut das mit einer Intelligenz, die der Verstand nie vollständig begreifen wird, weil dein Körper nicht denkt, er weiß. Und dieses Wissen ist energetisch.

Alles, was du zu dir nimmst, alles, was du berührst, alles, was du atmest, alles, was du isst, ist Energie, Information, Geschichte. Dein Körper reagiert darauf rein frequenzbasiert. Weil er dafür gebaut wurde, Resonanz von Dissonanz zu unterscheiden, lange bevor der Mensch überhaupt Sprache entwickelt hat. Deswegen ist Nahrung auch niemals bedeutungslos. Ganz im Gegenteil: Alles, was wir essen, hat ein Informationsfeld. Lebensmittel sind nicht nur Geschmack oder Nährstoffe. Lebensmittel sind Informationsträger. Jede Pflanze, jedes Tier, jedes Korn, jede Beere, jede Flüssigkeit trägt die Frequenz seiner Herkunft; den Boden, die Sonne, den Regen, den Stress, die Liebe, die Behandlung, die Ernte, den Transport, die Geschichte.

Nahrung ist Energie. Nahrung ist Emotion. Nahrung ist Information. Und dein Körper, dieses phänomenale Resonanzsystem, nimmt diese Information in Sekundenschnelle auf: Direkt durch das Zellfeld, durch die elektromagnetische Struktur deiner Organe, durch das Nervensystem, das ständig scannt, ob etwas Lebendigkeit in dir verstärkt oder schwächt.

Du spürst diese Informationen jeden Tag: der Apfel, der dir Weite gibt oder im Magen drückt, der Kaffee, der dich klärt oder überlädt, das Brot, das dich erdet oder müde macht, die Milch, die dein System beruhigt oder reizt, die Mahlzeit, nach der du dich ausgedehnt fühlst oder dumpf. Das ist keine „Einbildung". Das ist Biologie. Das ist Physik. Das ist Energie.

Ich möchte in diesem Zusammenhang auch unbedingt etwas über den energetischen Unterschied zwischen pflanzlicher und tierischer Nahrung teilen. Und hierbei geht es nicht um Ethik, Moral oder Ideologie, hier geht es einfach um Frequenzen. Denn ja, natürlich tragen tierische Lebensmittel die energetische Information des Zellgedächtnisses des Tieres und dieses Zellgedächtnis ist geprägt von der Erfahrung, die das Tier gemacht hat - Stress, Enge, Angst, Trennung, Schmerz - und diese Frequenzen verschwinden nicht, nur weil wir sie erhitzen oder würzen. Sie bleiben als Schwingung gespeichert und werden von uns aufgenommen.

Vor allem bei: Fleisch (Angst- und Stressinformationen), Eiern (Gefangenschaftsfrequenzen), Milchprodukten

(Trennung von Kuh und Kalb - ein massiver, gespeicherter Stress- und Verlustfaktor im Feld). Die Frage ist nicht: „Ist es gut oder schlecht?". Die Frage ist: Schwingt es kohärent mit deinem Bewusstsein? Wenn ja, ist das genauso gut, wie wenn nein. Die meisten Menschen spüren die Antwort längst. Sie hören sie nur zu selten. Ist die Energie von forcierter Trennung (Kuh und Kalb) kohärent mit deiner? Wenn ja, wunderbar. Wenn nein, genauso wunderbar. Die Energie von einem erst gefolterten und dann geschlachteten Tier - ist sie kohärent mit dir? Wenn ja, wunderbar. Wenn nein, genauso wunderbar. Sei einfach ehrlich mit dir selbst, denn Energie lässt sich nicht austricksen. Energie ist.

Pflanzen tragen (je nach Anbau unterschiedlich stark) im Übrigen Sonnenenergie, Photonen, Lebendigkeit, Wachstum, Stille; ihre Frequenz ist leichter, harmonischer, weil sie kein zelluläres Traumagedächtnis haben, sondern Lichtinformationen, die dein Körper intuitiv erkennt. Und nein, das ist keine Spiritualität, das ist wieder nur schnöde Physik. Messbar. Nachweisbar. Einfach da. Wie Energie eben ist. Einfach da.

Und was ist mit natürlichen vs. behandelten Lebensmitteln? Auch hier wird es ganz einfach, wenn du Energie verstehst: Bio-Lebensmittel: natürliche, kohärente Felder. Schwachpestizid-belastet: leicht gestört, teilweise kohärent. Stark pestizid-belastet: dissonant, fragmentiert, irritierend für das Nervensystem. Verarbeitete Lebensmittel erzeugen Dissonanz, nicht weil sie per se „ungesund" sind, sondern weil ihr energetisches Feld gebrochen ist und daher in Dissonanz mit deinem Feld schwingt. Je stärker etwas industriell verändert wurde, desto weniger kohärent ist seine Informationsstruktur. Frische, lebendige Pflanzen tragen Photonen (Lichtteilchen) und diese Photonen erhöhen messbar die Kohärenz im Körper.

Und ich wiederhole nochmal: es geht nicht um richtig oder falsch, denn Energie kennt kein richtig oder falsch. Es geht einfach darum, ein Bewusstsein dafür zu bekommen, was dich trägt (was kohärent ist) und was dich erschöpft. Denn das Leben wird dann easy, wenn es in Kohärenz fließt und nicht, wenn es innerlich immer gegen alles Mögliche ankämpft.

3.   Frequenzen bewusst wählen - Wie du Energie intelligent einsetzt

Lass uns über diesen subtilen Moment im Alltag sprechen, den wir zu selten beachten: den Moment, in dem du spürst, dass du eine Wahl hast: eine Wahl zwischen Frequenzen!

Jede Entscheidung, so klein sie ist, trägt eine Schwingung, die sich mit deiner eigenen verbindet und dich entweder klarer macht oder diffuser, leichter oder schwerer, offener oder dichter und genau an dieser Schwelle beginnt das bewusste Energiemanagement, das aus einem tiefen inneren Ja zu dem, was wirklich mit dir schwingt, besteht.

Bewusste Frequenzwahl bedeutet, dass du dein Leben nicht mehr über den Kopf organisierst, sondern über deine Resonanz; dass du spürst, was dich trägt und was dich beschwert; dass du erkennst, wie selbstverständlich dein System dich führen würde, wenn du ihm endlich wieder zuhörst. Es ist der Punkt, der aus dem Leben ein Spiel macht, in dem du das Gefühl hast, getragen zu sein; anstatt zu kämpfen, um irgendwie zu gewinnen.

Resonanz ist hierbei das Grundprinzip von Energie: Gleiches verstärkt Gleiches. Kohärenz zieht Kohärenz an. Wenn du diese einfache Wahrheit einmal wirklich verstanden hast, wird deine Wahrnehmung weicher und gleichzeitig schärfer, weil du plötzlich nicht mehr versuchst, Entscheidungen zu begründen, sondern sie wahrnimmst und sie dann triffst, ohne Drama, ohne Rechtfertigung, ohne mentalen Overload. Du spürst, welche Tasse deine Energie stabilisiert, welche Socken deinen Körper beruhigen, welche Bettwäsche deinen Schlaf öffnet, welche Materialien dich nähren, welche Farben dich weiten, welche Räume dich stärken. Kleine Entscheidungen tragen große Energie. Und du triffst hunderte davon jeden Tag.

Dein Leben in Kohärenz zu bringen, bedeutet hierbei nicht immer, Dinge wegzuwerfen, sondern Frequenzen zu befreien; nicht (sofort) radikal zu werden, sondern ehrlich; nicht asketisch zu leben, sondern einfach immer im JETZT kohärent. JETZT gerade ist es vielleicht einfach die müllige Ecke in der Küche, die für Dissonanz sorgt. Ein einziger Punkt. Und wenn die weg ist, erkennst du vielleicht, dass dein Job eigentlich schon ewig nicht mehr passt. Und so geht es weiter. Immer in Veränderung. Immer in Bewegung. Es geht einfach darum, step by step Dissonanzen sichtbar zu machen, die du so lange normalisiert hast, dass sie wie Alltag wirken, obwohl sie längst als kleine Störsender in deinem Feld liegen. Nimmst du die Störsender wahr, veränderst sie und gehst währenddessen mit der RKM liebevoll durch die Gefühle, die dabei hochkommen, so wird sich das Leben von Tag zu Tag stets ein wenig mehr anfühlen, als wenn du wirklich getragen bist und wirklich alles easy ist. Und ja, das geht step by step. Du weißt jetzt gerade mindestens eine Sache ganz klar, die einfach nicht stimmig ist. Und mit der fängst du an. Und von da gehst du weiter. So bringst du all dein Wissen über die Illusion der Realität und über deine eigene Wirksamkeit in die gelebte Erfahrung. Denn mit jedem Punkt in deinem Leben, den du in Kohärenz bringst, verstehst du tiefer und tiefer, was du hier alles kognitiv aus diesem Buch gezogen hast.

Also, fühl mal rein: Was bringt deine Frequenz in Dissonanz? Überladene Räume? Hektische Muster? Zu viel Bildschirmenergie? Synthetische Materialien? Schwere Nahrung? Hektische Gespräche? Unbeachtete Mikroverspannungen im Körper? Dinge, die du nur aufhebst, um anderen zu gefallen?

Routinen, die eigentlich schon tot sind? Menschen, die dich nerven?

Und was ordnet deine Frequenz? Klarheit? Ordnung? Luft? Licht? Stille? Präsenz? Natürliche Materialien? Bewusst gewählte Nahrung? Räume, die dich atmen lassen? Entscheidungen, die sich wie du anfühlen?

Oder etwas ganz Anderes? Finde es für DICH heraus!

Und nochmal: Es geht nicht um das „Loswerden" im klassischen Sinne, sondern vielmehr um ein Zurückkehren; zu dem Zustand, in dem dein System tatsächlich einfach smooth funktioniert: offen, klar, präsent, in sich ruhend. Denn wenn wir uns erinnern, dass alles Energie ist und diese Energie keinen Anfang und kein Ende kennt, dann können wir nichts „loswerden". Weil Energie immer einfach ist.

Ich will meine kleine Geschichte von weiter vorne noch fortführen, um dir noch klarer zu zeigen, was ich mit dem Step by Step Gequatsche gemeint habe. Ich hatte vorhin angefangen, dir zu erzählen, wie wir mit vier Kindern und fünf Koffern Deutschland verließen. Wir wanderten also aus und plötzlich explodierte mein Business und wir hatten so immer mehr und mehr Geld zur Verfügung. Was machten wir mit diesem Geld? Dieses Geld steckten wir in immer schönere und schönere Unterkünfte! Wir achteten besonders auf die Aussicht (Weite), die Größe der Räume (Luft!), die Größe der Fenster (Raum!) und die Optik der Innenausstattung. Jeden Monat, wenn wir ins nächste Airbnb zogen, erlaubten wir uns einen weiteren Schritt zu noch mehr Kohärenz. Step by Step machten wir die gelebte Erfahrung davon, was es heißt, wenn das Außen das Innen beeinflusst und das Innen das Außen. Und es wird dich nun sicherlich nicht überraschen, dass unser Weg zu mehr beruflichem Erfolg, zu mehr innerer Erfüllung, zu enorm viel mehr Frieden innerhalb der Familie (zwischen den Kindern und zwischen Eltern und Kindern) und zu mehr

Kohärenz in der Partnerschaft, Hand in Hand mit diesen Wohnorten ging. Die Orte waren offen - ich war offen! Die Orte luden zur Präsenz ein (Aussicht aus den großen Fenstern) - ich war präsent! Die Orte waren farblich und von den Materialien her in einer angenehmen Ruhe - ich war in Ruhe!

Wir können uns von Energie tragen lassen; oder wir lassen uns von ihr beschweren. Und das Wunderschöne ist: wir können es einfach entscheiden! Tag für Tag, Moment für Moment können wir uns fragen: behalte ich die Dinge, die mich beschweren? Bleibe ich an einem Ort, der mich jeden Tag ins innere Chaos führt? Und ich wiederhole nochmal: dabei geht es nicht darum (sofort) radikal zu werden, sondern sich einfach mal ehrlich umzuschauen und Tag für Tag für kleine kohärente Schritte zu entscheiden. Denn ja, der Verstand glaubt gerne, dass große Veränderungen große Entscheidungen brauchen, aber Energie arbeitet tatsächlich ganz anders: sie verschiebt sich in Mikroimpulsen, in kleinen Richtungsanpassungen, in alltäglichen Resonanzpunkten, die sich addieren und irgendwann deine gesamte Frequenz tragen.

Mikroentscheidungen sind wirklich und wahrhaftig das unsichtbare Fundament eines kohärenten Lebens: Kleidung wählen, die dein Nervensystem trägt statt reizt, Lebensmittel wählen, die lebendig sind und dir Energie geben, Räume gestalten, die dich weiten, statt dich innerlich zusammenzuziehen, Gedanken neu ausrichten, indem du die Aufmerksamkeit von Drama auf Präsenz verschiebst, Wasserqualität erhöhen, weil Wasser ein Speicher- und Transportmedium für Schwingung ist, dich mit Menschen umgeben, die mit dir räsonieren. Diese Entscheidungen wirken klein, aber Energie kennt kein „klein" und „groß". Energie kennt nur Dissonanz und Kohärenz. Groß und Klein sind wieder einmal nichts weiter als menschliche Bewertungen. Energie ist immer perfekt präzise und so viel mächtiger, als du vielleicht gerade glaubst. Diese kleinen Entscheidungen wirken vielleicht unscheinbar, aber sie sind enorm transformativ und sie sind schlicht und ergreifend der effizienteste Weg, Energie bewusst einzusetzen, ohne, dass dein Leben komplizierter wird. Im Gegenteil. Es wird leichter. Immer leichter. Fast schon unverschämt leicht. Ja, tatsächlich fühle ich mich immer noch manchmal so, als würde ich schummeln. Weil das Leben so leicht ist, weil sich alles immer in perfekter Leichtigkeit ergibt, weil alles so flowed. Und würde ich all das Hintergrundwissen aus Teil Eins nicht haben, dann würde ich mich bestimmt kaum trauen, jemandem zu verraten, wie easy so ein Menschsein-Leben sein kann. Glücklicherweise habe ich aber all das Wissen und somit weiß ich auch: ich schummle nicht, ich habe einfach verstanden, wie das Spiel funktioniert und ich spiele es.

Habe ich gerade „spielen" gesagt ... ach ja, da wollten wir ja noch tiefer eintauchen!

4.   Mit Energie spielen - Der kreative Teil

Eigentlich Eigentlich war all das, was wir bis hierher besprochen haben, ja auch nichts weiter als ein Spiel mit der Energie. Ein Spiel mit dem Leben. Und gleichzeitig will ich mit dir gerne noch tiefer in das „verrückte" Spielfeld eintauchen. Dazu darfst du wissen, dass Spielen nicht das Gegenteil von Ernsthaftigkeit ist, sondern das Gegenteil von Anstrengung. Und genau hier entsteht Magie.

Also, springen wir direkt rein: Energie folgt Bewusstsein. Bewusstsein folgt Fokus. Fokus folgt Intention. Das bedeutet: Du kannst Energie verändern, ohne etwas im Außen zu verändern; und genau das ist das eigentlich Elegante an Frequenzarbeit. Hier sind Wege, wie du ohne eine einzige Handlung und ohne irgendein kompliziertes Ritual sofort deine Wahrnehmung (und somit deine Realität) veränderst:

Fokus

Das, worauf du dich fokussierst, verstärkt sich. Wenn du den Fokus bewusst weich machst - oder klar - shiftet das gesamte Feld. Fokussiere dich heute zum Beispiel auf Genuss; und du wirst deinen Tag komplett anders erleben (dir eine andere Realität schaffen).

Herzfeld

Ein kurzer Drop ins Herz (eine sanfte Mini-Öffnung nach unten) verändert dein elektromagnetisches Feld in Sekunden. Du sendest anders. Du empfängst anders.
Du wirst anders. Probiere es direkt aus: Aufmerksamkeit ins Herzfeld, wahrnehmen. Fertig.

Mikrointentionen

Keine großen Ziele. Keine Manifestationsdramen. Ein kleiner Satz, ein stilles inneres Bild, ein liebevolles, aber klares „Da lang". Das reicht.

Wie das aussieht? „Ich habe heute den perfekten Parkplatz". „Heute lächeln mich alle an". „Der nächste Song aus Spotify ist nur für mich geschrieben". Etc.

Die 3-Minuten-Kohärenz-Praxis

Diese kleine Praxis ist wie ein Reset-Knopf - ideal für zwischendurch, vor Calls, zwischen Terminen, nach Streit, beim Einkaufen, überall:

- **1 Minute - Atmen:**
  Weich, tief, durch die Nase.
  Die Ausatmung etwas länger durch den Mund.
  Herzrate sinkt. Feld ordnet sich.

- **1 Minute - Herzfeld aktivieren:**
  Fokus in die Brust.

Volle Aufmerksamkeit im Herzraum.
Einfach Wahrnehmen.

- **1 Minute - Frequenz wählen:**
  Nicht denken: fühlen.
  Leicht? Klar? Ruhig? Stark?
  Welche Frequenz wählst du?

Und jetzt kommt der noch spielerischere Teil; die Beispiele, die alles lebendig machen. Sie sind alle alltagstauglich, sofort anwendbar und absolut nondual zu verstehen, nimm sie als Inspiration, um selbst noch viel mehr zu spielen. Denn das Einzige, was Energie einschränkt, ist unsere eigenen Kreativität (die wiederum von deinem Nervensystem beeinflusst wird, wie du weißt).

Hier sind einige Ideen, füge beliebig viele Spiele hinzu:

Alltagstaugliche Energie-Experimente

Zeit dehnen

Zeit ist Wahrnehmung, kein festes Ding. Wenn du in Kohärenz gehst, wechselt dein Nervensystem in einen Zustand, der mehr Informationen pro Sekunde verarbeiten kann; die subjektive Zeit dehnt sich.

So machst du es:

- Wahrnehmung in den Herzraum.

- Atem verlängern.

- Intention setzen: „Die nächste Stunde fühlt sich an, wie 20 Minuten" oder „In den nächsten 60 Minuten schaffe ich so viel, wie sonst in drei Stunden" oder „Ich bin in exakt 20 Minuten zu Hause."

- Körper entspannen.

- Fertig

Eine Übung, die meine Kunden seit Jahren lieben und mittlerweile in absoluter Selbstverständlichkeit täglich anwenden. Viele schreiben mir immer noch regelmäßig: Ich weiß gar nicht mehr, wie sich Stress anfühlt, denn ich bin ja die Zeit!

Telepathie üben

Telepathie ist nichts Mystisches; es ist kohärente Informationsübertragung zwischen zwei Feldern.

Mikro-Übung:

- Denk an eine Person.

- Spür nicht an sie, sondern in sie.

- Sende ein Gefühl, kein Wort.

- Schau, ob sie sich meldet; oft innerhalb von Minuten oder Stunden.

Passiert ständig. Die meisten nennen es Zufall. Es ist Kohärenzkommunikation.

Telekinese üben

Telekinese ist kein Hollywood. Es ist das feinste Zusammen-spiel zwischen Aufmerksamkeit, Erwartung, Feld und Mikro-bewegung.

Spiel-Übung:

- Stell ein leichtes Objekt hin (Papier, Strohhalm).

- Aufmerksamkeit in den Herzraum

- Nimm das Objekt als Teil deines Feldes wahr.

- Sende keinen „Willen", sondern öffne dich einfach.

- Lass Bewegung im Feld entstehen und beobachte, wie das Papier sich bewegt.

Klingt verrückt? Lies nochmal Teil 1 und erinnere dich: Ist doch alles die gleiche Energie! Auch die Luft und das Papier.

Parkplätze manifestieren

Das klassische Alltagsbeispiel, das immer wieder perfekt zeigt, wie Frequenz und Realität zusammenarbeiten.

So funktioniert's:

- Aufmerksamkeit in den Herzraum.

- Einmal innerlich lächeln.

- „Ich bin im Flow" fühlen.

- Parkplatz als bereits da fühlen.

- Weiterfahren.

Ergebnis:
Der Parkplatz wartet bereits.

Funktioniert auch mit allem anderen - nicht nur mit Parkplät-
zen.

Wartezeiten verschieben

Wenn du in Kohärenz gehst, reagiert das Umfeld sofort; Menschen öffnen, entspannen, ordnen sich um dich herum.

- Herz-Kohärenz aktivieren.

- Ein sanftes Inneres „Ich bin sofort dran".

- Und plötzlich öffnet sich eine neue Kasse, ruft jemand
  deinen Namen, oder die Schlange bewegt sich doppelt
  so schnell.

Gespräche energetisch lenken

Nicht manipulativ. Kohärent.

- Herz öffnen.

- Frequenz von Klarheit fühlen.

- Person als Feld wahrnehmen, nicht als „Gegenüber".

- Und dann wahrnehmen.

- Der Rest fließt.

Begegnungen verändern sich unmittelbar.

Deine Umgebung in Kohärenz bringen

Kohärenz bleibt nicht in dir, sie breitet sich aus. Dein Herz erzeugt das stärkste elektromagnetische Feld deines Körpers
und dieses Feld wirkt mehrere Meter über dich hinaus. Sobald dein Herzrhythmus in einen klaren, harmonischen Zustand fällt, beginnt dein Umfeld automatisch mitzuschwin-
gen, weil geordnete Systeme ungeordnete Systeme
regulieren.

Darum beruhigen sich Kinder sofort, wenn du kohärent wirst. Darum öffnen sich Partner. Darum entspannen sogar Fremde in deiner Nähe. Vielleicht kennst du so jemanden; er kommt in den Raum und sofort wird alles irgendwie harmonischer. Das ist kohärente Schwingung und wir alle können das.

Intuition in Sekunden abrufen

- Drop ins Herz.

- Frage.

- Nicht nachdenken.

- Ersten Impuls wahrnehmen.

- Fertig.

Energetische Richtungswechsel im Alltag

Wenn etwas hakt:

- Stop.

- Atmen. Herzraum fühlen

- Anerkennen, was gerade ist (RKM).

- Ruhe in der Anerkennung wahrnehmen

- Weitergehen.

Du wirst sehen, wie sich Situationen innerhalb von Sekunden verändern.

Mikromanifestationen

Die besten Spielereien:

- Das für dich passende Lied im Radio.

- Ein Kompliment zur richtigen Zeit.

- Nachrichten, die exakt passen.

- Der perfekte Platz im Café.

- Eine Begegnung, die du innerlich „gerufen" hast.

- Ein Geschenk von jemandem.

Wie oben bereits gesagt, kannst du diese Liste ewig fortsetzen. Wir können mit Energie beliebig spielen. Die Sache ist die: jetzt gerade tust du es ja auch, du tust es absolut immer und ausnahmslos. Gerade beeinflusst du die Energie. Jetzt auch. Jetzt auch. Und du kannst eben einfach entscheiden, ob du es bewusst oder unbewusst machst. Ich betone das hier nochmal so, weil manche Menschen Angst haben, sie würden ihr Umfeld manipulieren, wenn sie Energie bewusst lenken. Und ich muss darüber immer schmunzeln. Denn das würde ja bedeuten, dass du jetzt gerade mit deiner Energie nicht dein Umfeld manipulierst. Und Energie nur dann tatsächlich etwas formt, wenn du sie bewusst lenkst. Aber das ist ja, wie du mittlerweile weißt, absoluter Quatsch. Wenn du ignorierst, dass alles Energie ist und so tust, als wärst du deinem Umfeld ausgeliefert, dann manipulierst du dein Umfeld genauso viel oder wenig, wie wenn du anerkennst, dass alles Energie ist und dir bewusst machst, dass du kein bisschen ausgeliefert bist. Du wirkst ja immer. Ausnahmslos. Und deine Energie formt immer die Einheit von allem, was ist. Du darfst einfach wählen, ob du es bewusst oder unbewusst machst.

Dieses Kapitel darf dich immer wieder erinnern, dass Energie nicht nur Theorie ist, sondern Alltag und dir zeigen, dass die Grenze zwischen „normal" und „magisch" einzig deine Wahrnehmung ist. Und dann spürst du plötzlich auch nochmal auf einer anderen Ebene, dass Energie nie gegen dich war, nie kompliziert, nie hierarchisch, nie „höher" oder „niedriger", nie „gut" oder „schlecht", sondern immer nur ein

Spiegel deiner eigenen, inneren Ordnung, ein Echo deiner Frequenz, ein Ausdruck deines Bewusstseins.

Energie arbeitet nicht *für* dich.
Energie arbeitet nicht *gegen* dich.
Energie arbeitet *als dich.*

Sie reagiert auf nichts außer dir; deinem Fokus, deinem Nervensystem, deinem Herzen, deiner inneren Klarheit. Und was du „Realität" nennst, ist nichts anderes als der Ausdruck dieser Frequenz, die du bist, ob bewusst oder unbewusst. Sobald du erkennst, dass du Energie nicht kontrollieren musst, sondern nur wählen, beginnt das Leben so wundervoll leicht zu werden. Es weitet sich. Es sortiert sich. Es richtet sich aus. Und es antwortet: immer, sofort, ohne Umwege, ohne Moral, ohne Drama.

Und dabei ist mir auch hier nochmal wichtig, zum hundertsten Mal zu wiederholen: Es gibt keine negative Energie! Es gibt nur Dissonanz und Dissonanz ist keine Strafe. Dissonanz ist einfach eine Information. Sie sagt dir, wo du dich selbst verlassen hast; wo du nicht mehr in deiner natürlichen Kohärenz bist. Und Kohärenz ist einfach dein ursprünglicher Zustand. Und genau deshalb fühlt sich Kohärenz nicht „besonders" an. Sie fühlt sich einfach an wie du. Aber genau dieses Gefühl von „einfach ich" kennen die meisten von uns gar nicht mehr. Und vielleicht ist genau das tatsächlich der größte Shift: dieses Erkennen davon, dass Leichtigkeit kein Lifestyle ist, sondern einfach die energetische Konsequenz von dir selbst in Kohärenz. Wenn alles eins ist, ist alles easy; aber eben nicht erst dann, wenn nichts in dir mehr gegen dich arbeitet. Sondern dann, wenn du dir erlaubst, in Kohärenz mit dir selbst zu sein. In dem Moment, wo du dich anerkennst, darf die Energie fließen und in dem Moment wird alles leicht. Easy eben.

Alles klaro soweit? Dann lass uns nun noch ein paar Seiten nutzen, um all das hier auf die größten Themen des Lebens zuzuschneiden: Kommunikation, Beziehung, Geld, Gesundheit und Tod. Ready for that?

Kapitel 3: Kommunikation, Beziehung und Familie aus Perspektive der RKM

In diesem Kapitel möchte ich das theoretische Wissen aus dem Buch noch mehr in die ganz alltägliche Praxis bringen. Die nonduale Perspektive hat mein Leben in absolut allen Lebensbereichen revolutioniert und die konsequente Anwendung der Rosa Koppelmann Methode hat nicht nur zu beruflichem Erfolg und finanzieller Fülle geführt, sondern auch die Beziehung zu meinem Mann und meinen Kindern komplett verändert. Von einer ständig gestressten Mutter wurde ich zu einer entspannten Partnerin und liebevollen Begleiterin meiner Kinder.

Let's dive in.

Familie ist einer dieser Begriffe, der sich in den meisten Köpfen immer irgendwo zwischen zwei Polen hin und her bewegt. Da ist einerseits das perfekte Pinterest-Board: helle Küche, lachende Kinder, ein Partner, der zufällig gerade emotional verfügbar ist, während er gleichzeitig Brotdosen schmiert. Und dann ist da dein echtes Leben: ein Kind schreit, weil die Banane „falsch" geschält wurde, eins diskutiert die Existenzberechtigung von Socken, dein Partner fragt, wo irgendwas ist, das seit drei Jahren am selben Ort liegt und du stehst dazwischen und fragst dich wirklich ernsthaft, wie du diesen Tag überstehen sollst. Und genau an dieser Stelle will ich etwas mit dir klären, bevor wir auch nur einen einzigen Satz über Kommunikation oder die Anwendung der RKM sagen:

Familie ist dazu da, dich selbst zu erkennen!

Ich weiß, das klingt fies, aber Familie ist einfach das ehrlichste Trainingslager für Bewusstsein, das dieser Planet zu bieten hat. Du kannst im Business super bewusst sein. Du kannst auf Retreats strahlen wie eine Kerze. Du kannst in Meditation die Einheit fühlen, als würdest du mit dem

Göttlichen auf einer Wolke liegen und euch gegenseitig süße Komplimente machen. Und dann kommt dein Vierjähriger, wirft dir einen Blick hin, der irgendwo zwischen „kleiner Buddha" und „italienischer Mafia-Boss" liegt und sagt: „NEIN." Und plötzlich ist es vorbei mit der Erleuchtung. Willkommen im echten Spiel! Denn hier reicht es nicht, etwas verstanden zu haben. Hier reicht es nicht, etwas zu wissen. Hier reicht es nicht einmal, etwas erlebt zu haben. Familie fragt nicht nach deiner spirituellen Biografie. Sie fragt nicht, wie viele Bücher du gelesen hast oder welche Einsichten du hattest. Familie fragt nur eins:

Kannst du hierbleiben, wenn es eng wird? Kannst du präsent bleiben, wenn dein Nervensystem feuert? Kannst du fühlen, ohne sofort zu reagieren? Kannst du dich selbst halten, während um dich herum alles gleichzeitig passiert? Und wenn nicht - dann zeigt dir deine Familie das. Sofort. Ehrlich. Ohne Umwege.

Wenn du im Familienleben das Gefühl hast, ausgeliefert zu sein, dann macht alles andere auch nicht so richtig Spaß, weil du dann ständig im Entweder-oder festhängst. Entweder ich bin völlig in Peace ODER in bin mit meiner Familie zusammen. Aber so hast du immer nur die Hälfte vom Leben. Daher lass uns da tiefer eintauchen.

Familie ist ein Energiefeld. Ein räsonierendes System. Ein Mobile, bei dem ein kleiner Fingerstupser an einer Ecke das ganze Konstrukt in Bewegung bringt. Und du kannst das Mobile nicht „kontrollieren". Du kannst es nur wahrnehmen. Ein Feld bedeutet: Alles wirkt auf alles. Das, was in dir angestaut ist, sucht sich keinen Umweg über Worte oder Erklärungen. Es schwingt. Und diese Schwingung wird im Feld aufgenommen. Manchmal durch ein Kind, das plötzlich „schwierig" wird. Manchmal durch eine Eskalation aus dem Nichts. Manchmal einfach durch diese diffuse Spannung, bei der alle irgendwie gereizt sind, ohne zu wissen warum. Das

Entscheidende ist: Das Feld reagiert nicht moralisch. Es bewertet nicht. Es spiegelt völlig neutral. So wie wir es jetzt schon kennen von dieser bedingungslosen Energie, die alles ist, was ist. Spiegel wollen nichts von dir, sie zeigen nur völlig gleichgültig das, was gerade da ist. Du kennst das aus deinem Alltag: Du kommst nach Hause, sagst noch kein Wort und trotzdem ist sofort klar, ob du heute weich bist oder auf Krawall gebürstet. Und deine Kinder müssen dafür nicht „hellsichtig" sein. Sie brauchen keine Aura-Lesung. Sie brauchen nur ihr Nervensystem. Denn das ist, wie du weißt, ein unfassbar feines Messgerät. Das bedeutet übrigens auch: Du kannst dir die „richtigen Worte" sparen, wenn deine Energie gerade „falsch" funkt. Und andersrum: Du kannst die Worte auch mal total unperfekt wählen, wenn dein Feld klar ist. Denn das, was in Beziehungen wirkt, ist nicht primär Sprache. Es ist wieder einmal unser alter Lieblingsbegriff: Kohärenz.

Oder in Rosa-Deutsch: Deine Familie reagiert nicht darauf, was du sagst. Sie reagiert darauf, was du bist, während du es sagst.

Und jetzt atme einmal kurz. Weil wenn du das wirklich hörst, kann das im ersten Moment entweder befreiend sein oder dich kurz an den Rand eines existenziellen „Oh Gott, dann muss ich ja wirklich ehrlich werden" bringen.

Ja. Genau das! Genau DAS ist es!

Lass uns in diesem Zusammenhang auch direkt über Partnerschaft reden. Nicht über das romantische Konzept, sondern über das, was passiert, wenn zwei Nervensysteme versuchen, sich zu lieben, während sie gleichzeitig ihr ganzes eigenes Zeug mitbringen. Denn Beziehung ist nicht nur Nähe, Beziehung ist natürlich ebenfalls ein Spiegel. Beziehung ist Trigger. Beziehung ist manchmal auch: du liebst jemanden sehr und trotzdem würdest du ihn in gewissen Momenten gerne in eine Kiste packen und für vier Stunden in den Keller stellen, damit du in Ruhe atmen kannst. (Natürlich nur liebevoll. Wir sind ja bewusst.).

Und jetzt kommt etwas Wichtiges: Beziehung bringt dich nicht an deine Grenzen; sie zeigt dir, wo deine Grenzen sowieso schon sind! Diesen Satz hier kannst du dir gerne rot anstreichen und immer wieder lesen: Beziehung bringt dich nicht an deine Grenzen; sie zeigt dir, wo deine Grenzen sowieso schon sind!

Deshalb fühlen sich manche Begegnungen so existenziell an. Nicht, weil der andere so mächtig ist, sondern weil er etwas in dir berührt, was lange still, aber dennoch immer schon da war. Etwas, das gesehen werden will. Etwas, das aufgehört hat, sich anzumelden, weil es irgendwann gelernt hat, dass es sowieso keinen Platz bekommt. Das bedeutet: Der andere ist nicht „gegen dich"! Nie! Er ist ja auch nur Teil von allem was ist - also auch von dir. Der andere berührt in dir einfach etwas, das gerne von dir gesehen werden will. Tatsächlich arbeitet ihr permanent im Team (genau wie mit deinen Kindern): es wird dir gezeigt, was bei dir in Dissonanz ist, damit du es erkennen und in Kohärenz bringen kannst. Genau für dieses Erkennen ist die RKM so unglaublich wertvoll und hat für mich persönlich einfach alles verändert. Und wenn ich sage „alles", dann meine ich „alles". Ich habe so viele Jahre das Außen verantwortlich gemacht: meinen Mann, die Kinder, das System, die Politik, die anderen Menschen. Sie waren schuld daran, dass ich gestresst oder genervt war oder dass ich mich nicht gut genug gefühlt habe, oder oder oder. Aber dein Gegenüber ist immer nur der Auslöser. Niemals die Ursache. Nochmal: NIEMALS die Ursache! Und ich schreibe das doppelt, weil ich weiß, dass du das nicht lesen willst. Weil wir es lieben, Verantwortung ab- und anderen die Schuld zu geben. Nur, die Ursache für alles in deinem Leben liegt in deinem ganz eigenen System; in deinen Prägungen, in deinen Erwartungen, in deinen ungefühlten Emotionen, in deinem Code. Und bevor du jetzt denkst: „Na super, also bin ich an allem schuld!", kurz nochmal stopp! Aus einer nondualen Perspektive macht Schuld keinen Sinn. Wenn alles eins ist, wer ist dann bitte gerade schuld daran, dass du fühlst, was du fühlst, während dein Gegenüber fühlt, was er fühlt? Ihr seid ein Resonanzfeld. Eine Einheit. Energie, die miteinander schwingt. Untrennbar verbunden. Ohne Anfang, ohne Ende. Schuld-Zuweisungen funktionieren einfach nicht, wenn wir uns die Quantenphysik anschauen. Und, was ja wiederrum wirklich einfach fantastisch ist: wenn niemand wirklich schuld ist, dann musst du auch nicht warten, bis jemand sich ändert, damit du frei sein darfst! Und das ist der mächtigste Punkt überhaupt. Das heißt: anstatt dich jetzt zu ärgern, dass irgendjemand „schuld" an deinem Leben, deiner Beziehung, deiner Familiensituation bist, kannst du dir stattdessen etwas bewusst machen; du hast in jedem Moment die Macht, alles zu verändern! Das kann sich zuerst bitter anfühlen. Fast unfair. Denn natürlich ist es viel bequemer, einen klaren Schuldigen zu haben. Aber genau hier liegt die nonduale Wendung: Wenn der andere nicht die Ursache ist, dann bist du auch nicht ausgeliefert. Dann hängt deine Freiheit nicht an seinem Verhalten. Dann beginnt Beziehung nicht mehr im Außen, sondern bei dir: Im Zugang zu deinem eigenen System. Zugang zu deinen Emotionen. Zugang zu deiner tiefsten Wahrheit.

Das ist der Moment, in dem sich Beziehung von „Wer hat Recht?" zu „Wer wird wahr?" verschiebt; und damit verschiebt sich alles. Wirklich alles. Ich spreche aus Erfahrung mit 17 Jahren Beziehung und vier Kindern!

Und jetzt kommt direkt das Nächste, was ich dir wirklich ans Herz legen will, weil es so viele Beziehungen rettet, ohne, dass man dafür ein einziges Kommunikationsseminar braucht:

In Beziehung geht es nicht darum, Konflikte zu vermeiden. Es geht darum, nicht mit dem „ich" in sie einzuziehen. Was ich damit jetzt schon wieder meine? Also, du kennst diesen Moment: Ein Satz fällt. Ein Blick. Ein Ton. Und zack - du bist drin. Im alten Film. In der Geschichte. In der Ich-Identität, die wir vorhin ausführlich besprochen haben. Und plötzlich diskutiert ihr nicht mehr über die Spülmaschine, sondern über die Frage, ob du in diesem Leben jemals geliebt wirst. Und das ist nicht mehr Kommunikation, das ist ein Nervensystem-Event, denn in diesem Moment reagiert ein innerer Zustand, der viel älter ist als die Situation selbst. Und genau deshalb hilft argumentieren und diskutieren hier kein bisschen. Auch nicht erklären. Recht haben erst recht nicht. Weil dich das alles in deiner „Ich-Geschichte" hält. Dein Ego feuert so lange, bis du etwas ganz Einfaches machst: in die Präsenz kommen. Und genau da erscheint die RKM wieder im Spiel: Du bleibst im Jetzt, statt dich in der Geschichte zu verlieren. Du steigst aus der Geschichte aus. Du spürst, was wirklich gerade an Gefühlen da ist. Und du wählst, ob du gerade Drama füttern willst oder Wahrheit. Du nimmst bewusst wahr: was fühle ich gerade? Wo sitzt das Gefühl? Du erkennst das Gefühl an. Im Hier und Jetzt.

Ja, ich weiß, das Ego liebt Drama. Drama ist sein Lieblingssport. Drama ist das Fitnessstudio des getrennten Ichs. Da kann es richtig pumpen: „Ich bin verletzt! Ich bin missverstanden! Ich habe Recht! Du bist falsch!" Und dein Ego ist sehr stolz, wenn es danach Muskelkater hat. Das Ego verwechselt Intensität gern mit Tiefe. Lautstärke mit Wahrheit. Drama mit Bedeutung. Und solange du mitten in diesem Sog steckst, fühlt es sich real an. Erst wenn du einen Schritt zurücktrittst, wird sichtbar, dass du einfach gerade kurz vergessen hast, dass du einen Film spielst, für den du dich in jedem Moment entscheiden - oder eben nicht entscheiden - kannst.

Bist du bereit für mehr? Wenn du neu in der nondualen Perspektive bist, dann ist all das hier gerade schon ein ganz schöner Stretch für dich. Ich hoffe sehr, Teil Eins hat dich gut vorbereitet. Denn falls du dachtest, ich bleibe einfach bei der netten Theorie von oben, dann liegst du leider daneben. Easy wird es eben erst, wenn all das wunderbare Wissen aus der Quantenphysik und Neurobiologie tatsächlich gelebt wird und du nicht nur darüber nachdenkst und es interessant findest.

Gehen wir also nochmal tiefer in die Kommunikation, die wir gerade kurz angeschnitten haben und sprechen über Frequenz. Ja, Kommunikation ist natürlich auch einfach Frequenz. Worte sind zweitrangig, denn sie werden lediglich von der Frequenz getragen. Sie sind quasi wie Wasser und die Frequenz ist, ob du dieses Wasser gießt, ertränkst, mit dem Hochdruckreiniger raus presst oder tröpfelst. Es bleibt immer Wasser; und bringt doch komplett unterschiedliche Ergebnisse! Du kannst die schönsten Sätze sprechen; wenn die Energie darunter „Ich will dich kontrollieren" ist, wird dein Gegenüber das spüren. Du kannst sehr direkte, sehr klare Worte nutzen und wenn die Energie darunter „Ich bin bei mir und ich liebe dich trotzdem" ist, wird dein Gegenüber sich öffnen. Du kennst das genau, das weiß ich. Lass uns dazu dieses typische Familienphänomen anschauen:

Du sagst: „Alles gut."
Dein Kind hört: „Nichts ist gut."
Dein Partner hört: „Ich will nicht darüber reden, aber ich werde es dir später vorwerfen."
Und du selbst hörst: „Ich darf nicht fühlen."

Das ist diese berühmte „Ich tu so als ob"-Falle, die wir alle kennen. Und die ist nicht moralisch falsch, sie ist nur ... naja, neurobiologisch unlogisch. Weil dein Nervensystem eben keine Schauspielschule ist. Es ist ein Wahrheitsdetektor. Wenn du also willst, dass Kommunikation in der Familie

leichter wird, dann ist der erste Schritt nicht „besser formu-
lieren". Der erste Schritt ist: Sei kongruent! Sag nicht „Alles
gut", wenn es nicht gut ist. Sag lieber: „Ich fühle mich gerade
überfordert und weiß auch noch nicht, wie ich da raus-
komme." Das klingt vielleicht unspektakulär, aber es ist wie
ein energetischer Reset-Knopf. Ich habe genau so angefangen, als ich dabei war, die RKM zu entwickeln. Mein Ego hat
so sehr dagegen rebelliert, weil es all die Dramen, mein Op-
fersein, den Stress und die permanente Überforderung so
sehr gewöhnt war. Mein Ego hat es geliebt, wenn ich mit einem „Alles gut" Aufmerksamkeit auf mich ziehen konnte.
Wenn mein Mann sich Sorgen gemacht hat (Sorgen waren für
mich = Liebe, denn so hatte ich es als Kind gelernt). Und
naja, natürlich wurde dadurch nie irgendwas leichter, schöner oder harmonischer. Im Gegenteil. Es wurde immer anstrengender, weil ich über so viele Jahre in Dissonanz mit mir
selbst war. Und die Kinder spiegelten genau das: sie wussten
ja nicht, wie man Gefühle ausdrückt, weil ihre Eltern es ihnen
nicht vormachten. Jedenfalls so lange, bis sie es dann irgendwann doch taten.

Und weißt du, was dann passiert, wenn du anfängst ehrlich
zu sein? Deine Kinder lernen: Gefühle sind erlaubt! Dein Partner lernt: Ich muss nicht gegen eine Fassade kämpfen! Und
du lernst: Ich muss mich nicht verlassen, um zu funktionieren. Energie fließt. Kohärenz ist. Und genau hier wird Kommunikation nondual und Nondualität wird zum gelebten Alltag.
Einfach weil du aufhörst, Trennung zu spielen.

Aber wie zum Teufel komme ich dahin? Das fragst du dich
jetzt. Nun, es gibt diesen Moment zwischen Reiz und Reaktion: Dein Kind wirft Saft um. Dein Partner sagt irgendwas Un-
passendes. Jemand schreit „Maaaaama!" zum neunhun-
dertsten Mal. Und du spürst: Es kommt gleich. Diese Welle.
Du fühlst sie im Bauch. Im Solarplexus. Und dann in deinem
Herzen. Und genau da ist ein Raum und dieser Raum ist nicht

„Selbstkontrolle". Dieser Raum ist Bewusstsein. Du nimmst einfach wahr, was da gerade in dir passiert. Gehst von „Das bin ich" in die „Das nehme ich wahr" Perspektive. Beruhigst damit dein Nervensystem sofort. Erkennst dich selbst als das Bewusstsein hinter dem „Ich" und gibst dem Raum, was da ist. Nur ohne das Drama. Einfach RKM.

Dazu mal wieder eine kleine Geschichte von mir. Es ist 2023, ich war gerade dabei, die Nondualität tatsächlich tiefer zu verstehen und befand mich in den Anfängen der Entwicklung der Rosa Koppelmann Methode. Ich saß mit Mann und Kindern im Auto und irgendjemand sagte etwas, was mich wütend machte. Keine Ahnung was, spielt auch keine Rolle. Jedenfalls spürte ich die Wut und sagte, geladen von dieser Emotion: „Wow, das macht mich total wütend!" Die erste Reaktion meines Mannes damals war die, die die meisten von uns kennen: „Du musst doch nicht gleich wütend werden!" (also das typische Verdrängen der Gefühle). Und ich schaue ihn im Rückspiegel an und sage in aller Klarheit: „Doch! Ich muss diese Wut jetzt gerade spüren! Weil sie jetzt gerade da ist!". Das war so ein Moment, den ich nie vergessen werde, weil ich das erste Mal wirklich einfach wahrgenommen habe, was da ist. Ich habe keine Drama-Geschichte aufgemacht. Ich habe einfach wahrgenommen und bin dafür eingestanden, dass diese Energie jetzt gerade da ist und dass sie gesehen werden will. Ich saß danach völlig selig lächelnd im Auto und war glücklich! Ja, tief glücklich, weil ich meine Wut nicht unterdrückt habe, sondern diese Energie einfach fließen durfte.

Und ich sag's dir ganz ehrlich: Das ist die Art von Luxus, die du als Mutter, als Partnerin, als Mensch wirklich brauchst. Nicht der dritte Wellness-Tag. Nicht noch ein „Self-Care"-To-Do. Sondern dieser eine innere Raum, der dir erlaubt, dich selbst wahrzunehmen und mit dem da sein zu dürfen, was da ist. Auch dann, wenn das Leben ganz normal Leben ist.

Dieser innere Raum, der dir erlaubt, dich nicht ständig mit allem zu identifizieren, sondern dich zu erkennen! Und ja, genau dieser Raum ist der Ort, an dem sich jeder Konflikt entscheidet. Denn YES, natürlich hatte die Situation damals im Auto das Potenzial, zu einem Konflikt zu werden - und wenn ich anders reagiert hätte, dann wäre es auch ein Konflikt geworden. Aber dadurch, dass ich einfach da war, mit dem, was ich wahrgenommen habe, wich die Identifikation, die Geschichte, das Drama. Und es blieb einfach Klarheit und Energie in Bewegung.

Ein Konflikt ist wie ein Feuer. Wenn du Benzin drauf kippst, wird es spektakulär. Wenn du ihm Sauerstoff entziehst, wird es leiser. Und wenn du aufhörst, dagegen zu kämpfen, ist das genau dieses „Sauerstoff-Entziehen". Und du weißt mittlerweile, dass das kein spiritueller Spruch ist. Das ist Physik, die wir am Anfang dieses Buches intensiv angeschaut haben. Du erinnerst dich: Widerstand erzeugt Gegenwiderstand. Druck erzeugt Gegendruck. Wenn du in die Energie gehst mit „Das darf nicht sein", wird das Feld enger. Wenn du reingehst mit „Ah. Das ist gerade da", wird es weiter. Und ja, natürlich darfst du trotzdem sagen: „Stopp." Natürlich darfst du führen. Aber Führung ist eben nicht Kontrolle. Führung ist Klarheit. So wie bei mir damals im Auto: Ich habe geführt, indem ich klar gesagt habe „Doch, ich darf diese Energie gerade wahrnehmen!". Führung bedeutet nicht, andere zu unterdrücken, sondern sich selbst wahrzunehmen. Das zu verstehen ist nicht nur für die Familie wertvoll, sondern für alles. Insbesondere falls du zufällig ein Unternehmen haben solltest; denn, wenn du da Führung mit Kontrolle verwechselst, hast du richtig Stress. Naja, in der Familie letztlich auch. Also, genau genommen: egal wo! Führung bedeutet also Klarheit. Und Klarheit kommt durch .... Überraschung: Kohärenz! Ein klares Nein ist somit das liebevollste Ja zum energetischen Feld. Und genau so ein kohärentes „Nein" führt dazu, dass du dich sicher fühlst. Sicher in einem Körper, der sich selbst nicht übergeht. Und Kinder entspannen sich, wenn du sicher bist. Denn Sicherheit ist eine Frequenz. Eine Schwingung. Eine Kohärenz. Keine Ansage. Somit werden Konflikte nicht mehr zu Wortgefechten, sondern zu Möglichkeiten, genau diese Kohärenz zu nähren.

Und Kinder sind dabei die besten Frequenz-Leser dieses Planeten. Sie sind noch näher an dem, was ist. Sie sind weniger in Konzepten, viel mehr in Wahrnehmung. Das heißt: Dir habe ich in diesem Buch alles Mögliche erklärt. Aber dein Kind muss nicht wissen, was zum Beispiel ein „Spiegelneuron" ist, es spiegelt dich auch ohne das zu wissen. Es macht es einfach.

Das, was Kinder in Konflikten wirklich verwirrt, ist nicht deine Wut. Nicht dein Stress. Nicht deine Traurigkeit. Das, was verwirrt, ist immer wieder Inkohärenz. Wenn du etwas fühlst, aber etwas anderes spielst. Wenn du traurig bist und sagst „alles gut", lernt dein Kind: Ich kann meinem Gefühl nicht trauen. Wenn du wütend bist und sagst „ich bin nicht wütend", lernt dein Kind: Gefühle sind peinlich. Wenn du aber sagst: „Ich bin gerade wütend und das ist okay. Ich bin hier." Dann lernt dein Kind: Gefühle kommen und gehen. Und ich bleibe. Das ist pretty much einfach Erziehung ohne Erziehung. Das ist RKM-Familienleben, ohne, dass du irgendetwas „anwenden" musst. Und das ist, was jedem Konflikt einfach die Luft rausnimmt.

Und jetzt kommen wir zu dem Teil, der vor allem jede Mutter wirklich rettet: die Erkenntnis, dass du nicht für alles verantwortlich bist, was in diesem Haus schwingt. Du bist nicht der Reparaturservice für alle Gefühle. Du bist der Raum, in dem Gefühle existieren dürfen, ohne, dass du dich verlierst. Das ist ein Riesenunterschied. Denn yes, ich kenne diesen Moment so gut: Ein Kind weint, eins ist wütend, eins will etwas, dein Partner ist abwesend, du bist müde und in dir geht dieses alte Programm an: Ich muss das jetzt lösen. Ich muss das fixen. Ich muss die Stimmung drehen. Ich muss... Und dann sitzt du da, innerlich angespannt und wunderst dich, warum es nicht leichter wird. Und warum wird es nicht leichter? Du weißt es natürlich bereits: Weil dein System gerade Widerstand sendet. Und Widerstand ist ein Verstärker. Die Freiheit kommt in dem Moment, in dem du erkennst: Ich darf hier sein. Ich darf fühlen. Ich muss nichts retten.

Ich gebe dir ein taufrisches Beispiel aus meinem Leben. Genau genommen von gestern. Gestern stand ich am Herd und kochte Nudeln. Meine drei Jungs haben Lego gespielt und meine Tochter hat ihr Ding gemacht. Mein Mann war irgendwo draußen. Ich höre, wie es bei den Jungs im Zimmer lauter wird. Der Jüngste (2) hat dem Ältesten (6) einen Tischtennisball weggenommen und der Älteste will ihn jetzt wieder haben. Er schreit seinen kleinen Bruder an: „Das ist mein Ball!", der Kleine schreit zurück „Mein Ball!". Ich merke, wie ich kurz angespannt werde. Ich spüre, wie ich eine Lösung suche (haben wir noch einen Tischtennisball? Kann ich den schnell holen und den Jungs geben? Kann ICH die Situation retten?). Ich bemerke auch, wie ich diese Gedanken beobachte und die Gefühle wahrnehme, die dabei entstehen. Ich gebe den Gefühlen die Erlaubnis, dass sie einfach da sein dürfen. Ich merke, wie ich mich innerlich entspanne und mein System wieder von „Alarm" auf „Kohärenz" umschaltet. In dem Moment laufen die beiden Jungs aus ihrem Zimmer in die Küche. Sie schreien noch, während sie rauslaufen „Mein Ball!". Dann kommen sie in den Raum. Der Älteste schaut zu mir, ich lächle ihn an. Er gibt seinem kleinen Bruder den Tischtennisball zurück (er hatte ihn sich zwischenzeitlich zurückerobert) und sagt: „Hier, du kannst ihn haben." Der Jüngste strahlt ihn an und sagt: „Danke!". Der Älteste schnappt sich einen Stuhl, stellt ihn an den Küchentresen und rührt für mich in den Nudeln. Alle sind zufrieden. Einfach so! Ja, einfach so! Ich weiß, du glaubst mir das nicht, bis du es selbst erlebt hast. Daher 1. Nochmal Teil Eins lesen, um die Wissenschaft dahinter zu verstehen und 2. Teil Zwei wirklich anwenden! Denn genau das, was ich da gestern erfahren habe (und was ich täglich erfahre) ist es, was IMMER passiert, wenn wir die RKM leben, statt den Kampf zu wählen!

Zusätzlich zu der Rosa Koppelmann Methode möchte ich dir in diesem Kapitel noch zwei Dinge beziehungsweise Tools mitgeben, die für uns als Familie prägend waren: Die Bedürfnis-Runde und die Familien-Ausrichtung.

Die Bedürfnis-Runde:

Stell dir vor, ihr seid alle kleine Radios. Jeder sendet auf seiner Frequenz. Und wenn du vier Kinder hast, dann ist das kein sanftes Hintergrundrauschen. Das ist ein Festival. Die Bedürfnis-Runde ist im Grunde nur: Wir drehen kurz die Lautstärke runter und hören, was eigentlich läuft.

Und das ist das ganze Geheimnis: Gesehenwerden reguliert uns ganz automatisch. Nicht das „bekommen" an sich. Sondern das Gesehenwerden. Und in der Bedürfnis-Runde wird jeder mit dem eigenen Bedürfnis gesehen.

Wie machen wir das? Wir setzen uns alle gemeinsam hin und jeder darf in Ruhe sagen, was er gerade für ein Bedürfnis hat. Das machen wir besonders am Wochenende oder nachmittags, wenn wir alle gemeinsam zu Hause sind, aber auch wenn wir unterwegs sind (Tagesausflug oder Urlaub) und immer dann, wenn die Stimmung aufkocht. Meistens müssen wir die Bedürfnisse nicht mal erfüllen; einfach dadurch, dass sie Raum haben, fließt alles wieder. Während einer sein Bedürfnis formuliert, müssen alle anderen leise sein und zuhören. So darf jeder sprechen und sich wahrhaftig gesehen fühlen.

Gemeinsame Ausrichtung:

Eine Ausrichtung ist wie eine Frequenzansage. Wenn wir als Familie gemeinsam ein paar Sätze in petto haben, auf die wir in herausfordernden Momenten zurückgreifen können, dann wirkt das Wunder. Das kann etwas Simples sein, wie „Wir sind ein Team.". Oder ein ganzer Text. Wir haben zum Beispiel lange einen Tischspruch gehabt, mit dem wir uns vor jedem Essen immer wieder an unsere gemeinsame Frequenz erinnert haben. Der ging so: „Wir sind glücklich, wir sind frei und das geht auch nie vorbei. Unser Leben ist fantastisch und grenzenlos bombastisch - guten Appetit.". Irgendwann fingen die Kinder an, immer folgenden Spruch zu rufen, wenn sie etwas gemacht haben, wovor sie Angst hatten: „Ich bin ein Koppelmann, der alles kann!". Dieser Spruch wirkt mittlerweile für alle als Reminder, wenn es darum geht, mutig zu sein und sich Neues zu trauen. Eine Ausrichtung kann auch ein ganzer Text sein, den man als Familie gemeinsam formuliert und täglich gemeinsam liest. Ein Text, in dem die eigenen Werte festgehalten werden, die Wünsche für die Familie, ein Segen oder einfach Anerkennung für jeden einzelnen.

So ein kleines Ritual in Verbindung mit einer klaren Botschaft wirkt direkt im Nervensystem. Wir kommen dadurch raus aus Geschichten und Dramen zurück zu uns. Wir nehmen uns in der Präsenz wahr. Wir erinnern uns einfach an uns selbst.

Fassen wir jetzt nochmal das Wichtigste dieses Kapitels zusammen.

Kommunikation ist nicht die Kunst, die richtigen Worte zu finden. Kommunikation ist die Kunst, nicht gegen die Realität zu sprechen, sondern aus ihr heraus. Nonduales Familienleben ist nicht perfekt. Nicht geschniegelt. Nicht „harmonisch" im Sinne von „keine Gefühle". Sondern echt. Frei. Weit. Ein Feld, in dem alles da sein darf - und genau deshalb leichter wird.

Und jetzt - Zeit für einen Kaffee?
Oder bist du bereit für das nächste Kapitel?

Kapitel 4: Macht, Verantwortung & Wirkung

Es gibt Themen, bei denen Menschen sofort zusammenzu-
cken, obwohl sie gar nicht wissen, warum. Und „Macht" ist
so ein Thema. Allein das Wort löst bei vielen schon dieses innere „Uff" aus; als würde irgendwo im System eine alte
Alarmanlage angehen. Macht klingt nach Kontrolle, nach Dominanz, nach Manipulation, nach denen da oben und denen
da unten. Macht klingt nach „gefährlich". Und Verantwortung
klingt dann gleich mit, wie die strenge Freundin, die immer
pünktlich kommt und nie lacht. Und Wirkung ... naja, Wirkung
klingt nach Bühne, nach Leistung, nach „ich muss jetzt irgendwie...", während dein Nervensystem innerlich leise flüstert: Bitte nicht, ich wollte eigentlich nur kurz leben.

Und genau deshalb ist dieses Kapitel nicht dafür da, dir
Macht „schmackhaft" zu machen oder Verantwortung „besser zu erklären". Es ist dafür da, diesen ganzen Film zu ent-
larven, den dein System rund um diese Worte aufgebaut hat.
Denn was, wenn Macht nichts damit zu tun hat, wie laut du
bist? Was, wenn Verantwortung nicht bedeutet, dass du dich
zusammenreißen musst? Und was, wenn Wirkung nicht etwas ist, das du machst, sondern etwas, das du sowieso
schon bist; weil du atmest, weil du da bist, weil du in einem
Feld lebst, das nicht getrennt ist? Ich weiß. Das klingt schon
wieder nach diesem „Alles ist Eins"-Ding. Und ja. Genau das
ist es ja! Aber eben nicht als Konzept, sondern als praktische
Realität: Du wirkst auf das Ganze. Immer. Selbst wenn du
dich versteckst. Selbst wenn du nichts sagst. Selbst wenn du
„einfach nur" in der Küche stehst und versuchst, in Ruhe deinen Kaffee zu trinken, während dein Kind neben dir ein
Drama über eine Lego-Figur inszeniert, die den falschen Pulli
anhat. Du wirkst. Dein Nervensystem wirkt. Deine Frequenz
wirkt. Deine Entscheidung, dich zusammenzunehmen, wirkt.
Wenn du ein Feld betrittst, verändert sich das Feld. Punkt.
Und du betrittst dieses Feld bei deiner Geburt (ich glaube ja,

dass du auch vor deiner Geburt im Feld wirkst, aber bevor wir uns jetzt wieder meinen pseudowissenschaftlichen und halb philosophischen Theorien hingeben, bleiben wir einfach mal bei dem, was die Wissenschaft aktuell sicher weiß: ab Zeitpunkt der Geburt sendest du Energie durch dein Herz raus in die Welt).

Wir machen daraus aber eben keinen „Ich muss jetzt auch noch perfekt wirken, damit ich die „richtige Energie" ins Universum schicke und die Welt endlich ein guter Ort wird"-Film. Wir machen eher das Gegenteil: Wir schauen uns an, wie Wirkung funktioniert, damit du endlich aufhörst, sie zu kontrollieren und anfängst, sie zu verkörpern. Denn Kontrolle führt dich nicht dahin, wo du hinwillst und Verkörperung ist kein weiteres To-do auf deiner „Must Have" Liste, sondern einfach das, was passiert, wenn du aufhörst, gegen deinen eigenen Ausdruck zu arbeiten. Denn der wahre Stress bei Macht, Verantwortung und Wirkung entsteht nicht dadurch, dass du zu viel Macht hast oder zu viel Verantwortung trägst, sondern dadurch, dass dein System die ganze Zeit versucht, diese Kräfte zu managen, während es gleichzeitig glaubt, es dürfe sie nicht haben. Und das ist so unfassbar menschlich. So ziemlich alle Frauen, mit denen ich bis jetzt gearbeitet habe, haben irgendwo tief drin einen stillen Vertrag unterschrieben, den sie nie bewusst gelesen haben. Da steht sowas wie: „Ich darf stark sein, aber bitte nicht zu viel. Ich darf führen, aber bitte ohne sichtbar zu werden. Ich darf Einfluss haben, aber bitte so, dass sich niemand bedroht fühlt. Ich darf Erfolg haben, aber bitte nur, wenn ich dabei zu allen nett bleibe. Ich darf groß sein, aber bitte klein genug, um geliebt zu werden." Und dieser Vertrag ist nicht böse. Er ist eine weitere hübsche Überlebensstrategie. Er ist ein Versuch, sicher zu bleiben in einer Welt, die über Jahrhunderte sehr klare Regeln darüber hatte, wer Macht haben darf und wer nicht; und wie sehr eine Frau dafür bestraft werden kann, wenn sie einfach nur ... naja, da ist.

Ich werde hier jetzt nicht weiter in die Epigenetik und all das eingehen (was an dieser Stelle definitiv interessant wäre, aber den Rahmen sprengt), es reicht, dir einfach einmal vorzustellen, was mit deinen Vorfahren passiert ist, wenn sie versucht haben, ihre (natürliche) Macht zum Ausdruck zu bringen. Ja klar, dass ging so gut wie nie gut aus! Und genau das ist epigenetisch an dich weitergegeben worden und in deiner DNA abgespeichert. Alle Informationen aus allen Zeiten sind auch in dir. Und daher ist es so unglaublich nachvollziehbar, dass wir so eine Abneigung gegen Macht haben. Am Ende ist der Hintergrund erstmal gar nicht so wichtig. Viel wichtiger ist es, zu verstehen, wie wir damit umgehen, dass wir so eine riesige Abneigung gegen Macht und Wirkung haben. Denn schließlich kommen wir nicht drum herum, dass beides Teil von uns ist. Ja sogar mehr als das. Streng genommen bist du pure Macht. Du erschaffst ja schließlich in jeder Sekunde Realität. Denn Macht ist ja eben nicht das, was du tust. Macht ist das, was du bist. Denn was bleibt, wenn du aufhörst, dich in Rollen aufzuteilen, damit du akzeptabel bleibst? Wenn du aufhörst, deine Klarheit zu dämpfen, damit andere sich nicht klein fühlen? Wenn du aufhörst, dich energetisch zu entschuldigen, sobald du einen Raum betrittst? Wenn du aufhörst, dich ständig zu erklären, damit niemand auf die Idee kommt, du würdest dich für etwas Besseres halten? (Das ist übrigens eines der absurdesten Missverständnisse überhaupt: Nur weil jemand klar ist, heißt das nicht, dass er sich über andere stellt. Das heißt nur, dass er nicht mehr gegen sich selbst arbeitet.). Ja genau, das, was bleibt ist Macht! Wirkung!

Macht ist Integrität. Ja, pure Integrität. Nicht Moral. Nicht Dominanz. Einfach Integrität. Und Integrität bedeutet: Innen und Außen sind nicht mehr zwei verschiedene Geschichten. Du sagst nicht „Ja", während dein Körper „Nein" schreit. Du lächelst nicht, während du innerlich kochst. Du gibst nicht, während du eigentlich willst, dass jemand endlich sieht, wie sehr du gibst. Du spielst nicht die Starke, während du dich eigentlich nach Halt sehnst. Du spielst nicht die Spirituelle, während du eigentlich nach ganz normaler menschlicher Anerkennung und einem richtig schicken Luxus-Kleid verlangst. Du spielst nicht die Coole, während du eigentlich nach Nähe dürstest. Integrität ist nicht perfekt. Integrität ist ehrlich.

Und jetzt wird Verantwortung plötzlich ein ganz anderes Wort. Denn Verantwortung heißt nicht: „Ich muss alles im Griff haben." Verantwortung heißt: „Ich bin bereit, zu fühlen, was in mir passiert, wenn ich wirke." Das ist der Punkt, an dem viele aussteigen wollen. Also, ehrlich gesagt: das ist der Punkt, an dem fast alle aussteigen! Weil es so viel leichter wäre, Macht entweder zu verteufeln oder zu idealisieren. Entweder: „Macht ist schlecht, ich will damit nichts zu tun haben." Oder: „Macht ist geil, ich will mehr davon." Beides sind Filme. Und beides sind Strategien, um nicht fühlen zu müssen, was Macht im eigenen System wirklich anstößt! Denn Macht triggert fast immer zwei Dinge gleichzeitig: Sehnsucht und Angst. Sehnsucht, weil da etwas in dir weiß: Ich bin hier nicht zum Kleinsein. Angst, weil da etwas in dir gelernt hat: Wenn ich groß bin, bin ich gefährdet. Und genau hier ist die RKM mal wieder nicht nett, sondern wahr. Sie sagt nicht: „Dann denk doch positiv über Macht." Sie sagt: „Schau, was passiert." Schau, wo dein Körper eng wird. Schau, wo dein Atem flacher wird. Schau, wo du sofort in Erklärungen gehst. Schau, wo du dich rechtfertigst, bevor überhaupt jemand gefragt hat. Schau, wo du alles übernimmst, um nicht abgelehnt zu werden. Schau, wo du Wirkung vermeidest, um keine Angriffsfläche zu bieten. Und dann: erlaube es. Erkenne es an.

Weil Kohärenz genau da beginnt, wo du nicht mehr versuchst, dich aus deiner Wirkung herauszuwinden. Viele Menschen glauben ja, Wirkung wäre etwas wie: „Ich sage was Schlaues und dann sind alle beeindruckt." Oder: „Ich mache

Marketing und dann passiert Wirkung." Oder: „Ich muss sichtbarer werden, dann habe ich Wirkung." Aber Wirkung ist viel simpler und viel tiefer: Wirkung ist Resonanz in jedem Moment. Wirkung ist das Echo deines inneren Zustands im Feld. Wirkung ist das, was andere in sich spüren, wenn sie mit dir in Kontakt kommen; nicht primär wegen deiner Worte, sondern wegen der Kohärenz, die du ausstrahlst (oder eben der Inkohärenz, die du versuchst zu verstecken). Ich wiederhole nochmal (du hast schon gemerkt, ich wiederhole viel - das ist, weil ich weiß, wie unser Gehirn funktioniert und das braucht einfach Wiederholung): Du kannst die richtigen Worte sagen und trotzdem keine Wirkung haben. Und du kannst einen einzigen Satz sagen und der Raum verändert sich. Warum? Weil das Feld nicht auf Performance reagiert. Es reagiert auf Wahrheit. Immer. Du stehst da und das Feld sortiert sich neu. Nicht weil du magisch bist (obwohl... naja, irgendwie schon, aber auf die langweilige, physikalische Art). Und wenn du in dir kohärent bist, dann bietest du permanent Ordnung an. Du bringst Ordnung ins Feld und damit hast du eine massive Wirkung auf andere Menschen. Das ist wieder Nervensystem-Wissen: Menschen co-regulieren sich. Felder co-regulieren sich. Wenn du ruhig bist, kann etwas in anderen ruhiger werden. Wenn du ehrlich bist, kann etwas in anderen aufhören zu performen. Wenn du klar bist, kann etwas in anderen endlich atmen. Ein typisches Beispiel aus meinem Leben. Vor Kurzem habe ich ein Business-Programm angeboten, was 12.222 € gekostet hat. Ein umfangreiches Programm, in dem es darum geht, Business aus intuitiver und kohärenter Perspektive zu führen. Einige Wochen nachdem das Programm gestartet war, schrieb mir eine Frau, die ich nicht kannte, dass sie während der gesamten Launch-Phase meine Beiträge und meine Werbung für das Programm verfolgt hat. Es hat ihr so viel Mut und Kraft gegeben, diese Werbung zu sehen. Sie hat sich letzten Endes nicht für das Programm angemeldet, aber sie hat selbst ihr eigenes Angebot im Preis auf 12.000 € erhöht. Sie wollte das schon sehr lange und hat sich nie getraut. Nachdem sie einige Wochen meine Werbung und Beiträge gesehen hat, hatte sie endlich den Mut dazu. Ich habe dieses Beispiel gewählt, weil ich nicht wusste, welche Wirkung diese Werbung auf sie hatte. Ich kannte die Frau ja nicht. Und genau darum geht es mir hier: Wirkung ist meistens unsichtbar. Wir sehen sie nicht. Aber sie ist trotzdem da. Eine andere Geschichte ist die meiner ehemaligen Reinigungs-Kraft. Wir lebten in Portugal und sie sprach kein Englisch. Fünf Monate lang kam sie drei Mal pro Woche zu uns und machte das Haus sauber. Wir redeten nie wirklich miteinander, tauschten nur einige Sätze über Google-Translate miteinander aus. Als wir schließlich abreisten, schrieb sie etwas in ihr Handy und hielt mir mit Tränen in den Augen die Nachricht hin: „Dank Ihnen habe ich ein völlig neues Verständnis von Familie bekommen. Ich wollte nie Kinder haben und nie eine Familie. Aber diese Monate hier bei Ihnen haben alles für mich verändert. Ich weiß jetzt, dass Familie und Kinder Freude sein können und ich bin Ihnen unendlich dankbar dafür!“. Wir umarmten uns lange und sie verließ immer noch mit Tränen in den Augen das Haus. Das ist Wirkung. Keine Worte. Kein wirklicher Austausch. Aber eine lebensverändernde Wirkung. Nicht nur für sie selbst; sondern für ihren Mann, ihre zukünftigen Kinder, ihr gesamtes Umfeld. Und das passiert ununterbrochen. Immer. Deine Wirkung. Meine Wirkung. Sie ist immer aktiv. Ausnahmslos.

Und jetzt kommt der Teil, der wirklich Verantwortung ist: Wenn du weißt, dass du Wirkung hast, kannst du nicht mehr so tun, als hätte all das Leben hier auf diesem Planeten nichts mit dir zu tun. Du bist beteiligt, wenn du dich klein machst, weil du glaubst, das sei „bescheiden“. (Spoiler: das ist keine Bescheidenheit, sondern ein Schutzmechanismus.) Du bist beteiligt, wenn du Ja sagst, weil du Angst vor dem Nein hast. Du bist beteiligt, wenn du führst, aber innerlich eigentlich nicht da bist. Du bist beteiligt, wenn du dich zurückziehst und dann erwartest, dass andere dich sehen. Du bist beteiligt, wenn du in Beziehungen Drama machst, ohne es zuzugeben. Du bist beteiligt, wenn du in deinem Business „helfen", aber eigentlich einfach geliebt werden willst. Du bist beteiligt, wenn du Spiritualität benutzt, um dich nicht zu zeigen. Du bist in jedem Augenblick beteiligt und das darf dir bewusst sein. Oder wie es auf einer meiner Rosa Koppelmann Postkarten steht: „Du bist das ganze Universum, also benimm dich auch so!".

Und wieder: Das ist keine Anklage. Das ist Freiheit. Kohärenz heißt nicht: immer geerdet, immer ruhig, immer zen zu sein. Kohärenz heißt: Du bleibst da, in dir, wenn es wackelt. Du bleibst da, in dir, wenn du getriggert wirst. Du bleibst da, in dir, wenn jemand dich missversteht. Du bleibst da, wenn du dich schämst. Du bleibst da, wenn du wütend wirst. Du bleibst da, wenn du plötzlich merkst: Oh. Ich habe wirklich Einfluss. Oh und zwar immer. Und dann atmest du. Nein, nicht, um dich zu regulieren, damit du wieder „nett" bist. Sondern, um einfach da zu bleiben. Bei dir. Weil das Nervensystem eben nicht dadurch besonders ist, dass es nie reagiert, sondern dadurch, dass es nicht mehr in den alten Reflex flüchtet: Kampf, Flucht, Erstarrung oder People-Pleasing. (People-Pleasing ist übrigens auch eine Form von Kampf; nur halt mit Lächeln. Der Körper denkt: Wenn ich mich anpasse, überlebe ich.)

Wenn du beginnst, Kohärenz zu leben, musst du niemanden kontrollieren, um sicher zu sein. Du musst auch niemanden retten, um wichtig zu sein. Du musst nicht klein sein, um geliebt zu werden. Du musst nicht groß sein, um gesehen zu werden. Du bist einfach da; und genau dadurch wird Macht gleichzeitig so unglaublich stark und so unglaublich weich. Und das ist dann auch der Moment, in dem „Macht" nicht mehr nach Gefahr klingt, sondern nach: Präsenz. Du wirst merken: Macht ohne gelebte Kohärenz fühlt sich entweder wie Druck an (für dich und für andere), oder wie ein Kater am nächsten Tag, wo du denkst: Warum habe ich das gesagt? Warum war ich so? Macht ohne Kohärenz braucht Kontrolle, Strategie, Image, Absicherung. Macht mit Kohärenz braucht … einfach dich. Echt. Anwesend. Nicht perfekt.

Und Verantwortung? Verantwortung wird dann fast liebevoll. Nicht im kitschigen Sinne, sondern im sehr erwachsenen Sinne: Du bist dir einfach deiner selbst bewusst und lebst dieses Bewusstsein. Und ja, das ist unfair für alle, die jahrelang versucht haben, Wirkung über Anstrengung zu erzeugen. Ich verstehe das. Ich war auch mal in diesem Film. Ziemlich lange sogar. Aber Wirkung kommt nicht aus deinem Kopf. Wirkung kommt aus deiner Kohärenz. Das Feld spürt, ob du stimmig bist. Ob du meinst, was du sagst. Ob du dich selbst hältst. Ob du dir selbst glaubst. Energie lügt nicht. Sie kann das ganz einfach nicht. Und wenn du das jetzt liest und merkst, dass irgendwo in dir sofort ein Anspruch hochkommt a la „Okay, dann muss ich jetzt kohärent sein!", dann atme bitte einmal und lach kurz über dich. Das ist wieder der alte Film: Ich muss etwas werden, um zu dürfen. Nein. Du darfst. Jetzt. Hier. In deinem aktuellen Zustand. Kohärenz ist nicht etwas, das du erzwingst. Kohärenz ist das Ergebnis davon, dass du aufhörst, dich zu spalten. Und genau da ist die RKM wieder radikal schlicht: Du gehst nicht gegen deine Unklarheit. Du siehst sie. Du gehst nicht gegen deine Angst vor Wirkung. Du siehst sie. Du gehst nicht gegen deinen Wunsch nach Einfluss. Du siehst ihn. Du gehst nicht gegen deine Scham, groß zu sein. Du siehst sie. Und während du sie siehst, ohne sie wegzumachen, wird das System weicher. Und wenn das System weicher wird, wird Macht nicht mehr hart. Und wenn Macht nicht mehr hart ist, wird Verantwortung nicht mehr schwer. Und wenn Verantwortung nicht mehr schwer ist, wird Wirkung nicht mehr gefährlich. Dann wird Wirkung natürlich.

Und vielleicht ist das das Schönste an diesem ganzen Thema: Kohärenz macht dich nicht „mächtiger" im Sinne von größer, dominanter, lauter. Sie macht dich echter. Und Echtheit hat eine Wirkung, die man nicht faken kann. Man kann sie nur sein.

Und jetzt, wo wir das Feld von Macht, Verantwortung und Wirkung einmal so entwirrt haben, dass es wieder atmen kann, gehen wir als Nächstes weiter in ein Thema, das die meisten Menschen immer wieder aus der eigenen Mitte bringt: Geld!

Kapitel 5: Geld, Reichtum und Fülle

Es gibt Kapitel, die liest man und denkt: „Ah, interessant."
Und es gibt Kapitel, die liest man und merkt plötzlich, dass
man seit Jahren eine unsichtbare Faust um etwas gemacht
hat, das nie dazu gedacht war, festgehalten zu werden.

Geld ist so ein Thema.

Nicht, weil Geld an sich kompliziert wäre, sondern weil wir es
psychologisch, historisch und energetisch so aufgeladen haben, dass es in unserem System nicht mehr nach „Zahl"
klingt, sondern nach: Sicherheit oder Gefahr, Freiheit oder
Käfig, Liebe oder Mangel, „ich bin okay" oder „ich muss noch
mehr werden, um endlich okay zu sein". Und genau deshalb
ist dieses Kapitel nicht einfach ein Wissenskapitel über Geld,
sondern wieder einmal ein Kapitel über Bewusstsein. Über
Wahrnehmung. Über das, was in dir passiert, wenn du Geld
denkst. Und über den Punkt, an dem du aufhörst, Geld als
Gegner oder Rettungsboot zu sehen und beginnst zu erkennen, dass du nie getrennt warst, weil genau diese Trennung
der ganze Film ist, den wir „Geldproblem" nennen.

Die Rosa Koppelmann Methode ist hier nicht „eine Methode
für Geld". Sie ist das, was sie immer ist: ein Rückweg aus der
Geschichte in den Moment. Ein Ausstieg aus dem Drama in
die Wahrheit. Ein Entknoten im Nervensystem, damit Energie
wieder fließen darf. Auch die, die sich als Geld verkleidet.
Und wenn du gerade innerlich so ein kleines „Ja, okay, aber
Rechnungen?" spürst: genau. Genau da fangen wir an. Nicht,
indem wir Rechnungen wegmeditieren, sondern indem wir
eintauchen in die Geschichte des Geldes und eine völlig
neue Perspektive auf Reichtum, Fülle und den Cash in your
pocket bekommen. Gehen wir in diesem Kapitel also gemeinsam einen Schritt zurück, zu den Anfängen der Wäh-
rung. Du wirst sehr schnell merken: Sobald du verstehst,
dass Geld nie das war, wofür du es gehalten hast, fällt es dir

deutlich leichter, deinen inneren Film darüber zu durchschauen. Und dann passiert etwas sehr „Wenn alles eins ist,
ist alles easy"-mäßiges: Du hörst auf, gegen Geld zu kämpfen, weil du merkst, dass du die ganze Zeit gegen eine Idee
gekämpft hast und Ideen lösen sich erstaunlich leicht, wenn
man aufhört, sie für Realität zu halten. Also, arbeiten wir uns
durch ... durch die Illusion, die wir Geld nennen. Solange, bis
du endlich dieses innere Aufatmen fühlst und den Gedanken
„eigentlich ist es doch alles gar nicht so kompliziert" in deinem Kopf finden kannst. Okay? Let's go!

Wenn wir über Geld sprechen, sprechen wir selten über
Geld. Wir sprechen über Sicherheit. Über Freiheit. Über
Macht. Über Angst. Wir sprechen darüber, ob wir „genug" haben und ob andere „zu viel" haben. Wir sprechen über Erfolg,
Status und unseren Wert in der Welt. Aber was, wenn Geld
nichts anderes ist als eine Bewegung, ein Fluss, eine sich
ständig wandelnde Form von Energie, die durch unsere Bewertungen, Überzeugungen und Ängste geformt wird? Wir
sind in einer Welt aufgewachsen, in der Geld als etwas Kon-
kretes und Begrenztes betrachtet wird. Etwas, das man verdienen, verlieren oder vermehren kann. Ich selbst hatte lange
Zeit eine komplizierte Beziehung zu Geld. Mal war es da, mal
nicht. Meistens nicht. Mal fühlte ich mich sicher, mal voller
Angst. Ich dachte, es sei etwas, das ich „verstehen" oder
„meistern" muss. Etwas, das mit harter Arbeit oder spirituellen Manifestationstechniken angezogen werden kann. Und
dann kam der Moment, in dem ich erkannte: Ich war nie von
Geld getrennt. Geld war nie das Problem. Ich begann, Geld
als das zu sehen, was es wirklich ist: eine neutrale, fließende
Energie, die genau wie alles andere auch, eins ist, mit allem
anderen. Eine Spiegelung unserer eigenen Energie. Es wurde
mir klar, dass Geld nicht kontrolliert, verdient oder erzwun-
gen werden muss. Es kann einfach fließen, wie alle Energie
fließt, wenn wir aufhören, es durch Angst und Trennung zu
verwehren. Unter uns: ich hatte „diesen Moment" in einer

Meditation. Eigentlich hatte ich gar nicht zum Thema Geld meditiert, aber plötzlich war da diese klare Eingebung, die sagte: Wir waren nie getrennt! Du und ich waren immer eins. Und ich wusste, da sprach die Energie des Geldes direkt zu mir. Ich hatte mich vorher schon viel mit Nondualität beschäftigt, aber genau wie viele andere auch, hielt ich erstmal noch fest an dem „alles ist eins - nur das Geld ist es nicht.“ Beziehungsweise „alles ist Energie - nur das Geld ist es nicht.“. Nach dieser Eingebung in der Meditation veränderte sich meine Perspektive schlagartig. Und das „Verrückteste“ (was eigentlich natürlich völlig logisch und normal ist): wenige Tage später machte ich das erste Mal im Leben 25.000€ Umsatz an einem Tag und knackte meinen ersten 50.000€ Monat. Diese Zahlen wirken für dich vielleicht groß und vielleicht klein - am Ende sind sie weder das eine noch das andere. Sie sind, was sie sind. So wie Energie immer ist, was sie ist, weder groß noch klein, weder besser noch schlechter. Weißt du, auch auf der dualen Ebene ist es so, dass Geld sich über Jahrtausende immer wieder verändert hat; von simplen Tauschwaren über Gold und Münzen bis hin zu unsichtbaren, digitalen Zahlen. Doch eines ist immer gleichgeblieben: Geld war nie real. Es war immer eine menschliche Erfindung, eine Vereinbarung. Wenn wir verstehen, wie sich Geld im Laufe der Geschichte entwickelt hat, erkennen wir, dass es nie fest oder begrenzt war. Wir erkennen, dass die Art und Weise, wie wir über Geld denken, unsere Realität mit Geld erschafft.

Stell dir vor, du hältst einen 100-Euro-Schein in der Hand. Du könntest damit einkaufen gehen, ihn in einen Automaten stecken oder einfach wegwerfen. Doch was hältst du da eigentlich wirklich in den Händen? Ein kleines Stück Baumwollpapier mit Zahlen und Symbolen. Sein materieller Wert liegt vielleicht bei ein paar Cent. Und trotzdem behandelt jeder diesen Schein, als sei er 100 Euro „wert“. Warum? Weil wir alle einer stillen Vereinbarung folgen: Geld hat nur den Wert, den wir ihm kollektiv geben. Ohne diese Vereinbarung wäre es nichts weiter als ein Stück bedrucktes Papier. Das war übrigens schon immer so. Goldmünzen, Muscheln, Zigaretten im Gefängnis; egal welche Form Geld in der Geschichte angenommen hat, sein Wert war nie in der Sache selbst, sondern immer in der Bedeutung, die Menschen ihm gegeben haben. Und wenn Geld keine feste Realität ist, sondern nur eine Vereinbarung, bedeutet das, dass sich dein Erleben von Geld verändern kann. Es ist nicht in Stein gemeißelt. Dein Kontostand ist nicht dein Schicksal (natürlich nicht!). Deine finanzielle Realität ist nicht festgeschrieben; sie ist genauso flexibel, veränderbar, lebendig wie alles andere auch. Das Problem ist: Die meisten Menschen haben so viele Ängste über Geld verinnerlicht, dass sie es als etwas Starres und Unerreichbares erleben. Sie denken: „Geld ist schwer zu bekommen." Sie denken: „Ich muss hart arbeiten, um Geld zu verdienen." Sie denken: „Es gibt nie genug für alle." Und ja, im dualen Denken betrachten wir Geld als etwas, das „da draußen" ist; etwas, das wir bekommen oder verlieren können. Aber wie du bereits weißt, ist Geld nur eine Form von Energie, die wir entweder frei fließen lassen oder die wir versuchen zu kontrollieren und dadurch immer wieder ins Stocken bringen. Du kannst es dir vorstellen, wie Wasser: Wenn du deine Hände öffnest, kann es hindurchfließen. Wenn du die Hände zur Faust ballst, staut es sich oder rinnt dir durch die Finger. Geld funktioniert genauso. Es ist immer da, es zirkuliert, es sucht Wege, um zu fließen, doch wenn wir Widerstand dagegen haben, halten wir es unbewusst zurück. Vielleicht hast du das selbst schon erlebt: Wenn du entspannt bist, scheint Geld plötzlich mühelos zu dir zu kommen. Wenn du verkrampft bist und dich sorgst, wird es knapp. Das ist natürlich kein Zufall, das ist die gleiche energetische Dynamik, die wir hier immer wieder durchgekaut haben. Geld ist nicht dein Gegner oder dein Retter; es ist einfach eine neutrale Energie, die sich nach deiner Energie richtet. So wie alle anderen Energien auch. So wie alles im Leben.

Viele glauben, es gäbe „nicht genug" Geld in der Welt und deswegen muss man sorgsam damit umgehen. Als wenn es nicht genug Energie geben könnte, während Energie alles ist, was ist und immer da ist. Genauso ist auch die Geldmenge auf diesem Planeten unbegrenzt, weil Geld ja nichts anderes ist als ein menschliches Konzept. Die Zentralbanken drucken ständig neue Scheine, digitale Währungen entstehen, Werte verschieben sich; Geld ist immer in Bewegung. Was knapp ist, ist nicht Geld, sondern unser Zugang zu ihm. Und dieser Zugang hängt direkt mit unserem Inneren zusammen. Mangel entsteht nicht durch äußere Umstände, sondern durch ein Gefühl der Trennung. Trennung von Reichtum, von Fülle, von der Erkenntnis, dass du selbst die Quelle bist.

Was wäre, wenn du nicht „mehr Geld haben" müsstest, sondern einfach aufhören könntest, es abzulehnen? Mangel ist keine äußere Tatsache, sondern eine innere Überzeugung. Und wenn du das jetzt liest und irgendwo in dir sofort ein „Ja, aber..." auftaucht, dann ist das genau der Punkt, an dem die RKM übernehmen darf, ohne, dass du irgendetwas „tun" musst: Du bemerkst den Impuls, du bemerkst die Enge, du bemerkst die Geschichte, die du immer noch gerne erzählen willst („bei MIR ist das aber anders...") und du musst sie nicht bekämpfen, du musst sie nur anschauen. Anerkennen. Mach kurz Pause, fühle mal, was dieses Kapitel bis hierher mit dir macht und erkenne genau das an. Gib dem, was gerade da ist, Erlaubnis. Es darf da sein. Schau es an. Wenn alles eins ist, ist alles easy heißt nicht, dass es keine Konditionierungen gibt; es heißt nur, dass du nicht mehr so tust, als wären sie du. Löst du die Identifikation, kannst du erkennen, dass es noch mehr gibt als die Geschichten in deinem Kopf.

Denn yes, wenn wir Geld als etwas Starres und Unveränderliches sehen, fühlen wir uns ihm ausgeliefert. Doch sobald wir erkennen, dass Geld über die Jahrhunderte immer wieder neue Formen angenommen hat, verstehen wir: Geld ist nicht fix. Es ist wandelbar. Es passt sich an. Und wenn Geld sich immer gewandelt hat; warum solltest du es nicht auch tun?

Stell dir vor, du lebst vor 10.000 Jahren. Du hast mehr Äpfel geerntet, als du essen kannst und dein Nachbar hat zu viele Fische gefangen. Also tauscht ihr. Ein paar Äpfel gegen ein paar Fische - fertig. Geld? Nicht nötig. Das war die erste Form von wirtschaftlichem Austausch: Die Dinge hatten keinen festen Wert, sondern nur den Wert, den zwei Menschen ihnen im Moment gaben. Das ist bereits der erste Hinweis auf eine tiefe Wahrheit: Wert ist nicht objektiv. Wert entsteht aus Wahrnehmung. Doch je größer die Gesellschaften wurden, desto schwieriger wurde dieses System. Was, wenn dein Nachbar keinen Apfel wollte, sondern Salz? Und derjenige mit dem Salz keine Fische, sondern Werkzeuge? Es brauchte eine Lösung.

Die Menschen begannen, Dinge als allgemeines Zahlungsmittel zu verwenden; Dinge, die jeder wertvoll fand. Manche nutzten Muscheln, andere Salz, andere Gewürze, Vieh oder Metalle. Warum genau diese Dinge? Weil sie eine psychologische Sicherheit boten. Sie waren selten, haltbar oder begehrt. Doch sie waren immer noch physisch - du brauchtest Platz, um dein „Geld" zu lagern. Doch auch das wurde irgendwann zu kompliziert. Vor etwa 2.500 Jahren tauchte eine geniale Idee auf: Anstatt Waren direkt zu tauschen, nutzte man Edelmetalle, die in kleine, handliche Stücke geformt wurden; Münzen. Hier passierte etwas Entscheidendes: Zum ersten Mal wurde Geld von der realen Ware entkoppelt. Eine Goldmünze hatte nicht nur den Wert ihres Goldes, sondern den Wert, den die Gesellschaft ihr gab. Die erste große Illusion war geboren: Geld = Wert. Das machte den Handel einfacher, aber es öffnete auch die Tür zu neuen Fragen. Wer bestimmte den Wert des Geldes? Wer kontrollierte, wie viel davon im Umlauf war? Was passierte, wenn jemand entschied, dass dein Geld plötzlich weniger wert war? Diese

Fragen wurden immer wichtiger, als die nächste große Veränderung kam. Irgendwann wurde selbst Münzgeld zu schwer und unpraktisch. Also begannen Banken und Herrscher, ein neues System zu erschaffen: Papiergeld. Und hier geschah etwas Revolutionäres: Zum ersten Mal in der Geschichte wurde Geld komplett zu einer Idee. Ein Stück Papier hatte plötzlich denselben Wert wie eine Goldmünze; einfach, weil eine Regierung oder eine Bank es garantierte. Das war der Moment, in dem Geld endgültig zu einer reinen Vereinbarung wurde. Von diesem Punkt an war Geld nicht mehr an eine physische Substanz gebunden. Es war eine abstrakte Kraft, die nur durch das Vertrauen der Menschen existierte. Und genau das gilt bis heute. Bargeld wird immer seltener benutzt. Die meisten Transaktionen laufen über digitale Systeme. Dein Kontostand ist nur eine Zahl auf einem Bildschirm. Und doch funktioniert es; weil wir daran glauben. Der größte Beweis dafür, dass Geld reine Energie ist? Du kannst es per Knopfdruck erschaffen. Zentralbanken tun es ständig. Kredite entstehen aus dem Nichts. Kryptowährungen existieren nur als Code. Geld ist zu 100 % energetisch geworden. Und jetzt kommt die entscheidende Frage: Wenn Geld nur eine Idee ist: warum kämpfst du dann noch damit?

Wenn du bisher gedacht hast, dass Geld schwer zu bekommen ist, dann liegt das nicht an „der Welt", sondern an der Version von Geld, die du gelernt hast. Aber du kannst lernen, Geld neu zu sehen. Als etwas, das einfach fließt. Als eine neutrale, wandelbare Energie. Als etwas, das immer da ist; in welcher Form auch immer. Die Frage ist nicht mehr: „Wie bekomme ich mehr Geld?" Sondern: „Wie öffne ich mich für das Geld, das bereits fließt?" Denn faktisch kann Geld niemals weg sein. Es verändert lediglich seine Form. Erinnerst du dich: Energie kann nicht verschwinden! Sie verändert nur ihre Form. Lass uns das genauer betrachten: Nimm einen tiefen Atemzug. Halte ihn kurz. Jetzt atme aus. War das letzte bisschen Luft, das du ausgeatmet hast, „weg"? Nein. Es ist

immer noch da, nur nicht mehr in deiner Lunge. Es hat sich
verteilt, ist weitergezogen, hat sich verwandelt. Mit Geld ist
es genauso. Es ist nicht „verschwunden", wenn du es ausgibst; es fließt nur woanders hin. Es ist nicht „unfair verteilt";
es bewegt sich einfach durch unterschiedliche Kanäle. Es ist
nicht „schwer zu bekommen"; es folgt nur energetischen Gesetzen. Du kannst dir auch einen Fluss vorstellen: Wasser
kommt aus der Quelle, fließt durch das Tal, speist Seen und
Ozeane. Der Fluss fragt sich nicht: „Habe ich genug Wasser?
Wo kommt das nächste her?" Er fließt einfach. Doch was
passiert, wenn du einen Damm baust? Der Fluss staut sich.
An einer Stelle gibt es Überfluss, an einer anderen Mangel.
Geld verhält sich genauso. Es will fließen. Doch unser wunderbares Menschsein baut Dämme: „Geld ist schwer zu verdienen." „Ich darf nicht zu viel verlangen." „Andere haben
mehr Glück als ich." Diese Gedanken sind nichts anderes als
Felsen im Flussbett. Sie verlangsamen den natürlichen
Fluss. Die gute Nachricht? Du kannst den Damm jederzeit
abbauen.

Wenn du glaubst, du hast gerade wenig Geld, probiere Fol-
gendes: Stell dir dein gesamtes Geld als eine Energie vor, die
immer noch da ist, nur in einer anderen Form. Frage dich: Wo
ist mein Geld gerade? Vielleicht hast du es in einer Wohnung
(du hast es in Sicherheit und Komfort verwandelt). Vielleicht
hast du es in einem Restaurantbesuch (du hast es in Genuss
verwandelt). Vielleicht hast du es in einem Coaching (du hast
es in Wachstum verwandelt). Nichts davon ist „weg". Es hat
sich nur gewandelt. So wie Energie sich immer einfach nur
wandelt.

Letztendlich ist das Einzige, was den natürlichen Geldfluss
stoppt, die Angst. Die Angst, dass es nicht zurückkommt.
Doch erinnere dich an den Atemzug. Hast du Angst, dass
nach dem Ausatmen keine neue Luft kommt? Nein. Geld
funktioniert genauso. Diesen natürlichen Fluss von Energie

zu verstehen ist fundamental. Nicht nur die Energie deiner Gefühle will fließen, sondern alle Energie will frei fließen. Eben auch Geld. Bei Geld konzentrieren sich sehr viele Menschen nur auf eine Seite des Flusses; die meisten nur auf das Empfangen (und andere auf das möglichst schnelle Weiterfließen lassen). Dabei ist beides gleich relevant. Die wahre Magie passiert, wenn du beide Seiten gleichermaßen zulässt; das Geben und das Empfangen. Oder würdest du gerne ein Leben leben, in dem du nur noch einatmest, oder nie mehr ausatmest? Nee, natürlich nicht. Du bist ein lebendiger Mensch, weil du beides machst: Einatmen und Ausatmen. Und genau dieses Ein und Aus, dieses natürliche Fließenlassen, das haben wir in Bezug auf Geld irgendwie unterwegs verlernt. Oder? Hast du jemals versucht, Geld zu manifestieren, aber es hat nicht funktioniert? Vielleicht hast du gedacht: „Ich visualisiere Geld - aber warum kommt es nicht?" Vielleicht: „Ich habe Affirmationen gesagt, aber es tut sich nichts." Vielleicht: „Ich tue alles, was ich kann; aber mein Kontostand bleibt gleich." Hier ist der entscheidende Punkt: Du kannst Geld nicht manifestieren, wenn du gleichzeitig Angst hast, es zu verlieren. Wir sind hier wieder bei der klassischen Quantenphysik. Energie reagiert auf deine Frequenz, nicht darauf, was du willst, was du sagst oder was du denkst. Sondern einzig und allein auf deine Frequenz. Und wenn deine Frequenz auf „Ich brauche Geld" eingestellt ist, dann bestätigt das Leben genau das: das Gefühl von „brauchen", also Mangel. Stell dir vor, wie anstrengend es wäre, wenn du den ganzen Tag damit verbringen würdest, dass du dein Ausatmen brauchst. Wenn du immer wieder kontrollierst, ob du noch ausatmest, ob der Ausatem noch da ist. Du denkst jetzt vielleicht „Was für ein blöder Vergleich, Atem und Geld sind ja wohl nicht das gleiche!". Meine Liebe, mein Lieber - nochmal zurück in Teil Eins des Buches, bitte. Denn DOCH: faktisch ist es dasselbe! Einzig und allein deine Bewertung macht es zu zwei unterschiedlichen Dingen. Und wenn du diese Bewertung veränderst, veränderst du deine Realität.

Du denkst „wie bescheuert es wäre, mein Ausatmen ständig zu kontrollieren!" während du gleichzeitig genau das mit Geld machst. Beides Energie. Beides eins. Beides den gleichen physikalischen Gesetzen unterworfen (und YES, das ist deine Macht, meine Liebe, mein Lieber!).

Erst wenn du Geld so natürlich fließen lassen kannst, wie deinen Atem, bist du in einer Frequenz des Überflusses. Das bedeutet natürlich nicht, dass du dein ganzes Geld ausgeben sollst, aber es bedeutet, dass es Zeit ist, dein Bewusstsein zu verändern: Wenn du Geld ausgibst, spüre bewusst Dankbarkeit für den Fluss der Energie. Wenn du jemandem Geld gibst, tu es nur dann, wenn du es aus Wahrheit tust; nicht aus Pflichtgefühl. Wenn du Geld mit immer mehr Selbstverständlichkeit fließen lässt, zeigst du dir selbst: „Ich vertraue darauf, dass es zurückkommt." Und genau das speichert sich zunehmend in dein Nervensystem und somit in deine Frequenz ein. Halte dein Geld nicht krampfhaft fest. Investiere, erlaube dir Freude, lass es zirkulieren. Geld ist niemals dein Sicherheitsnetz; dein Vertrauen ist deine Sicherheit. DU bist deine Sicherheit. Das Außen ist nur ein Spiegel deines Inneren. Dein wahres Fundament ist nicht dein Kontostand, sondern deine Überzeugung davon, dass immer mehr als genug da ist.

Wir haben gesehen, wie Geld von Muscheln und Goldmünzen zu Papier wurde. Aber der größte Wandel kam, als Geld plötzlich nicht mehr nur etwas war, das man in der Hand halten konnte; sondern eine Idee, eine Buchung, eine Zahl auf einem Konto. Hier beginnt das Zeitalter der Banken und dazu möchte ich dir noch etwas erzählen, um dieses ganze Kapitel noch greifbarer zu machen. Stell dir vor, du lebst im Mittelalter und besitzt Goldmünzen. Es wäre riskant, sie einfach unter deinem Kopfkissen zu verstecken. Also gehst du zu einem Goldschmied (damals die sichersten Verwahrer) und hinterlegst deine Münzen dort. Der Goldschmied gibt dir dafür

einen Schuldschein, eine Art Quittung, die bestätigt: „Hier
liegen deine 10 Goldmünzen." Doch bald passiert etwas
Spannendes: Die Menschen merken, dass sie den Gold-
schmiedezettel genauso nutzen können wie das Gold selbst.
Statt die Münzen abzuholen, beginnen sie einfach den
Schuldschein weiterzugeben. Und noch spannender: Der
Goldschmied merkt, dass nie alle Menschen gleichzeitig ihr
Gold abholen. Also beginnt er, mehr Schuldscheine auszu-
stellen, als er tatsächlich Gold besitzt. Er verleiht diese
„Geldscheine" und nimmt dafür Zinsen. So entsteht das
erste Bankensystem und damit das Prinzip, das die Welt bis
heute bestimmt: Geld entsteht durch Kredit. Plötzlich ist
Geld nicht mehr an eine physische Sache gebunden. Es ist
nur noch ein Versprechen. Eine Idee. Was heißt das? Wenn
du heute einen Kredit aufnimmst, erschafft die Bank dieses
Geld in dem Moment, in dem du den Vertrag unterschreibst.
Dieses Geld existierte vorher nicht; es wurde buchhalterisch
„erschaffen". Die Bank verleiht nicht etwa bestehendes
Geld, sondern generiert es aus dem Nichts. Yes! Reine Magie! Und was geschieht dann? Du arbeitest real, um dieses
„virtuelle" Geld zurückzuzahlen. Dabei zahlst du nicht nur
den geliehenen Betrag zurück, sondern auch Zinsen. Die
Bank erhält also echtes Geld; für etwas, das sie ursprünglich
einfach durch einen Buchungssatz erschaffen hat. Klingt verrückt? Ist es auch. Aber es zeigt uns etwas Grundlegendes
über Geld: Es ist eine Übereinkunft. Eine kollektive Illusion.
Eine Frequenz. Nun, wenn Banken Geld erschaffen können;
warum dann nicht du? Denn genau wie Banken Geld durch
Vertrauen und Vereinbarungen erzeugen, kannst du Wohl-
stand durch dein Bewusstsein erschaffen. Frage dich: Welche „Schuldscheine" gibst du täglich unbewusst aus? (Überzeugungen wie „Ich bin es nicht wert, viel zu haben" sind
auch eine Art unbewusster Kredit.) Wo lebst du noch in der Illusion, dass Geld etwas Fixes ist; anstatt eine Energie, die du
lenken kannst? Was wäre, wenn dein Reichtum nicht auf harter Arbeit, sondern auf deiner Fähigkeit basiert, neue

Möglichkeiten zu schaffen? Die Geschichte zeigt uns: Geld war nie starr. Es war immer eine flexible, wandelbare Idee. Und wenn das für die Wirtschaft gilt, dann auch für dich.

Geld als Machtinstrument - und wie du dich davon befreist

„Geld regiert die Welt." Aber wer hat das eigentlich entschieden? Wir haben gesehen, dass Geld eine Idee ist; eine Übereinkunft, die sich über die Jahrhunderte immer wieder gewandelt hat. Doch irgendwann wurde aus dieser fließenden Energie ein Instrument der Kontrolle. Plötzlich war Geld nicht mehr nur ein Mittel zum Austausch, sondern eine Waffe. Eine Waffe, die genutzt wurde, um Macht zu sichern. Um Gesellschaften zu formen. Um Menschen in Mangelbewusstsein zu halten. Und genau hier kommt der übliche Trick im Spiel des Lebens: Macht über Geld funktioniert nur, solange du daran glaubst.

Stell dir vor, du lebst in einer Welt, in der Geld unendlich verfügbar ist. Wo jeder genug hat, um seine Bedürfnisse zu erfüllen. Wo niemand sich sorgen muss, ob am Monatsende genug da ist. In so einer Welt hätte niemand Macht über den anderen. Jeder wäre sich der eigenen Macht bewusst und würde sie einfach entspannt leben. Keine Kämpfe, keine Dramen, weil jeder wüsste, dass jeder andere genauso viel Macht hat, wie er selbst. Der Kampf um Macht entsteht erst, wenn etwas begrenzt ist. Und genau das wurde mit Geld gemacht. Früher war Geld direkt an Gold gebunden; eine endliche Ressource. Also wurde die Erzählung geprägt: „Es gibt nicht genug für alle." Später, als das Goldsystem fiel, wurde Geld künstlich reguliert, um die Illusion der Knappheit aufrechtzuerhalten. Heute, in einer Welt voller digitaler Währungen und unbegrenzter Geldschöpfung, wird uns trotzdem eingetrichtert: „Geld ist schwer zu bekommen." Warum? Weil ein System, das auf Kontrolle basiert, nur funktioniert, wenn Menschen an Mangel glauben. Doch die Wahrheit ist: Geld war nie wirklich knapp. Es wurde nur so dargestellt.

Wer Geld kontrolliert, kontrolliert, was Menschen tun. Wer Geld verteilt, entscheidet, was „wertvoll" ist. Wer Menschen im Mangel hält, sorgt dafür, dass sie sich anpassen. Denke an das Konzept von Lohnarbeit: Warum müssen wir unsere Zeit gegen Geld tauschen? Warum wurde uns beigebracht, dass Geld hart verdient werden muss? Warum wird Reichtum oft mit Schuldgefühlen oder Misstrauen verknüpft? Weil ein System, das auf Abhängigkeit basiert, genau so funktioniert. Wenn Menschen glauben, dass Geld schwer zu bekommen ist, werden sie tun, was nötig ist, um es zu verdienen. Wenn wir aber einmal ganz ehrlich sind, dann hat Geld nie wahrhaftig Macht über dich gehabt. Das ist lediglich eine Geschichte, die du dir bereits dein Leben lang erzählst. Geld an sich war immer eine Energie, die sich deiner Wahrnehmung angepasst hat. Solange du es als etwas Externes, Begrenztes und Schwieriges siehst, wird es genau das sein. Doch wenn du erkennst, dass es eine neutrale Energie ist - eine Frequenz, mit der du spielen kannst - dann setzt sich das Spiel des Lebens neu zusammen. Was bedeutet das konkret? Hinterfrage jede Mangelgeschichte, die du über Geld glaubst. Ist es wirklich „schwer zu verdienen" - oder wurde dir das nur beigebracht? Sieh Geld als Energie, nicht als Zahl. Es geht nicht darum, was auf deinem Konto steht, sondern wie du dich in Bezug auf Geld fühlst. Erkenne, dass du die Quelle bist. Geld ist nicht außerhalb von dir. Es ist ein Spiegel deiner inneren Überzeugungen. Macht über Geld existiert nur, solange du dich machtlos fühlst. Doch sobald du erkennst, dass es nur ein Spiel ist; und dass du die Regeln neu schreiben kannst, beginnt ein völlig neuer Umgang mit Geld.

Und ich sage dir hier was: Ich selbst habe drei Jahre lang von HARTZ IV gelebt. Vorher war ich Studentin und habe 500 € Bafög im Monat zur Verfügung gehabt. Davor war ich

Schülerin und habe von 434 € Schülerbafög in einem 10m2 Zimmer unterm Dach gelebt und jeden Tag Spaghetti mit Tiefkühl-Kaisergemüse gegessen. Ich weiß sehr genau, was es bedeutet, sich nicht mal vorstellen zu können, viel Geld zu haben. Mein kleiner, schöner Verstand konnte sich nicht mal ausmalen, was man mit 2.000 € im Monat überhaupt machen sollte. Ich hatte nicht mal eine Idee davon. Aber ich konnte mir vorstellen, wie es wäre, auch mal im Bioladen einkaufen zu gehen und dort frisches Gemüse zu kaufen. Und somit öffnete ich meinen Verstand für diese Möglichkeit. Nichts weiter. Ich öffnete mich einfach für die Möglichkeit einer neuen Geschichte „frisches Biogemüse statt Tiefkühlgemüse". Und was passierte unweigerlich? Ich fand kurze Zeit später heraus, dass nur ein paar 100m von meiner Wohnung entfernt ein Kollektiv-Bioladen war, in dem man für einen geringen Mitgliedsbeitrag sehr günstig regionales Bio-Gemüse einkaufen konnte. Ich hatte genauso viel Geld wie vorher auch. Aber meine Realität war eine andere! Genauso habe ich einfach weitergemacht; Geschichten in mir selbst erkannt, anerkennt und neu geschrieben und irgendwann hatte ich eine Millionen Euro in Immobilien sowie Gold, saß in meiner Villa mit Blick über das Mittelmeer und habe mich gefragt: wie easy war das eigentlich? Denn ja, es war easy, weil ich das Spiel verstanden und gespielt habe. Step by Step. Tag für Tag. Geschichte für Geschichte.

Schau mal genau hin: Wenn du in Mangel denkst, fühlt sich Geld schwer an, als müsstest du es „halten". Wenn du im Vertrauen bist, denkst du plötzlich in Möglichkeiten und Geld bewegt sich; es kommt, es geht, aber du hast nie Angst. Es kommt in den unterschiedlichsten Formen: In Form von Bio-Gemüse wie bei mir damals, in Form von Geschenken, in Form von Möglichkeiten, in Form von Kreativität, Ideen, in Form von Nummern auf dem Konto. Und du hast immer die Wahl; die Möglichkeiten und den Fluss erkennen oder dich ihm verwehren. Kontrolle stoppt den natürlichen Fluss von Energie immer. Bei deinen Gefühlen genauso wie beim Geld.

Der größte Shift ist wirklich: Sieh Geld nicht als etwas, das du „haben" oder „verlieren" kannst. Sieh es als eine Energie, mit der du spielst. Hier ein paar konkrete Schritte, um aus dem Mangeldenken auszusteigen - nicht als To-do-Liste, sondern als kleine innere Umschaltung im Moment: ersetze „Ich brauche Geld" durch „Ich bin in Geldbewegung". Geld folgt deiner Frequenz. Statt „Ich brauche mehr Geld" sage: „Ich lasse Geld in mein Leben fließen." Sage: „Geld bewegt sich immer in meiner Realität." Spürst du den Unterschied? Die erste Aussage ist Mangel, die zweite ist eine Einladung. Und dann feiere jede Form von Geldfluss, egal ob Geld zu dir kommt oder von dir weggeht, weil beides Bewegung ist: Wenn du eine Rechnung zahlst, sag: „Danke, dass ich den Fluss aufrechterhalte." Wenn du Geld empfängst, sag: „Danke, dass es so leicht zu mir fließt." Und schließlich handle aus Reichtum; nicht aus Angst: Triffst du deine finanziellen Entscheidungen aus Angst („Ich kann mir das nicht leisten"), oder aus Weite („Ich wähle, wofür ich Geld fließen lasse")? Jede Wahl, die du aus Mangel triffst, verstärkt den Mangel. Jede Wahl, die du aus Weite triffst, öffnet neue Wege. Und irgendwann ist Geldfluss wirklich so selbstverständlich, wie der Fluss deines Atems.

Kleiner Insider zwischendurch: während ich das hier schreibe, läuft auf Spotify ein Lied mit dem Text „I love money, money loves me. I don't rush time, I let flow. Everything flows so easily". Du denkst vielleicht "das ist ja witzig", ich denke: „genauso läuft das mit der Energie. Spotify und ich sind schließlich auch eins. Und wenn ich in der Energie bin, in der ich über Geld nachdenke und schreibe, ist genau diese Energie in meinem Resonanzfeld und wird entsprechend verstärkt. So ist das in diesem Spiel; es macht einfach so viel

Freude, weil alles so synchron ist und so perfekt ineinander-
greift.

Und ja, das ist auch das Nonduale an Geld: Es gehört niemandem. Genau wie der Spotify-Song niemandem gehört. Es
ist immer da. Es bewegt sich, wie alles andere in dieser Realität. Vielleicht ist das Wichtigste, was du aus diesem Kapitel
mitnehmen kannst, ganz einfach das Erkennen, dass du nie
davon getrennt warst. Geld war nie außerhalb von dir. Es war
nie gegen dich. Es war nie etwas, das du „verdienen" oder
„erreichen" musstest. Es war immer schon da; als Teil der einen großen Bewegung, die du selbst bist. Du bist kein kleines
Wesen, das Geld „anzieht". Du bist das ganze Universum,
durch das alles fließt; auch Geld. In Form von Möglichkeiten,
Freude, Wertschätzung, Entscheidungskraft. Du bist die
Quelle, durch die Geld Form annimmt. Und in diesem Moment, jetzt, während du diese Worte liest, geschieht vielleicht der wichtigste Shift: Du hörst auf zu glauben, dass es
da draußen etwas zu holen gibt. Und beginnst zu spüren,
dass alles, was du brauchst, bereits in dir fließt. Denn Geld
ist nur ein Spiegel. Und du bist bereit, dich in Fülle zu sehen.
Du darfst empfangen, einfach weil du bist. Weil du dich endlich erkennst in deinem Sein. Du darfst geben; nicht, um dir
etwas zu beweisen, sondern weil du überfließt. Du darfst vertrauen; nicht, weil du alles kontrollierst, sondern weil das Leben immer für dich fließt. Geld ist wie du: Nicht fest. Nicht
greifbar. Nicht logisch. Sondern lebendig. Wandelbar. Frei.
Denn wenn Geld ein Spiegel ist, dann ist die entscheidende
Frage nicht: „Wie kriege ich mehr?" Sondern: Was passiert in
mir, wenn ich an Geld denke? Wo wird es eng? Wo wird es
hart? Wo will mein System kontrollieren? Wo will es sich kleiner machen, um ja nicht zu viel zu sein? Und wo will es sich
größer machen, um endlich sicher zu sein? Und genau da ist
die RKM wie immer radikal schlicht: Du gehst nicht in den
Kampf mit Geld, du gehst nicht ins Erklären, du gehst nicht
ins Überdenken, du gehst nicht in die nächste Strategie, du

gehst in den Moment, in den Körper, in die Wahrheit und du schaust: Was ist JETZT da? Und dann löst sich nicht „das Geldproblem", sondern die Trennung. Und mit ihr verschwindet dieses subtile Grundrauschen von „ich muss erst …, dann darf ich …", das so viele Menschen jahrelang unter Spannung hält. Und „wenn alles eins ist, ist alles easy" nicht als hübscher Spruch an der Wand hängt, sondern als lebendige Erfahrung in deinem System landet, dann merkst du plötzlich: Geld ist nicht der Ort, an dem du dich beweisen musst. Geld ist der Ort, an dem du erkennst, wo du noch glaubst, getrennt zu sein. Und genau dort wird es weich. Genau dort wird es frei. Genau dort wird es - ganz unspektakulär und gleichzeitig revolutionär -easy.

Kapitel 6: Gesundheit, Kraft und Vitalität

Gesundheit ist so ein Thema, bei dem die meisten Menschen sehr schnell sehr ernst werden. Tatsächlich ähnlich wie beim Geld. Geld und Gesundheit sind die beiden Themen, bei denen die meisten sagen: bis hierher alles okay, aber jetzt will ich nichts mehr davon wissen, dass alles Energie ist, jetzt will ich das ein Arzt Verantwortung für mich übernimmt und ich einfach meine Ruhe habe! Verständlich. Wenn der Körper nicht mitspielt, ist das keine philosophische Spielwiese. Dann ist das nicht „spannend". Dann ist das Alltag. Dann ist es Müdigkeit, Schmerz, eine Diagnose, ein Symptom, eine Unsicherheit, eine Angst. Und manchmal ist es einfach nur dieses diffuse Gefühl von „Ich bin nicht mehr so belastbar wie früher", das man sich nicht so recht eingestehen will, weil man ja „eigentlich dankbar sein sollte". Und gleichzeitig ist Gesundheit in unserer Zeit auch ein Thema, das komplett überladen ist. Mit Meinungen. Mit Trends. Mit Biohacking. Mit Nahrungsergänzungsmitteln, die klingen wie ein Chemiebaukasten. Mit Schuldgefühlen („hätte ich mal...") und Selbstoptimierung („ich müsste nur...") und diesem subtilen Druck, dass du deinen Körper so behandeln sollst wie ein Projekt: Wartung, Reparatur, Upgrade. Als wäre der Körper eine Maschine.

Und genau das ist die erste Einladung dieses Kapitels: Dein Körper ist keine Maschine. Natürlich nicht. Und Gesundheit ist kein Zustand, den man irgendwann erreicht und dann besitzt wie eine schöne Designer Handtasche, die man ab jetzt im Schrank hat und gelegentlich ausführt. Gesundheit ist wieder einmal ein Feld. Ein Fluss. Eine Bewegung. Eine Art, wie Leben sich durch das Menschsein ausdrückt. Und du bist mittendrin, als Bewusstsein, dass das Ganze erleben darf. Und ja, ich weiß, wie das klingen kann. Als würde ich hier gleich sagen: „Alles ist nur Energie, also stell dich nicht so an." Nope. Das ist keine Nondualität. Das ist Spiritual

Bypassing in einem weißen Leinenhemd. Nondualität ist nicht das Wegreden von Symptomen. Nondualität ist das Wegfallen von Trennung. Und das ist ein großer Unterschied. Denn wenn Trennung wegfällt, wird der Körper nicht „unreal", sondern endlich wieder fühlbar. Echt. Direkt. Und du musst dich nicht mehr gegen ihn stellen. Und genau hier kommt wieder die Rosa Koppelmann Methode ins Spiel. Wie immer als Erkennen deiner Selbst. Als Rückweg aus dem Denken über den Körper in das Erleben des Körpers. Als ein liebevoller, radikaler Shift von „Mein Körper macht etwas gegen mich" zu „Mein System zeigt mir etwas, das in mir gesehen werden will". Weil ganz ehrlich: Die meisten Menschen leiden nicht nur an ihren Symptomen, sondern vor allem an der Beziehung, die sie zu ebendiesen Symptomen haben. Sie leiden an der Geschichte darüber. An der Angst. An dem inneren Widerstand. An dem dauerhaften „Das darf nicht sein", das wie eine zweite Krankheit obendrauf sitzt. Und „wenn alles eins ist, ist alles easy" heißt in diesem Kontext nicht, dass es immer leicht ist. Es heißt: Du bist nicht getrennt von deinem Körper. Du bist nicht getrennt von deinem Symptom. Und wenn du nicht getrennt bist, musst du nicht kämpfen. Dann kannst du hinhören, hinschauen. Dich selbst anerkennen mit dem, was ist. Gesundheit, so wie ich sie definiere, ist nicht einfach „nichts tut weh". Gesundheit ist Kohärenz. Diese innere Stimmigkeit, bei der dein System nicht permanent gegen sich selbst arbeitet. Dieser Zustand, in dem dein Nervensystem nicht auf Daueralarm steht. In dem dein Körper nicht permanent kompensieren muss, weil dein Inneres und dein Äußeres zwei verschiedene Sprachen sprechen. Kohärenz ist, wenn du nicht nur „gesund leben" willst, sondern wenn dein System tatsächlich wieder in Einklang ist. Wenn Atmung, Verdauung, Schlaf, Hormonhaushalt, Energie, Stimmung, Immunsystem - all diese scheinbar getrennten Dinge - wieder anfangen, miteinander zu kooperieren, statt sich gegenseitig zu sabotieren. Und das Spannende ist: Kohärenz ist eben nicht nur ein körperlicher Zustand. Sie ist ein Bewusstseinszustand. Weil dein Körper nicht getrennt ist von deinem Denken. Nicht getrennt von deinen Emotionen. Nicht getrennt von deiner Wahrnehmung. Nicht getrennt von deiner Lebensführung. Alles wirkt. Alles schwingt. Alles kommuniziert. Und dein Körper ist das ehrlichste Kommunikationsmedium, das du hast, weil er nicht lügen kann. Du kannst dir selbst erzählen, dass du „eigentlich okay" bist. Dein Körper zeigt dir, wie okay du wirklich bist. Das ist nicht gemein. Das ist genial. Trotzdem finden die meisten genau das gemein! Wir haben gelernt, Symptome wie Feinde zu behandeln. Etwas taucht auf und das Erste ist: Weg damit. Unterdrücken. Betäuben. Bekämpfen. Genau wie mit unseren Gefühlen. Und da weißt du bereits, dass das zu nichts führt. Bei Symptomen ist es genauso! Es bringt einfach nichts! Und das bedeutet natürlich nicht, dass es nicht auch Momente gibt, in denen akute medizinische Hilfe und Symptomlinderung wichtig, notwendig und lebensrettend sind. Das ist nicht der Punkt, den wir hier romantisieren. Die RKM steht nicht gegen Medizin. Sie steht gegen Trennung. Der Unterschied ist: Du kannst ein Symptom behandeln und trotzdem in Beziehung damit gehen. Du kannst medizinisch handeln und gleichzeitig innerlich hören. Das eine schließt das andere nicht aus. Das ist nondual: nicht Entweder-oder, sondern sowohl als auch. Und wenn du ein Symptom als Energie siehst, verändert sich sofort die Grundeinstellung. Dann ist es nicht mehr „Mein Körper macht mich fertig", sondern „Mein System zeigt mir etwas", „Mein Körper will in Kontakt mit mir gehen". Dann wird aus Kampf nämlich Beziehung.

Ein Beispiel, ganz banal: Kopfschmerzen. Viele Menschen kennen das als Dauergast. Und ja, manchmal ist es Dehydration, manchmal Hormonlage, manchmal Bildschirmzeit, manchmal Verspannung. Aber ganz ehrlich, eigentlich ist es immer etwas anderes als all das: ein Nervensystem, das seit Tagen zu viel Input hatte. Zu wenig Pausen. Zu wenig

Ausatmen. Zu viel „ich muss noch". Und der Körper sagt:
Stop. Aus Liebe!

Oder Verdauung. So ein Thema, über das man nicht so
schick spricht, aber dein Darm hat nicht die geringste Lust
auf gesellschaftliche Höflichkeit. Der Darm ist wie ein sehr
ehrlicher Freund, der dir sofort zeigt, ob du etwas „nicht ver-
dauen" kannst; physisch und emotional. Und wenn du permanent Dinge schluckst, die du eigentlich nicht willst, Gespräche, Situationen, Erwartungen, Selbstverrat, dann ist es
völlig normal, dass der Körper irgendwann sagt: Jetzt ist genug mit dem Quatsch! Jetzt kümmere dich mal wieder um
dich!

Oder Müdigkeit. Diese tiefe Erschöpfung, die nicht weggeht,
egal wie lange du schläfst. Die natürlich auch wieder sehr
viel weniger mit Schlaf zu tun hat und mehr mit innerem Dau-
erstress, mit unbewusstem Alarm, mit einem Nervensystem,
das ständig scannt: Bin ich sicher? Muss ich leisten? Muss
ich funktionieren? Muss ich gefällig sein? Für jedes dieser
Beispiele und viele, viele weiterer gilt: Der Körper ist nicht gegen dich. Er ist dein freundlicher, klarer Übersetzer. Du darfst
einfach lernen, hinzuhören! Und dadurch kommst du wieder
in einen kohärenten Zustand. Das Chaos im Körper ordnet
sich. Alles fließt gleichmäßig und deine Kraft kehrt ganz von
allein zurück.

Kraft, ja, lass uns über Kraft sprechen. Viele verwechseln
Kraft mit Durchhalten. Mit „Ich krieg das schon hin". Mit dieser Art von Stärke, die man bewundert, weil sie so beeindru-
ckend ist, bis der Körper irgendwann sagt: Danke, reicht.
Kraft im Sinne der RKM ist etwas anderes. Es ist nicht die
Kraft, die gegen das Leben geht. Es ist die Kraft, die aus dem
Leben kommt. Es ist diese Vitalität, die du spürst, wenn du
nicht gegen dich arbeitest. Wenn du nicht ständig innerlich
kompensierst. Wenn du nicht dauernd „über" deine Grenzen
gehst und dann hoffst, dass dein Körper das irgendwie schon

mitmacht. Kraft ist nicht Kontrolle. Kraft ist Kohärenz. Und Vitalität ist nicht nur „viel Energie". Vitalität ist das Gefühl, dass Energie frei fließt. Dass du morgens aufwachst und spürst: Da ist Leben. Nicht: Da ist ein weiterer Tag, den ich irgendwie überstehen muss. Und ja, ich weiß: Das klingt wie Luxus. Aber es ist viel näher an dir, als du denkst. In dem Moment, in dem du aufhörst, innerlich gegen dich selbst zu kämpfen, wird unglaublich viel Energie freigesetzt. Und diese Energie war immer da. Sie wird auch immer da sein. Du wählst einfach, ob du sie nutzt, um sie gegen dich selbst einzusetzen oder für dich. Weil du aufhörst, innerlich zu kämpfen.

Die Rosa Koppelmann Methode ist auch beim Thema Gesundheit und Vitalität im Kern eine Praxis des Erkennens. Nicht des Machens. Du musst dich nicht „gesund denken". Du musst nicht „positiv" sein. Du musst nicht alles schönreden. Du musst nur anfangen, ehrlich zu spüren. Denn, du und ich, wir wissen beide, dass die meisten Menschen ihren Körper erst fühlen, wenn er schreit. Die feinen Signale vorher werden übergangen. Das ist nicht „Schuld". Das ist Training. Wir wurden so sozialisiert. Funktionieren, weiter, leisten, noch schneller. Und der Körper ist so loyal, dass er lange mitmacht. Bis er eben nicht mehr mitmacht. RKM heißt hier: Du trainierst den Moment, in dem du merkst, dass dein System kippt - und zwar bevor es kippt!

Das kann so aussehen:

Du merkst, dass du schneller atmest.
Du merkst, dass dein Kiefer fest wird.
Du merkst, dass du innerlich enger wirst.
Du merkst, dass du gereizter bist.
Du merkst, dass dein Bauch hart wird.
Du merkst, dass du „durch" willst.

Und statt dich zu übergehen, machst du wie immer in der RKM etwas Simples, enorm Effizientes: Du bleibst kurz stehen. Innerlich. Du gehst nicht in die Geschichte. Du gehst nicht in die Selbstoptimierung. Du gehst nicht in „ich muss nur…". Du gehst in Kontakt.

Was ist jetzt da?
Wo ist es im Körper?
Wie fühlt es sich an?
Und kann ich es da sein lassen, ohne es wegzuschieben?

Das klingt simpel. Und es ist simpel. Es ist nur nicht leicht; zumindest am Anfang. Weil das Ego gern in Kontrolle bleibt und Kontrolle ist bei Gesundheit ein sehr beliebtes Betäubungsmittel. Man kann sich sehr „gesund" fühlen, während man eigentlich nur kontrolliert. Die RKM macht das sichtbar. Sanft. Direkt. Und plötzlich wird das, was wir „Heilung" nennen, nicht mehr ein Ziel, sondern ein Prozess von Rückverbindung. „Wenn alles eins ist, ist alles easy" heißt hier: Du bist nicht getrennt von deinem Körpergefühl. Du musst nicht erst „anders" werden, um dich wieder spüren zu dürfen. Du darfst jetzt anfangen, mit dem, was da ist. Du darfst dich selbst erkennen, mit dem, was da ist. Und diesen Körper wieder lieben lernen. Diesen Körper, der dir dieses Spiel des Lebens ermöglicht.

Es ist spannend, sich anzuschauen, wie wir überhaupt an den Punkt gekommen sind, Gesundheit so zu erleben, wie viele Menschen sie heute erleben: als etwas, das „man hat oder nicht", als etwas, das Experten verwalten, als etwas, das man mit Methoden repariert. Früher war Gesundheit viel mehr eingebettet in Alltag, Rhythmus, Natur, in den Wechsel von Aktivität und Ruhe. Nicht romantisch verklärt, aber organischer. Mit der Industrialisierung kam der Körper stärker ins Funktionieren. Mit dem Fortschritt kam die Idee, dass alles messbar, reparierbar, optimierbar ist. Und irgendwann begannen wir, den Körper wie eine Maschine zu behandeln. Das hatte Vorteile, definitiv. Medizinische Fortschritte sind ein Geschenk. Aber es hatte auch einen Preis: Wir verlernten, Körper als Beziehung zu erleben. Und wenn du Körper nicht als Beziehung erlebst, sondern als Objekt, entsteht automatisch Trennung. Und Trennung ist, wie du bereits weißt, Stress. Stress ist ein Zustand im Nervensystem, der Hormone, Immunsystem, Verdauung, Schlaf und Energie beeinflusst. Trennung ist somit nicht „spirituell", sie ist körperlich. Und genau deshalb ist die Nondualität so wunderbar praktisch. Weil sie Trennung erkennt und durch das Erkennen löst. Und sobald das Gefühl der Trennung sinkt, sinkt Stress. Und sobald Stress sinkt, kann der Körper wieder regulieren. Oft ganz von selbst, manchmal mit Unterstützung, manchmal mit Zeit, manchmal Schritt für Schritt. Aber immer in Richtung mehr Kohärenz. Kohärenz kennst du bereits und weißt, dass sie immer wieder die Grundlage von allem ist. Und dadurch ist das hier vielleicht einer der wichtigsten Sätze in diesem Kapitel: Der Körper heilt nicht durch Druck, der Körper heilt durch Sicherheit. Und Sicherheit ist nicht „alles ist perfekt". Sicherheit ist ein Nervensystemzustand. Und du kannst diesen Zustand nicht erzwingen. Du kannst ihn nur erlauben (RKM). Und genau hier kommt wieder dieses „easy" rein, das so viele missverstehen. Easy bedeutet nicht „keine Verantwortung". Easy bedeutet: weniger Kampf. Weniger Widerstand. Weniger innere Gewalt. Eigentlich kennst du das alles, was ich dir hier erkläre, ganz genau: wenn du gestresst bist, verdaut dein Körper anders. Du schläfst anders. Du atmest anders. Du fühlst dich anders. Du erinnerst dich: das autonome Nervensystem hat zwei grobe Modi, Überleben (Sympathikus) und Regeneration (Parasympathikus). Und der Körper kann nicht gleichzeitig im Überlebensmodus und im Heilungsmodus sein. Das ist ganz einfach nicht möglich.

Das Ziel dieses Kapitels ist nicht, dass du nie wieder Symptome hast. Das wäre nicht nur unrealistisch, es wäre auch nicht nötig. Das Ziel ist, dass du aufhörst, Gesundheit als

Kampfplatz zu erleben. Dass du aufhörst, in Angst zu erstarren, sobald der Körper etwas zeigt. Dass du aufhörst, dich selbst zu bewerten, weil du „noch nicht da" bist. Gesundheit ist ein Spielfeld. Ein Feld, in dem du lernst, zu hören. Zu fühlen. Zu vertrauen. Und zu handeln, wenn es dran ist; aber eben nicht aus Panik, sondern aus Präsenz. Und das ist vielleicht auch die eigentliche Definition von Kraft: Die Kraft zu haben, da zu sein mit dem, was ist. Fühlen, ohne dich zu verlieren. Handeln, ohne zu kämpfen. Deinen Körper begleiten, ohne ihn zu kontrollieren. Du bist nicht gegen deinen Körper. Du bist erlebendes Bewusstsein in einem Körper. Und dieser Körper ist nicht dein Feind, sondern dein Zuhause, dein Instrument, dein Spiegel, dein Ausdruck.

Mit Gesundheit ist es, wie mit Geld, wie mit Beziehung, wie alles in diesem Buch: nicht etwas, das du besitzt. Sondern etwas, das du erlaubst, weil du aufhörst, dich zu trennen.

Und nun, da wir begonnen haben, unseren Körper mehr zu verstehen und wieder in eine tiefere, liebevollere Beziehung mit ihm zu treten, gehen wir weiter zu unserem letzten Kapitel - und befassen uns endlich mit dem Tod!

Kapitel 7: Tod, Endlichkeit & Verlust

Der Tod. Eben habe ich noch geschrieben, dass Geld und Gesundheit die beiden Themen sind, die am meisten Widerstand und die ganz großen Gefühle auslösen. Nun, ich habe nur die halbe Wahrheit gesagt. Denn das Thema „Tod" ist für die meisten noch viel sensibler als Geld oder Gesundheit. Dein Nervensystem hat Geld vielleicht bis jetzt als Bedrohung gesehen. Vielleicht auch das Thema Gesundheit. Und jetzt kommen wir zum Tod; dem Thema, das fast jedes Nervensystem massiv als Bedrohung erlebt. Und zwar nicht nur, wenn jemand stirbt, sondern auch, wenn etwas endet. Eine Beziehung. Ein Lebensabschnitt. Ein Traum. Eine Version von dir. Ein Körpergefühl von Sicherheit. Ein Zuhause. Eine Phase, in der du dachtest: Jetzt hab ich's.

Und wenn du jetzt beim Lesen schon so ein leichtes Ziehen im Brustkorb spürst, dann ist das nicht, weil du sensibel bist. Das ist, weil dein Nervensystem sehr genau weiß, wovon wir sprechen. Es weiß nämlich: Endlichkeit ist nicht philosophisch. Endlichkeit ist körperlich. Und genau deshalb ist dieses Kapitel kein Kapitel, das dich „tröstet". Und auch keines, das dir erklärt, dass alles gut ist, weil „wir ja unsterbliches Bewusstsein sind" und „die Seele weiterlebt" und „alles einen Sinn hat". Denn ehrlich gesagt: Wenn jemand gerade einen Menschen verloren hat, den er liebt, ist es völlig egal, wie viele spirituelle Konzepte und Kalendersprüche wahr sein könnten. Der Körper hört in diesem Moment nicht zu. Der Körper interessiert sich in solchen Momenten nicht die Bohne für hochtrabende Konzepten. Der Körper spürt Verlust. Punkt.

Nondualität und die Rosa Koppelmann Methode werden hier nicht zum hübschen Leitsatz. Nein, eher im Gegenteil: sie wird zum Prüfstein. Nicht im Sinne von: „Bestehst du die Prüfung?", sondern im Sinne von: Kannst du hier noch echt sein?

Kannst du hier noch fühlen, ohne zu fliehen? Kannst du hier noch atmen, ohne dich zu betäuben? Kannst du hier noch Mensch sein, ohne dich spirituell rauszureden? Kannst du hierbleiben? Auch im stärksten Schmerz? Denn genau das ist das große Missverständnis, das viele „Spiri"-Wege leider immer wieder produzieren: dass Nondualität bedeutet, über dem Leben zu stehen. Als wärst du so erleuchtet, dass dich nichts mehr berührt. Als würdest du Verlust ansehen und sagen: „Alles ist eins, also ist es eigentlich gar nicht schlimm." Wenn du das kannst, okay, wunderbar. Aber dann habe ich eine Vermutung: Entweder hast du noch nicht wirklich verloren oder du hast dich aus deinem Körper verabschiedet. Und das ist keine Erleuchtung. Das ist Dissoziation mit Räucherstäbchen. Wer keine Gefühle fühlt, wenn beispielsweise das eigene Kind stirbt, hat sich selbst abgeschnitten vom Spiel des Menschseins. Denn Gefühle, auch die intensivsten, sind schließlich das, was das Menschsein zum Menschsein macht. Ja, meine Liebe, mein Lieber: Das Leben berührt dich. Dafür bist du hier!

Und ja; es stimmt natürlich weiterhin: In der Tiefe bist du nicht getrennt. Es gibt keinen Tod im Sinne eines endgültigen Auslöschens des Seins. Es gibt nur Wandel. Formwechsel. Energie, die sich neu organisiert. Aber hier kommt der Punkt, an dem wir uns an die Rosa Koppelmann Methode erinnern: Du kannst das wissen und trotzdem darf es weh tun. Du kannst Einheit erkennen und trotzdem kann dein menschliches Herz brechen. Du kannst die Illusion des Ich durchschauen und trotzdem kann dein Körper schreien: „Ich will dich zurück." Das ist kein Widerspruch. Das ist das pure Wunder dieses Lebens! Die Nondualität und die Rosa Koppelmann Methode nehmen dir nicht den Schmerz. Niemals. Egal, bei was. Die RKM nimmt dir den Widerstand gegen den Schmerz und das ist ein gigantischer Unterschied. Denn Schmerz ist eine Bewegung. Widerstand ist der Staudamm. Wenn du verlierst, was du liebst, entsteht eine Welle. Eine echte, biologische, elektrische Welle durch dein System. Dein Nervensystem, das gewohnt war, in Resonanz zu sein mit einem anderen Menschen, findet plötzlich keinen Kontakt mehr. Deine inneren Vorhersagemodelle (diese neuronalen Muster, die ständig berechnen, was als Nächstes passiert) laufen ins Leere. Du erwartest, dass die Person anruft. Du erwartest, dass sie im Raum ist. Du erwartest, dass es „weitergeht wie immer". Und dann ist da: Stille. Und diese Stille ist nicht friedlich. Diese Stille ist ein Loch im bekannten Muster. Und der Körper hasst Musterlöcher. Der Körper will Vorhersagbarkeit. Der Körper will: Das war doch mein Mensch. Wo ist er? Und dann kommen wir und sagen sowas wie: „Du musst loslassen." Ich muss immer ein bisschen lachen, wenn ich das höre, weil ... wie genau stellst du dir das vor? Als würde man eine geliebte Person wie einen Schlüsselbund loslassen und sagen: „Okay, erledigt." Loslassen ist kein mentaler Entschluss. Loslassen ist ein Prozess im Nervensystem - und der dauert. Und der ist chaotisch. Das ist reine Neurobiologie. Unser System verändert sich nicht von jetzt auf gleich, sondern immer als Prozess. Immer in Bewegung. Und du musst nichts beschleunigen, im Gegenteil: je mehr du versuchst zu beschleunigen, je mehr Inkohärenz erschaffst du dir. Je weniger Widerstand, desto leichter fließt alles in deinem Neu-Ordnungs-Prozess. Du musst übrigens auch nichts „verstehen", damit es aufhört. Du musst erst recht nicht „positiv denken". Du musst nicht mal „vertrauen", wenn du gerade nicht kannst. Du darfst einfach wahrnehmen, was da ist. Und das klingt so simpel, dass es fast respektlos wirkt. Aber es ist die einzige echte Tür: Wahrnehmung.

Ich erzähle dir von meinen Fehlgeburten. Ich wollte so gerne ein zweites Kind, aber zwei Mal hintereinander verabschiedete sich dieses gewünschte Kind in der 12. Schwangerschaftswoche. Beim ersten Mal suchte ich monatelang nach dem „Warum" und machte mir damit das Leben schwer. Ich stellte alles in Frage (meine Ernährung, meine Beziehung, meine Arbeit, mein Leben im Allgemeinen) und war dadurch in einer dauerhaften Anspannung. Es war hart. Ich war überhaupt nicht bereit, den Schmerz wahrzunehmen oder anzuerkennen. Ich wollte eine Erklärung, denn dadurch konnte ich meine Aufmerksamkeit im Außen halten und musste nicht nach Innen schauen. Nach der zweiten Fehlgeburt schließlich kam meine Hebamme zu mir und kaum, dass sie durch die Tür war, sagte sie: „Rosa, es gibt keinen Grund!". Ich habe heute noch Gänsehaut, wenn ich daran denke, denn der Moment war so unglaublich kraftvoll. All die Last, all der Druck, all das Suchen fiel von mir ab. Ich weinte und merkte, wie ich all der Energie, die sich monatelang angestaut hatte, endlich die Erlaubnis gab, zu fließen. Mit diesem einen Satz brachte meine Hebamme mich vom Außen ins Innen und meine Kontrollmauer brach ein. Ich konnte endlich einfach den Schmerz wahrnehmen. Dieser Satz war mein Anker. Und es überrascht dich wahrscheinlich nicht, wenn ich dir jetzt sage, dass ich dreizehn Monate später mein zweites Kind in den Armen hielt (mittlerweile vier Kinder habe und gerade jetzt mit dem fünften schwanger bin). Der Druck durfte weichen und die Energie durfte frei fließen und so kam mein Körper wieder in Kohärenz und die Biologie konnte ihren Lauf nehmen.

Denn ganz ehrlich, was passiert wirklich, wenn wir Verlust nicht fühlen wollen? Wenn wir nach dem „Warum" suchen, statt einfach die Gefühle wahrzunehmen? Wenn wir wegdrücken, was wirklich da ist? Wir machen den Schmerz zu etwas anderem! Wir machen ihn zu Wut. Oder zu Schuld. Oder zu „ich muss jetzt funktionieren". Oder zu „ich muss jetzt spirituell sein". Oder zu Aktionismus. Oder zu Starre. Oder zu diesem sehr deutschen Klassiker: „Reiß dich zusammen, es muss ja weitergehen." Und ja, es geht weiter. Es geht immer weiter. Die Frage ist nur: Gehst du mit oder bleibst du stecken? Die RKM ist hier das, was sie immer ist: ein Raum, in dem du nichts wegmachen musst. Ein Raum, in dem dein Körper endlich aufhören darf, sich zusammenzunehmen. Ein Raum, in dem du nicht „stark" sein musst, um würdig zu sein. Ein Raum, in dem du sogar zerbrechen darfst, ohne, dass du verloren gehst. Denn genau das ist der nächste Punkt, wo Nondualität ernst wird: Du kannst zerbrechen, ohne, dass das Sein zerbricht. Die Form bricht. Die Geschichte bricht. Vielleicht bricht deine gesamte Identität. Das ganze Bild von „so sollte es sein" bricht. Aber das, was du bist, bricht nicht. Es kann nicht brechen. Niemals. Und wenn du das tatsächlich erfahren möchtest, dann kannst du das: wenn du aufhörst, vor dem Schmerz wegzurennen.

Trauer ist übrigens nicht nur traurig. Trauer ist letztlich einfach Liebe in Bewegung. Trauer ist der Beweis, dass du verbunden warst. Trauer ist die Energie der Bindung, die plötzlich keinen Anker mehr im Außen findet und sich deshalb im Innen neu organisiert. Und ja: Das kann dich völlig aus der Bahn werfen. Es kann dich müde machen, leer, wütend, weich, verwirrt. Es kann dich in Wellen überrollen und du denkst: „Ich dachte, ich hab's doch schon verarbeitet." Willkommen. Das ist nicht falsch. Das ist Trauer. Sie ist nicht linear. Sie ist ein Ozean. Und du bist ein Körper. Und ja, der Geist versucht, daraus wieder eine Geschichte zu machen; ein „Was hätte ich anders machen können?"-Geschichte, oder eine „Die Seele hat das so gewählt."-Geschichte. Und ich sage nicht, dass das nicht stimmen kann. Ich sage nur: Schau mal hin, ob du das gerade sagst, weil du es wirklich fühlst oder weil du es nicht fühlst. Denn Geschichten sind keine Wahrheit. Sie sind einfach Geschichten. Und du entscheidest, welche du als deine annimmst und welche nicht. Niemand außer dir entscheidet das. Manchmal sind spirituelle Erklärungen wie eine Decke, warm, weich, wunderbar. Aber manchmal sind sie eben auch ein Maulkorb fürs Herz. Die nonduale Rosa-Perspektive ist kein Maulkorb. Radikal ehrlich sagt sie: „Fühl, was da ist! Aber hör auf den

Geschichten zu glauben, die du an das, was du fühlst, dran-
hängst". Und das ist besonders, wenn es um den Tod geht,
eine ziemlich radikale Einladung. Weil viele Menschen genau
davor Angst haben: Wenn ich wirklich fühle, dann geht es nie
wieder weg. Wenn ich wirklich zulasse, dass es mich trifft,
dann falle ich auseinander und komme nie wieder zurück.
Nur, Gefühle sind Wellen. Sie kommen. Sie gehen. Sie überrollen dich. Und sie lassen nach. Einfach weil sie Bewegung
sind. Was nicht nachlässt, ist Widerstand. Widerstand ist
das Festhalten am „Nein". Das Festhalten am „Das darf
nicht sein." Das Festhalten am „Ich muss es wegkriegen."
Und genau das ist es, was Trauer so unerträglich macht.
Wenn du dagegen aufhörst, mit dem Tod zu diskutieren,
dann entsteht ein Raum. Und dieser Raum ist zwar nicht sofort schön, aber er ist echt. Echtheit ist Kohärenz. Und in diesem echten Raum passiert genau das, was wir in der RKM
immer wieder erleben: du spürst gleichzeitig den Schmerz
und die Weite. Gleichzeitig das Vermissen und eine stille Präsenz. Gleichzeitig das Loch und das Feld. Du wirst vermissen. Du wirst weinen. Du wirst wütend sein. Du wirst an Dingen riechen und plötzlich zusammenbrechen, weil dieser
Geruch dich zurückwirft in einen Moment, der nicht mehr
wiederkommt. Und ja: Das ist brutal. Und ja: Das ist Liebe.
Und ja: Das ist Leben.

Du darfst trauern - und du darfst frei sein.
Du darfst zerbrechen - und du darfst gehalten sein.
Du darfst vermissen - und du darfst verbunden sein.
Nicht Entweder-oder. Sondern beides. Gleichzeitig.

Und das gilt für alles: Es gilt in Bezug auf deine Familie und
deine Beziehung. Es gilt in Bezug auf Geld und auf Gesundheit und es gilt auch, wenn wir über den Tod sprechen.

Wir haben die Rosa Koppelmann Methode der bedingungslosen Erlaubnis jetzt über viele Seiten hinweg besprochen und
aus den Perspektiven von Beziehung, Geld, Gesundheit und

Tod angeschaut. Du hast zwischendurch gelächelt, genickt, den Kiefer hart gemacht und den Kopf geschüttelt. Du hast dir selbst Fragen gestellt, die du dir noch nie zuvor gestellt hast und du hast Erkenntnisse gehabt, die immer noch nach- wirken und gerade in deinem neuronalen System für Chaos sorgen. Und neben all dem hast du vor allem eins; du hast dich geöffnet, geöffnet für eine völlig neue Perspektive auf dieses Spiel des Lebens!

ABSCHLUSS: WILLKOMMEN IM SPIEL

Weißt du noch, wie du dieses Buch begonnen hast?

Vielleicht saßt du auf dem Sofa, warst neugierig, skeptisch, oder beides gleichzeitig. Vielleicht hattest du irgendwo im Hinterkopf diese Hoffnung davon, dass da drin irgendwas steht, was dein Leben ein bisschen leichter macht. Und vielleicht hast du dieses Buch auch mal kurz (oder lange) weggelegt, weil ein Kapitel dich so aufgewühlt hat, dass du erst mal eine Runde spazieren gehen, oder dich eine Erkenntnis so überrollt hat, dass du einfach kurz innehalten und atmen musstest.

Das alles ist gut. Das alles ist genau richtig.

Denn dieses Buch hat dich nicht in dem Sinne verändert, wie du „klassische Veränderungen" kennst. Es hat dich erinnert. Erinnert an das, was du schon immer warst, bevor jemand dir erzählt hat, dass du dich erst entwickeln musst. Bevor jemand dir weisgemacht hat, dass du heilen musst, bevor du ganz sein darfst. Bevor du angefangen hast zu glauben, dass Leichtigkeit ein Privileg ist, das du dir verdienen musst. Denn Leichtigkeit ist kein Ziel. Sie ist dein Ausgangszustand.

Lass uns kurz schauen, was du gerade wirklich mitgenommen hast: Du hast verstanden, dass Zeit und Raum keine festen Strukturen sind, in denen du gefangen bist, sondern Konstrukte deines Nervensystems, die dir das Menschsein navigierbar machen. Das bedeutet konkret: Es gibt keine Vergangenheit, die dich festhält, wenn du aufhörst, ihr diese Macht zu geben. Es gibt keine Zukunft, die du erst verdienen musst. Es gibt nur dieses Jetzt - und in diesem Jetzt liegt alles, was du je gebraucht hast.

Du hast verstanden, dass deine Wahrnehmung keine passive
Kamera ist, die die Welt aufnimmt, wie sie ist. Dein Gehirn ist
ein Frequenzübersetzer. Es nimmt das Rauschen des Universums und macht daraus dein ganz persönliches Erlebnis von
Realität. Das Nervensystem ist die unsichtbare

Regisseurin, die entscheidet, was auf die Leinwand kommt.
Und das Wunderbare daran? Du bist nicht das Nervensystem. Du bist der Bewusstseinsraum, in dem es arbeitet. Das
bedeutet: du bist niemals ausgeliefert an das, was du fühlst
oder denkst. Du bist immer der Raum, der das Fühlen und
Denken beobachtet.

Du hast außerdem erkannt, dass Energie nicht irgendetwas
Mystisches ist, das auf spirituellen Retreats passiert. Energie
ist alles. Du, der Stein, das Geld auf deinem Konto, das Gespräch mit deinem Partner, die Banane, die dein Kind gerade
falsch geschält findet. Alles ist Schwingung in unterschiedlicher Verdichtung. Und diese Schwingung ist weder gut noch
schlecht, weder high noch low. Sie ist einfach. Sie ist immer
neutral. Was sich verändert, ist deine innere Kohärenz - und
damit, was durch dich fließen kann und was nicht.

Du hast verstanden, was Intuition wirklich ist: kein mysteriö-
ses Raunen aus einem unbekannten Jenseits, sondern der
natürliche Zustand deines Bewusstseins, wenn es aufgehört
hat, Lärm zu produzieren. Intuition ist das, was übrigbleibt,
wenn das Default Mode Network sich eine Pause gönnt und
dein System in Kohärenz fällt. Einfach: weniger Rauschen,
mehr Klarheit.

Und du hast gesehen, was mit Identität wirklich passiert,
wenn du aufhörst, sie zu verteidigen. Nicht, dass du niemand
mehr wärst. Sondern, dass du endlich wieder alles sein
kannst, weil du aufgehört hast, auf ein einziges Bild von dir
festgelegt zu sein. Die Rollen bleiben. Das Drama geht.

Und dann kam die Rosa Koppelmann Methode.

Nicht als weiteres Tool, das du erst meistern musst, bevor du endlich gut genug bist. Sondern als die logische, liebevolle Konsequenz aus allem, was du in Teil 1 erkannt hast. Wir haben diese Methode auf dein Geld angewandt und du hast gesehen: Fülle ist kein Belohnungssystem. Geld fließt nicht zu denen, die am härtesten arbeiten oder am meisten kämpfen. Es fließt dorthin, wo Widerstand aufhört. Wir haben sie auf deine Beziehungen angewandt und du hast gesehen: Verbindung entsteht nicht durch richtiges Kommunizieren oder perfektes Einfühlungsvermögen. Sie entsteht in dem Moment, in dem du aufhörst, dich gegen dich selbst und dadurch automatisch gegen den anderen zu verteidigen. Wir haben sie auf deine Gesundheit angewandt und du hast gesehen: dein Körper ist kein Feind, kein Projekt, kein Beweis für irgendetwas. Er ist ein Feld aus Intelligenz, das ununterbrochen für dich arbeitet; und das aufatmet, wenn du aufhörst, ihm zu misstrauen. Und wir haben sie sogar auf Verlust und Tod angewandt. Weil genau dort, wo alles wehtut, die tiefste Freiheit wartet: das Erkennen, dass du zerbrechen kannst, ohne verloren zu gehen. Dass Trauer nicht überwältigt, sondern Liebe in Bewegung ist. Dass selbst der Tod kein Ende ist, sondern eine Transformation in einem Universum, in dem Energie nie verloren geht.

Und was passiert jetzt?

Ich werde dir jetzt etwas sagen, das viele Ratgeber an dieser Stelle NICHT sagen. Ich werde dir nämlich nicht sagen, dass du jetzt täglich meditieren sollst. Oder ein Morgenritual einführen musst. Oder eine bestimmte Anzahl von Atemübungen absolvieren solltest, bevor du ans Telefon gehst. Das alles kannst du machen, wenn es sich gut anfühlt. Aber es ist nicht notwendig.

Was sich jetzt verändert hat - wenn du dieses Buch wirklich gelesen und nicht nur überflogen hast - ist deine Wahrnehmung. Und Wahrnehmung ist alles. Denn sobald du einmal gesehen hast, wie das Spiel funktioniert, kannst du nicht mehr so tun, als hättest du es nicht gesehen. Du wirst mitten in einem Streit plötzlich bemerken: Ah. Da ist mein Nervensystem. Das ist nicht die Wahrheit. Das ist eine Frequenz, die durch mich fließen will. Du wirst an der Supermarktkasse stehen und statt Ungeduld eine leise Neugier fühlen: Was zeigt mir das gerade? Du wirst Geld ausgeben und zum ersten Mal spüren, ob da Fluss ist oder Angst. Du wirst morgens aufwachen und nicht sofort in die To-Do-Liste fallen, sondern für einen Moment einfach da sein. Und merken: Das hier ist genug. Das hier ist vollständig.

Das klingt klein. Und es ist das Größte, was es gibt. Denn dieses Eine verändert alles andere. Nicht wie in einem Hollywood-Transformationsmovie, in dem jemand eine Offenbarung hat und danach einfach strahlt. Sondern leise. Graduell. In kleinen Momenten, in denen du merkst: Hier hätte ich früher reagiert. Heute nicht. In Gesprächen, die plötzlich leichter fließen, ohne, dass du weißt, warum. In Entscheidungen, die du triffst, ohne wochenlang grübeln zu müssen. In einem Gefühl von innerer Stabilität, das sich nicht ändert, wenn das Leben sich ändert - weil du weißt, dass du nicht die Wellen bist. Du bist das Meer. Und das reicht. Das bloße Erinnern reicht.

Und jetzt lass uns noch über etwas sprechen, das größer ist als du. Du erinnerst dich an die Quantenverschränkung. Zwei Teilchen, einmal verbunden, reagieren aufeinander - sofort, egal wie weit sie voneinander entfernt sind. Das ganze Universum ist aus diesen Teilchen gebaut. Was bedeutet das? Es bedeutet: Was du in dir veränderst, verändert buchstäblich alles. Nicht als hübsche spirituelle Idee. Physikalisch. Dein Herz erzeugt das stärkste elektromagnetische Feld deines Körpers - messbar mehrere Meter über deinen Körper hinaus. Wenn du in Kohärenz bist, regulieren sich die Menschen in deiner Nähe mit. Deine Kinder beruhigen sich. Dein Partner öffnet sich. Fremde in der Schlange vor dir entspannen. Das passiert nicht, weil du besonders spirituell bist. Es passiert, weil Physik, Physik ist.

Wir leben aktuell in einer Welt, die unter dem Gewicht von Trennung kollabiert. Trennung zwischen Ländern. Trennung zwischen Menschen, die verschiedene Meinungen haben und sich dafür hassen. Trennung zwischen Körper und Geist, zwischen Wissenschaft und Spiritualität, zwischen Gefühl und Vernunft. Und in dieser Welt voller Trennung hast du gerade über zweihundert Seiten darüber gelesen, dass Trennung eine Illusion ist. Dass da unten, auf der Ebene der Quanten, nichts getrennt ist. Dass alles, wirklich alles, in einem einzigen Feld schwimmt.

Und es bedeutet: Jede einzelne Person, die aufhört, gegen sich selbst zu kämpfen, bringt Frieden in die Welt. Einfach, indem sie morgens aufwacht und sich die Erlaubnis gibt, wahrzunehmen, was da ist. Indem sie in einem schwierigen Gespräch einen Atemzug nimmt und sich fragt: Was fühle ich gerade wirklich? Indem sie bei ihren Kindern ist, wirklich ist, nicht mit dem Kopf schon beim nächsten Meeting. Indem sie Geld ausgibt ohne Angst. Indem sie liebt ohne Bedingungen. Indem sie trauert ohne Scham. Diese Person - und damit meine ich dich - verändert das Feld. Immer. Ausnahmslos. Ob du es weißt oder nicht. Ob du es willst oder nicht. Die Frage ist nur: Tust du es bewusst oder unbewusst? Stell dir eine Welt vor, in der die meisten Menschen das wissen. In der Kinder nicht beigebracht bekommen, ihre Gefühle wegzudrücken, sondern sie wahrzunehmen. In der Entscheidungsträger nicht aus Angst heraus agieren, sondern aus Kohärenz. In der Konflikte nicht eskalieren, weil beide Seiten gelernt haben, das Nervensystem zu erkennen, bevor es schießt. In der Menschen sich nicht gegenseitig bekämpfen, weil sie wissen: Der andere ist nicht mein Feind. Der andere ist dasselbe Feld, dasselbe Bewusstsein, dieselbe Energie - nur in einer anderen Ausprägung.

Das klingt utopisch? Ja. Und gleichzeitig: es beginnt genau hier. Mit dir. Mit diesem Buch. Mit dem Moment, in dem du entschieden hast, nicht mehr auf Autopilot zu leben.

Ich schreibe dieses Buch, während ich mit meinem fünften Kind schwanger bin. Ich schreibe es nach zwei Fehlgeburten, nach drei Jahren im Harzt IV, nach einem jahrelangen Weg aus der klassischen Persönlichkeitsentwicklungs-Bubble, nach unzähligen Momenten, in denen ich selbst nicht geglaubt habe, dass es wirklich so einfach sein kann. Und ich schreibe es, weil ich heute weiß: Es kann wirklich so einfach sein. Nicht weil das Leben keine Herausforderungen hätte. Sondern weil Herausforderungen aufhören, Gegner zu sein, wenn du aufhörst, gegen sie zu kämpfen. Weil Geld, Gesundheit, Liebe, Leichtigkeit - all das nicht Belohnungen für besonders verdiente Menschen sind. All das ist der natürliche Zustand eines kohärenten Bewusstseins.

Und du bist ein kohärentes Bewusstsein. Du warst es immer. Du hast hier nichts Neues gelernt. Du hast dich erinnert. Und jetzt kannst du anfangen zu spielen. Willkommen im Spiel des Lebens.

Wenn alles eins ist, ist alles easy. I love you.

Rosa

DANKSAGUNG

Mein erstes und größtes Danke gilt meinem Mann Johann, der mich insbesondere in den „verrückten" Anfängen meiner nondualen Reise bedingungslos unterstützt und mich immer ernst genommen hat. Selbst, wenn ich mit verklärtem Blick aus einer Meditation kam, ihn angeguckt habe und Sachen wie „Hey, ich BIN die Zeit! Es gibt keine Zeit außer der, die ICH BIN!". Dann hat er mich einfach angelächelt und „wunderbar!" gesagt.

Außerdem danke ich meinen vier (und bald fünf) Kindern, die mir im Alltag immer wieder spiegeln und zeigen, was Nondualität und Kohärenz wirklich bedeutet und mir schneller als jeder andere zu verstehen geben, wie ich gerade schwinge - und ob ich ehrlich mit mir selbst bin!

Danke an meine Eltern, die mich früh für die Welt außerhalb des Sichtbaren geöffnet haben. Danke an meine Brüder, die mich gelehrt haben, kritisch zu denken, alles zu hinterfragen und immer gute Argumente für jede Situation bereitzuhalten.

Danke an meine Lektorin, die mich durch ihre Rückmeldungen darin bestärkt hat, den Wert dieses Buches zu erkennen.

Danke an meine Managerin, die mir im Prozess der Veröffentlichung zur Seite stand, zu jeder Tages- und Nachtzeit für mich da ist und mich sieht.

Und danke an meine beste Freundin, einfach dafür, dass sie seit über drei Jahrzehnten an mich glaubt und mich unterstützt.

ÜBER ROSA KOPPELMANN

Rosa Koppelmann wurde 1987 in Berlin geboren und wuchs in einer Welt aus politischen Idealen, spirituellen Experimenten und existenziellen Widersprüchen auf. Sie lebte in Frankreich, Ghana und den USA, wurde Unternehmerin, Mutter von vier (bald fünf) Kindern. Und blieb dabei lange auf der Suche nach dem, was unter allem liegt. Diese Suche führte sie immer tiefer nach Innen - in die direkte Erfahrung dessen, was sie heute „gelebte Nondualität" nennt: die Erkenntnis, dass alles eins ist. Nicht als spirituell-philosophische Idee, sondern als direkte, gelebte Erfahrung im Alltag.

Aus dieser Erfahrung heraus entwickelte sie die Rosa Koppelmann Methode (RKM); eine Synthese aus Neurobiologie, Quantenphysik und Nondualität. Mit der RKM begleitet sie Menschen dabei, Bewusstsein nicht als Konzept zu verstehen, sondern im Alltag zu verkörpern: in Beziehungen, Business, Körper und Führung. Sie ist bekannt dafür, die tiefsten Themen des Lebens mit einer Leichtigkeit weiterzugeben, die überrascht. Sie baut Brücken zwischen Wissenschaft und Spiritualität, zwischen dem Unbegreiflichen und dem ganz konkreten Alltag; und macht dabei spürbar, dass beides schon immer dasselbe war.

Mehr über Rosa Koppelmann findest du auf rosa-koppel-mann.de

WIE GEHT ES WEITER?

Du hast dieses Buch gelesen und dich gleichzeitig hast du erinnert:

Erinnert an das, was du schon immer gespürt hast: dass es einfacher geht. Dass Wahrnehmung Realität schafft. Dass dein Nervensystem der Filter ist, durch den du die Welt siehst. Dass Energie weder gut noch schlecht ist; sie fließt einfach. Und dass du in dem Moment, in dem du aufhörst zu kämpfen und anfängst wahrzunehmen, wieder in deinen natürlichen Fluss kommst. Und genau das ist die Rosa Koppelmann Methode. Nicht komplizierter als das.

Wenn du spürst, dass du das Gelesene jetzt auch körperlich erleben willst (I know: beim Lesen hast du auch schon eine Menge körperlich erlebt! Aber ich meine ... darüber hinaus) dann ist die RKM Meditation dein nächster Schritt. Sie führt dich direkt in die drei Kernprinzipien: Erlaubnis, Wahrnehmung, Präsenz. Kein Vorwissen nötig. Keine Vorbereitung. Nur du und das JETZT.

RKM Meditation Scanne den QR-Code und starte direkt:

https://rosa-koppelmann.de/produkt/angeleitete-anwendung-der-rosa-koppelmann-methode/?v=d41d8cd98f00

VERWEISE & QUELLEN

Dieses Buch bewegt sich bewusst an der Schnittstelle von Wissenschaft, Bewusstsein und gelebter Erfahrung. Die folgenden Quellen bilden das wissenschaftliche Fundament für die Konzepte, die im Buch verwendet werden - für alle, die tiefer einsteigen möchten.

Quantenphysik & Nicht-Lokalität

Aspect, A., Grangier, P. & Roger, G. (1982). Experimental realization of Einstein-Podolsky-Rosen-Bohm Gedankenexperiment. Physical Review Letters, 49(2), 91-94.

Aspect, A., Dalibard, J. & Roger, G. (1982). Experimental test of Bell's inequalities using time-varying analyzers. Physical Review Letters, 49(25), 1804-1807.

→ Beide Papers: Grundlagenexperimente zur Quantenverschränkung und Verletzung der Bell'schen Ungleichungen.

Aspect, A., Clauser, J. F. & Zeilinger, A. (2022). Nobelpreis für Physik.

→ Ausgezeichnet für Experimente mit verschränkten Photonen.

Hopfield, J. & Hinton, G. (2024). Nobelpreis für Physik.

→ Ausgezeichnet für grundlegende Arbeiten zu neuronalen Netzwerken und maschinellem Lernen.

Neurowissenschaft & Wahrnehmung

Botvinick, M. & Cohen, J. (1998). Rubber hands 'feel' touch that eyes see. Nature, 391(6669), 756. DOI: 10.1038/35784

→ Das klassische Gummihand-Experiment zur Körperwahrnehmung und Selbstmodell des Gehirns.

LeDoux, J. (1996). The Emotional Brain: The Mysterious Underpinnings of Emotional Life. Simon & Schuster.

→ Grundlagenwerk zur neurobiologischen Verarbeitung von Emotionen, Rolle der Amygdala.

Damasio, A. (1994). Descartes' Error: Emotion, Reason, and the Human Brain. G.P. Putnam.

→ Theorie der somatischen Marker — der Körper als erster Bedeutungsgeber, lange bevor der Verstand eine Geschichte daraus macht.

Merzenich, M. (2013). Soft-Wired: How the New Science of Brain Plasticity Can Change Your Life. Parnassus Publishing.

Pascual-Leone, A. et al. (2005). The plastic human brain cortex. Annual Review of Neuroscience, 28, 377-401.

→ Beide: Neuroplastizität — das Gehirn integriert neue Erfahrungen in wiederholten Zyklen, nicht in einem einzigen Moment.

Herzfeld & elektromagnetische Resonanz

McCraty, R., Atkinson, M. & Bradley, R. T. (2009). The Coherent Heart: Heart-Brain Interactions, Psychophysiological Coherence, and the Emergence of System-Wide Order. Integral Review, 5(2).

→ Messbare elektromagnetische Felder des Herzens und deren Einfluss auf Nervensystem und Wahrnehmung.

Sinnesverarbeitung & Bewusstsein

Nørretranders, T. (1991/1998). The User Illusion: Cutting Consciousness Down to Size. Viking Penguin. (Dt. Ausgabe: Der Benutzer, Insel Verlag, 1994.)

→ Quelle für die ~11 Millionen Bits/Sekunde Sinnesinformation vs. ~16-40 bewusste Bits — der Grund, warum Wahrnehmung immer eine Auswahl ist.